JN107883

Jw_cad 8
逆引きハンドブック

Obra Club 著

X-Knowledge

本書をご購入・ご利用になる前に必ずお読みください

- 本書の内容は、執筆時点（2020年12月）の情報に基づいて制作されています。これ以降に製品、サービス、その他の情報の内容が変更されている可能性があります。また、ソフトウェアに関する記述も執筆時点の最新バージョンを基にしています。これ以降にソフトウェアがバージョンアップされ、本書の内容と異なる場合があります。
- 本書は、「Jw_cad」の解説書です。本書の利用に当たっては、「Jw_cad」がインストールされている必要があります。Jw_cadのインストール方法はp.28を参照してください。
- 「Jw_cad」をはじめ本書で解説しているフリーソフトについては無償のため、作者、著作権者、ならびに株式会社エクスナレッジはサポートを行っておりません。また、ダウンロードやインストールについてのお問合せも受け付けておりません。
- 本書は、パソコンやWindows、インターネットの基本操作ができる方を対象としています。
- 本書は、Windows 10がインストールされたパソコンで「Jw_cad Version 8.22d」（以降「Jw_cadバージョン8.22d」と表記）を使用して解説を行っています。そのため、ご使用のOSやソフトウェアのバージョンによって、画面や操作方法が本書と異なる場合がございます。
- 本書は、Windows 10に対応しています。
- 本書で解説しているJw_cad以外のソフトウェアの動作環境は、各ソフトウェアのWebサイト、マニュアル、ヘルプなどでご確認ください。なお、本書ではWindows 10でJw_cadバージョン8.22dを使用した環境で動作確認を行っております。これ以外の環境での動作は保証しておりません。
- 本書を利用したことによるいかなる損害に対しても、データ提供者（開発元・販売元・作者など）、著作権者、ならびに株式会社エクスナレッジでは、一切の責任を負いかねます。個人の責任においてご使用ください。
- 本書に直接関係のない「このようなことがしたい」「このようなときはどうすればよいか」など特定の操作方法や問題解決方法、パソコンやWindowsの基本的な使い方、ご使用の環境固有の設定や機器に関するお問合せは受け付けておりません。本書の説明内容に関するご質問に限り、p.415のFAX質問シートにて受け付けております。

以上の注意事項をご承諾いただいたうえで本書をご利用ください。ご承諾いただけずお問合せをいただいても、株式会社エクスナレッジおよび著作権者はご対応いたしかねます。あらかじめご了承ください。

Jw_cadについて

Jw_cadは無料で使用できるフリーソフトです。そのため株式会社エクスナレッジ、著作権者、データの提供者（開発元・販売元）は一切の責任を負いかねます。個人の責任で使用してください。Jw_cadバージョン8.22dは、Vista/7/8/10上で動作します。本書の内容についてはWindows 10での動作を確認しており、その操作画面を掲載しています。また、Microsoft社がWindows Vista/7のサポートを終了しているため、本書はWindows Vista/7での使用は保証しておりません。ご了承ください。

◉ Jw_cadバージョン8.22dの動作環境

Jw_cadバージョン8.22dは、以下のパソコン環境でのみ正常に動作します。

OS（基本ソフト）：上記に記載／内部メモリ容量：64MB以上／ハードディスクの使用時空き容量：5MB以上／ディスプレイ解像度：800×600以上／マウス：2ボタンタイプ（ホイールボタン付き3ボタンタイプを推奨）

本書について

本書は、ユーザーが「○○をしたい」「○○を使いたい」「○○がわからない」といったとき、さまざまなアプローチで目的の操作方法を引ける事典です。

操作ごとにつまづくビギナーは、思いつく限りの言葉で引けば、きっとその答えが見つかることでしょう。すでに実務でJw_cadを利用しているユーザーは、普段使っている方法より、さらに効率的で便利な機能を見つけられることでしょう。

読者ができるだけ早く、的確な操作方法にたどり着けるように、本書では3つのINDEXを用意してあります。

カテゴリ別 INDEX　各項目をページ順に並べた、一般的な目次の役割も持つINDEXです。「基本操作／選択／指示」「作図」「編集／変更」「文字」「寸法／測定」——といったように操作を分類し、見出しから目的の操作を引けます。目的が大まかにわかっている場合や、それに関連する知識も併せて知りたいときに役立ちます。

キーワード INDEX　各項目に記載されている「関連キーワード」を五十音順に並べたINDEXです。「長方形」「オフセット」「文字サイズ」「ユーザー定義線色」「グループ化」——といった単語から目的の操作を引けます。ピンポイントで目的の操作を見つけたいときや、断片的な言葉しか思いつかないときに役立ちます。

コマンド別 INDEX　各項目に記載されている「関連コマンド」のINDEXです。メニューバーに格納されている各種コマンドから目的の操作を引けます。ある程度Jw_cadに慣れ親しんでいるユーザーが、該当コマンドの応用的な使い方や、オプション機能などを知りたいときに役立ちます。

以上、3つのINDEXを併用すれば、あなたの「知りたい」がきっと見つかるはずです。

デザイン ……………… 長健司(kinds art associates)
イラスト ……………… 松島直子
編集協力 ……………… 鈴木健二(中央編集舎)・本間敦
企画協力 ……………… 熊澤勇一・志鎌雅明・馬目好男・三角徳弘
Special Thanks ……… 清水治郎・田中善文
印刷 …………………… 図書印刷株式会社

Jw_cadの画面と本書の表記・凡例

Jw_cadの画面

下図はインストール直後のJw_cad画面（解像度1024×768ピクセル）である。画面のサイズ、
表示色、ツールバーの並びなどは、パソコンの解像度やJw_cadの設定により異なる。

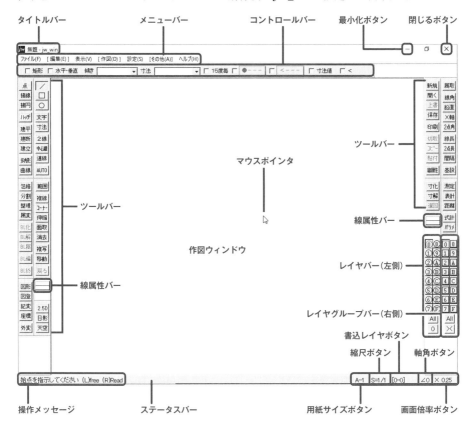

キーボードからの入力と指示の表記

寸法や角度などの数値を指定する場合や文字を記入する場合は、所定の入力ボックスに入力
ポインタがあることを確認し、キーボードから数値や文字を入力する。

数値や文字の入力指示は、入力する数値や文字に「　」を付けて表記する。Jw_cadでは数値
入力後に Enter キーを押す必要はない。（例）「500」を入力

特定のキーを押す指示は、キーの名前に□（枠）を付けて表記する。（例）Ctrl キーを押す

マウスによる指示の表記

マウスによる指示は、クリック、ダブルクリック、ドラッグ（クロックメニューを含む）があり、押すボタンに色を付けて、下記のように表記する。

- **クリック**
  - 🖱 **左ボタンをクリック**
  - 🖱 **右ボタンをクリック**

- **ダブルクリック**
  - 🖱🖱 **左ボタンをダブルクリック**
  - 🖱🖱 **右ボタンをダブルクリック**

- **ドラッグ**

  ボタンを押したままマウスを矢印の方向に移動し、ボタンをはなす。操作画面では、図のように、押すボタンを示すマウスのマークとドラッグ方向を示す矢印で表記する。

  🖱↗ **左右両方のボタンを押したまま右上にドラッグ**

- **クロックメニュー**

  ドラッグで表示されるクロックメニューからのコマンド選択は、押すボタンとドラッグ方向、クロックメニューの時間と名前を表記する。操作画面では、図のように、ドラッグ表記の先にクロックメニューを付けて表記する。

  🖱➡ **AM3時** 中心点・A点

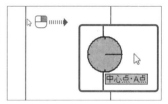

本書の表記

- 関連キーワード **曲線属性／グループ化／寸法図形／ブロック／バージョン 8.22**

  関連するキーワードを表記する。

  ─── バージョン 8.20 以降で変更や追加があったものにバージョンを表記

- 関連コマンド **[編集]－「図形複写」「図形移動」**

  関連するコマンドを表記する。

  ─── 同一メニュー（ここでは [編集]）内のコマンドは併記

- Point

  知っておきたい重要なポイントや操作上の注意事項の説明。

- ?

  本書の説明どおりにできない場合の原因と対処方法の参照ページを示す。

- ☞ **p.220**

  関連事項の参照ページを示す。

［作図］

［編集／変更］

[ハッチング／塗りつぶし]

［文字］

［寸法／測定］

［レイヤ／属性取得］

［画像／ブロック］

［印刷］

［トラブル解決］

［基礎知識］

た行

な行

や行

ら行

わ行

020

○○1 | Jw_cadのバージョンを 確認する

関連キーワード OS ／ Windows ／バージョン
関連コマンド [ヘルプ] －「バージョン情報」

使用している Jw_cad のバージョンは、Jw_cad を起動して以下の手順で確認できる。

1 メニューバー [ヘルプ] －「バージョン情報」を選択する。

2 「バージョン情報」ウィンドウで、「Version」の後の番号を確認する。

Point 数字および末尾のアルファベット順（a → b → c …）にバージョン番号は付けられる。数字と末尾のアルファベットが後のものほど新しいバージョンである。

Hint OS（Windows）のバージョン確認

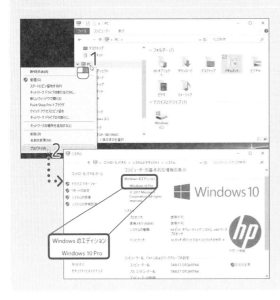

Windows のバージョンは、エクスプローラーを起動して以下の手順で確認する。

1 フォルダーツリーで、「PC」（または「コンピューター」を🖱。

2 表示されるメニューの「プロパティ」を🖱。

3 「システム」ウィンドウが開くので、その「Windows のエディション」欄でバージョンを確認する。

OO2 | Jw_cadを入手する

関連キーワード ダウンロード

最新版のJw_cadは、作者の公式ホームページ「https://www.jwcad.net」からダウンロードできる。ここではWebブラウザ「Microsoft Edge」の画面で説明する。

ダウンロードが完了すると
「ファイルを開く」が表示される

1 Webブラウザを起動し、URLとして「https://www.jwcad.net」を入力して、Jw_cadの作者の公式ホームページを開く。

2 対応OSを確認する。

3 「ダウンロード」を🖱️。

Point バージョンアップ直後のJw_cadプログラムは、パソコン環境によっては不具合が生じる可能性もある。不具合が生じた場合に自身で対処できないならば、バージョンアップ直後のJw_cadのインストールは控える。2020年12月現在、最新のバージョン8.22dは一部のパソコン環境で表示上の不具合が出る可能性があるため、動作が安定した古いバージョンの7.11もダウンロードできるようになっている。

4 「jwcad.net」を🖱️。

Point 画面左下にダウンロード状況が表示される。完了後に表示される「ファイルを開く」を🖱️すると、続けてインストール（☞次ページ）ができる。

003 Jw_cadをインストール（バージョンアップ）する

関連キーワード インストール／バージョンアップ

Jw_cad をはじめてインストールする場合も、すでに Jw_cad がインストールされているパソコンに新しい Jw_cad をインストール（バージョンアップ）する場合も手順は同じである。ここでは、Jw_cad バージョン 8.22d をインストール（バージョンアップ）する例で説明する。Jw_cad のダウンロード完了後に「ファイルを開く」を🖱した場合は、以下の2の操作から行う。なお、1台のパソコンにバージョンの異なる複数の Jw_cad をインストールすることは誤動作の原因になるので避けること。

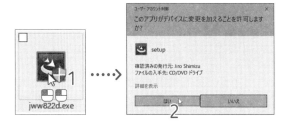

1 入手した「jww822d (.exe)」のアイコンを🖱🖱。

2 「ユーザーアカウント制御」ウィンドウの「はい」ボタンを🖱。

❓ 「ユーザーアカウント制御」ウィンドウに「続行するには管理者のユーザー名とパスワードを入力してください」と表示される ☞ p.378

❓ 「Jw_cad のインストールは、配布パッケージ（jww8**.exe）…」と表示されたウィンドウが開く ☞ p.378

3 「Jw_cad-InstallShield Wizard」ウィンドウが開くので、「次へ>」ボタンを🖱。

?「プログラムの保守」と表記された
ウィンドウが開く ☞ p.378

4 使用許諾契約書を必ず読み、同
　意したら「使用許諾契約の条項に
　同意します」を🖰して選択する。

5 「次へ>」ボタンを🖰。

6 インストール先が「C：¥JWW」
　のまま「次へ>」ボタンを🖰。

7 「インストール」ボタンを🖰。

8 「完了」ボタンを🖰してウィンドウ
　を閉じる。

○○4 Jw_cadのショートカットを作成する

Jw_cad をインストール後、起動のためのショートカットをデスクトップに作成するには、以下の手順で行う。ここでは Windows 10 で、Jw_cad のショートカットを作成する手順を説明する。

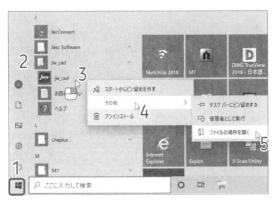

1 「スタート」ボタンを🖱。

2 スタートメニュー「J」欄の「Jw_cad」フォルダーを🖱。

3 「Jw_cad」フォルダー下に表示される「jw_cad」を🖱。

4 表示されるメニューの「その他」を🖱。

5 さらに表示される「ファイルの場所を開く」を🖱。

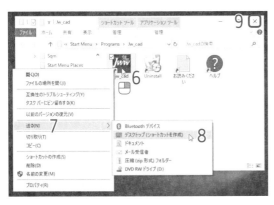

6 「Jw_cad」ウィンドウの「jw_cad」を🖱。

7 表示されるメニューの「送る」を🖱。

8 さらに表示されるメニューの「デスクトップ（ショートカットを作成）」を🖱。

9 デスクトップに Jw_cad のショートカットアイコンが作成されるので、「Jw_cad」ウィンドウの🗙を🖱して閉じる。

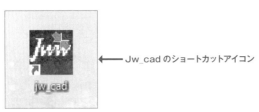

◀── Jw_cad のショートカットアイコン

005 | Jw_cadを アンインストールする

関連キーワード アンインストール

Windowsのコントロールパネルからアンインストールする。以下は、Windows 10 で Jw_cad バージョン 8 をアンインストールする例で説明する。

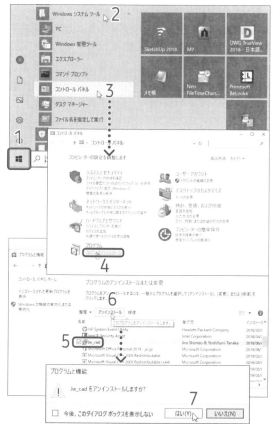

1 「スタート」ボタンを🖱。

2 「W」欄の「Windows システムツール」を🖱。

3 「コントロールパネル」を🖱。

4 「コントロールパネル」ウィンドウの「プログラム」の「プログラムのアンインストール」を🖱。

5 「プログラムと機能」ウィンドウの「Jw_cad」を🖱して選択する。

6 「アンインストール」を🖱。

7 「Jw_cad をアンインストールしますか?」と表記されたウィンドウの「はい」ボタンを🖱。

8 「ユーザーアカウント制御」ウィンドウの「はい」ボタンを🖱。

9 アンインストールが完了したら× を🖱してウィンドウを閉じる。

Point アンインストール完了後もデスクトップのショートカットは残る。「JWW」フォルダーも独自データを保存してある場合は残る。いずれも必要に応じて削除する。

006 | Jw_cadの各種設定を 他のパソコンへ移行する

関連キーワード JWF／基本設定／寸法設定

関連コマンド [設定]－「環境設定ファイル」－「読込み」「書出し」

環境設定ファイルに書き出し、それを別のパソコンのJw_cadで読み込むことで、「基本設定」や「寸法設定」の内容、用紙サイズ、縮尺、レイヤ名などを一括して同じ設定にできる。

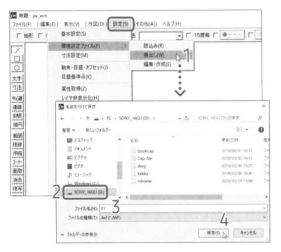

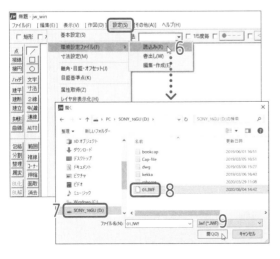

■ 移行元のパソコンで行う操作

1 パソコンにUSBメモリを挿入し、メニューバー[設定]－「環境設定ファイル」－「書出し」を選択する。

2 「名前を付けて保存」ダイアログで、「保存する場所」としてUSBメモリを指定する。

3 「ファイル名」ボックスに保存する環境設定ファイル名（ここでは「01」）を入力する。

4 「保存」ボタンを🖰。

■ 移行先のパソコンで行う操作

5 環境設定ファイルを4で保存したUSBメモリをパソコンに挿入する。

6 メニューバー[設定]－「環境設定ファイル」－「読込み」を選択する。

7 「開く」ダイアログで、「ファイルの場所」としてUSBメモリを指定する。

8 環境設定ファイル「01.JWF」を🖰で選択する。

9 「開く」ボタンを🖰。

Point Jw_cadの作図ウィンドウに変化は見られないが、4で保存した環境設定ファイルが読み込まれ、基本設定などが一括変更される。

 | 画面の背景色を変更する

関連キーワード 色彩の初期化／背景色／表示色

関連コマンド [設定]－「基本設定」

Jw_cad の作図ウィンドウの背景色や各線の表示色は、「基本設定」の「色・画面」タブで変更できる。この設定は図面ファイルに保存されるため、他所から受け取った図面を開いたときに画面色が変更されることもある。その場合も図面を開いた後で、以下の操作を行うことで背景色や線の表示色を変更できる。ここでは背景色を黒にする例で説明する。

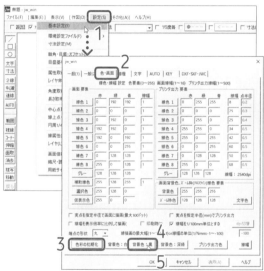

1 「基設」コマンド（メニューバー [設定]－「基本設定」）を選択する。

2 「jw_win」ダイアログの「色・画面」タブを🖱。

3 「色彩の初期化」ボタンを🖱。

4 グレーアウトされていた「背景色：黒」ボタンが使用可能になるので🖱。

Point インストール直後と同じ白背景にする場合は「背景色：白」ボタンを🖱する。

5 「OK」ボタンを🖱。

Point 作図ウィンドウの背景色が黒になり、それに合わせて「線色1」～「線色8」の表示色も見やすい色に自動的に変わる。この背景色や線の表示色の設定は、図面ファイルに保存される。

○○8 ツールバーの配置を変更する

関連キーワード ツールバーのカスタマイズ／ユーザーバー設定

関連コマンド ［表示］－「ツールバー」

「ツールバーの表示」ダイアログで、Jw_cad 画面に表示するツールバーを指定できる。また、ユーザーバーの設定により、必要なコマンドだけを好きな順序に並べ替えることができる。ここでは、ユーザーバーの設定方法を解説する。

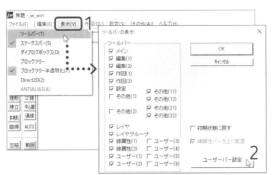

1 メニューバー ［表示］－「ツールバー」を選択する。

Point 「ツールバーの表示」ダイアログでチェックが付いている項目が現在画面に表示されているツールバー。

2 「ツールバーの表示」ダイアログの「ユーザーバー設定」ボタンを🖰。

Hint 「ツールバーの表示」ダイアログの各ツールバー

各項目にチェックを付けることで、図のツールバーを表示する。

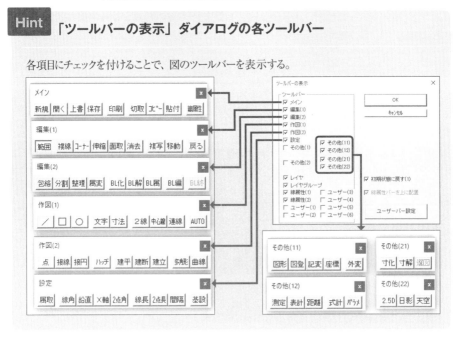

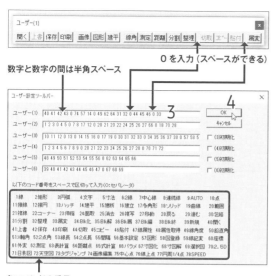

数字と数字の間は半角スペース

0 を入力（スペースができる）

各コマンドの番号

3 「ユーザー設定ツールバー」ダイアログの「ユーザー (1)」ボックス〜「ユーザー (6)」ボックスの任意のボックスに、配置するコマンドの番号を、配置順に間を半角スペースで区切って入力する。

Point 「ユーザー設定ツールバー」ダイアログの「ユーザー (1)」〜「ユーザー (6)」ボックスで、それぞれコマンドとその配置順序を設定できる。

4 「OK」ボタンを🖱。

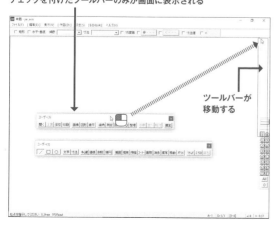

チェックを付けたツールバーのみが画面に表示される

ツールバーが移動する

5 「ツールバーの表示」ダイアログで、3、4 で設定したユーザーツールバーと必要なツールバー（図は「レイヤ」「線属性 (2)」）のみにチェックを付けて「OK」ボタンを🖱。

Point チェックを付けたツールバーのみが画面に表示される。ツールバーの外形枠にマウスポインタを合わせてドラッグし、移動先でマウスボタンをはなすことで、その位置を調整できる。図のようにツールバーが作図ウィンドウに出ている場合は、そのタイトルバーを作図ウィンドウの左右や上下までドラッグすることで、マウスボタンをはなした位置に配置できる。

○○9 消えたり崩れたりした ツールバーを初期状態にする

関連キーワード ツールバーの初期化

関連コマンド [表示]-「ツールバー」

一部のツールバーが消えてしまったり、ツールバーの配置が崩れたり、ツールバーの表示がおかしくなったりした場合は、ツールバーをいったんインストール直後の状態（初期状態）にして調整する。

1 メニューバー [表示]-「ツールバー」を選択する。

2 「ツールバーの表示」ダイアログの「初期状態に戻す」を🖱し、チェックを付ける。

初期状態のツールバーにチェックが付く

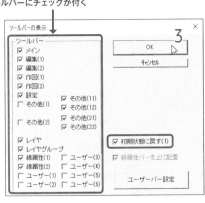

3 Jw_cad をインストールした直後に表示されるツールバーにチェックが付くので、「OK」ボタンを🖱。

Point 「OK」ボタンを🖱する前に、画面に表示しないツールバーを🖱してチェックを外してもよい。その場合も各ツールバーは初期状態の位置に並ぶ。

○10 | クロスラインカーソルを使用する

関連キーワード **カーソル／クロスラインカーソル／マウスポインタ**

関連コマンド **[設定]－「基本設定」**

矢印形状のマウスポインタをクロスラインカーソルにして利用できる。

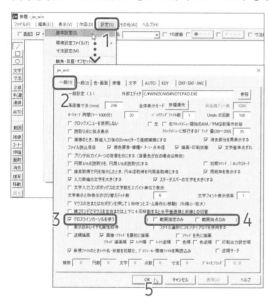

1 「基設」コマンド(メニューバー[設定]－「基本設定」)を選択する。

2 「jw_win」ダイアログの「一般(1)」タブを🖱。

3 「クロスラインカーソルを使う」にチェックを付ける。

4 必要に応じて( )内の「範囲指定のみ」または「範囲始点のみ」にもチェックを付ける。

Point ( )内のチェックを付けると、通常は矢印形状のマウスポインタだが、範囲指定時のみクロスラインカーソルになる。「範囲指定のみ」では範囲指定の始点指示から選択確定までの間、「範囲始点のみ」では範囲指定の始点指示時のみ、クロスラインカーソルになる。

5 「OK」ボタンを🖱。

Point クロスラインカーソルの表示色は、ズーム枠の表示色と同じ色になる。「基本設定」コマンドの「jw_win」ダイアログ「色・画面」タブの「ズーム枠色」ボタンで変更できる。

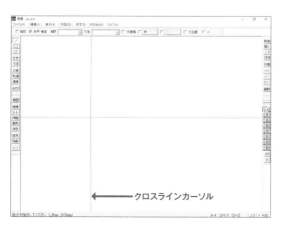

←── クロスラインカーソル

011 | グリッド（目盛）を任意の間隔で表示する

関連キーワード 実寸／目盛

関連コマンド ［設定］－「軸角・目盛・オフセット」

グリッド機能は Jw_cad にはないが、その代わりに🖱️で読み取り可能な印刷されない点（目盛）を指定間隔で作図ウィンドウに表示できる。ここでは、910mm 間隔の目盛と、それを 2 等分割する目盛を表示する例で説明する。

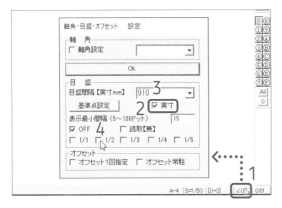

1 ステータスバーの「軸角」ボタン（メニューバー［設定］－「軸角・目盛・オフセット」）を選択する。

2 「軸角・目盛・オフセット　設定」ダイアログの「実寸」にチェックを付ける。

Point 「目盛間隔」は通常、図寸（☞ p.405）で指定する。実寸で指定する場合は、「実寸」にチェックを付ける。

3 「目盛間隔」ボックスに「910」を入力する。

4 「1/2」を🖱️。

Point 指定した実寸 910mm 間隔の目盛（線色 2：黒）と、4で「1/2」を🖱️したため、910mm の目盛を 2 等分割する目盛（線色 1：水色）が表示される。目盛間隔は、縮尺変更（☞ p.226）には追従しない。目盛を消す場合は、1の操作で「軸角・目盛・オフセット設定」ダイアログを開き、「OFF」を🖱️する。

? 設定した目盛が表示されない
☞ p.380

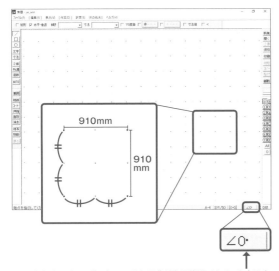

軸角角度の後ろの「・」は、現在目盛が表示状態であることを示す

012 | 図面上の点を基準に目盛を表示する

関連キーワード 目盛

関連コマンド ［設定］－「目盛基準点」

目盛の表示設定（☞前ページ）を行い、目盛の基準点として図面上の点を指示することで、その点を基準として目盛が表示される。

1 メニューバー［設定］－「目盛基準点」を選択する。

2 目盛の基準点にする点を🖱。

2の基準点に目盛を合わせて再表示される

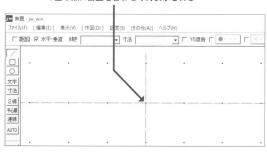

013 用意されていない用紙サイズに作図する

関連キーワード 印刷枠／書込線／補助線種／用紙サイズ

関連コマンド [ファイル]-「印刷」／[設定]-「線属性」「用紙サイズ」

あらかじめJw_cadに用意されていないB判の用紙や縦向きの用紙に作図するには、まずそれよりも大きい用紙サイズを設定する。そのうえで「印刷」コマンドの枠書込でその用紙の印刷枠を作図し、その内側に図面を作図する。ここではB5縦の印刷枠を作図する例で解説する。

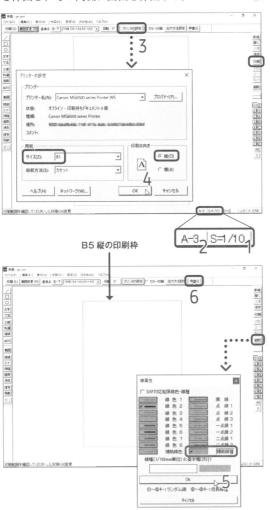

B5縦の印刷枠

1 作図する図面の縮尺を設定する。

2 ステータスバー「用紙サイズ」ボタン（メニューバー[設定]-「用紙サイズ」）を🖱し、作図する図面よりも大きい用紙サイズ（図はA-3）を選択する。

3 「印刷」コマンド（メニューバー[ファイル]-「印刷」）を選択（☞ p.362）し、コントロールバー「プリンタの設定」ボタンを🖱。

4 「プリンターの設定」ダイアログで、用紙のサイズ「B5」、印刷の向き「縦」を指定して「OK」ボタンを🖱。

5 「線属性」コマンド（メニューバー[設定]-「線属性」）を選択し、書込線を印刷されない「補助線種」にする。

6 コントロールバー「枠書込」ボタンを🖱。

Point B5縦用紙の印刷枠が補助線種で作図されるので、「／」コマンドを選択して「印刷」コマンドを終了する。この補助線の枠内に作図し、印刷するときは、3、4と同様の操作で、B5縦用紙を指定して印刷する。

○14 | クロックメニューを不使用にする

関連キーワード クロックメニュー

関連コマンド [設定]－「基本設定」

「基本設定」コマンドでクロックメニューを使わない設定にできる。

1 「基設」コマンド（メニューバー［設定］－「基本設定」）を選択する。

2 「jw_win」ダイアログの「一般（1）」タブを🖱。

3 「クロックメニューを使用しない」にチェックを付ける。

Point 🖱↑、🖱→、🖱↓、🖱←の4方向の右ボタンドラッグによるクロックメニューは不使用に設定できない。ただし、「中心点読取等に移行する右ボタンドラッグ量」ボックスを最高値の「200」にしておくと、それらのクロックメニューが出にくくなる。

4 「OK」ボタンを🖱。

Hint 不使用にせずに、意図しないクロックメニューを出にくくする設定

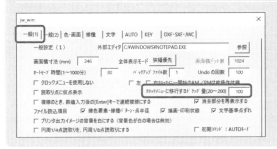

クリックしたはずが、頻繁にクロックメニューが表示される場合、クリック時のマウスのわずかな移動がドラッグと見なされている。その場合は、「クロックメニューに移行するドラッグ量」ボックスを「200」などの大きい数値にして調整する。

◯15 | 単位を m/mm にする

関連キーワード **m・mm単位／単位**

関連コマンド **[設定] ー「基本設定」**

Jw_cad で長さや距離を指定するときの寸法単位は mm である。メニューバー[設定]ー「基本設定」の「一般(2)」タブの「m 単位入力」にチェックを付けることで m 単位に、チェックを外すことで mm 単位になる。

1 「基設」コマンド(メニューバー[設定]ー「基本設定」)を選択する。

2 「jw_win」ダイアログの「一般(2)」タブを🖱。

3 「m 単位入力」にチェックを付ける。

4 「OK」ボタンを🖱。

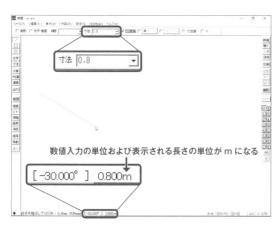

寸法 0.8

数値入力の単位および表示される長さの単位が m になる

[-30.000°] 0.800m

Point 以上で数値入力の単位やステータスバーに表示される長さの単位、寸法記入単位が m になる。この設定は、3 で付けたチェックを外すまで有効である。

○16 | 単位を尺にする

関連キーワード JWF／尺単位／単位

関連コマンド [設定]－「基本設定」「環境設定ファイル」－「読込み」「寸法設定」

Jw_cadで長さや距離を指定するときの寸法の単位はmmである。「JWW」フォルダーに用意されている尺単位の環境設定ファイルを読み込むことで尺単位になる。

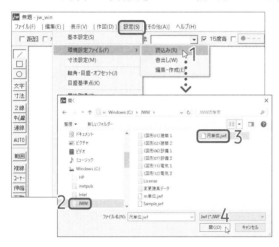

1 メニューバー［設定］－「環境設定ファイル」－「読込み」を選択する。

2 「開く」ダイアログの「ファイルの場所」を「JWW」フォルダーにする。

3 「尺単位 .jwf」を🖑で選択する。

4 「開く」ボタンを🖑。

Point 画面上の変化はないが、「尺単位 .jwf」が読み込まれ、作図や寸法記入単位が尺に設定される。この設定はJw_cadを終了するか、あるいはメニューバー［設定］－「基本設定」の「一般 (2)」タブの「尺単位入力」のチェックを外すまで有効で、図面ファイルには保存されない。

Point 「尺単位 .jwf」を読み込むと、「基本設定」コマンドの「jw_win」ダイアログや「寸法設定」ダイアログの「寸法単位」「m」が「尺」に変更される。Jw_cadを再起動後は、「尺単位」指定は解除され、単位は「m単位」指定になるので注意が必要だ。

「基本設定」の「一般 (2)」タブの「m単位入力」が「尺単位入力」に変わる。このチェックを外せばmm単位指定に戻る

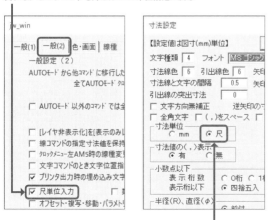

「寸法設定」ダイアログの「m」が「尺」に変わる

0̸17 | 図面ファイルを開く

関連キーワード DXF／JWC／JWW／P21／SFC／SXF／図面ファイル／ファイル選択ダイアログ

関連コマンド ［ファイル］－「開く」

JWW 形式の図面ファイル（*.jww）に限り、エクスプローラーなどでファイルを🖱🖱して開けるが、基本的には図面ファイルは Jw_cad の「開く」コマンドを選択して開く。

ファイル名の表示サイズを調整する「文字サイズ」ボックス

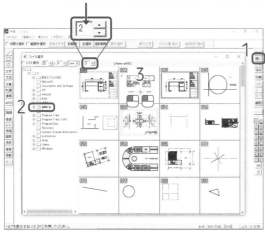

1 「開く」コマンド（メニューバー［ファイル］－「開く」）を選択する。

2 「ファイル選択」ダイアログのフォルダーツリーで図面の収録先のフォルダーを🖱。

3 フォルダー内の図面ファイルがサムネイル表示されるので、開きたい図面ファイルの枠内で🖱🖱。

Point 必ずファイル名以外の位置で🖱🖱すること。ファイル名の表示サイズは、ダイアログ上の「文字サイズ」ボックスの数値（-3～3）で調整できる。

❓ 図面を開いたが何も表示されない
☞ p.382

Hint 開くことができる図面ファイルの種類

「ファイル選択」ダイアログの「種類」ボックスの🔽を🖱して表示されるリストから「.jwc」「.dxf」「.sfc」「.p21」を選択すると、選択した種類の図面ファイルの一覧表示になり、図面ファイルを🖱🖱することで開くことができる。

Jw_cad で開ける図面ファイルは、以下の 4 種類である。

・JWW ファイル（*.jww）　Jw_cad の図面ファイル
・JWC ファイル（*.jwc）　DOS 版 JW_CAD の図面ファイル（☞ p.396）
・DXF ファイル（*.dxf）　AutoCAD の中間ファイル（☞ p.395）
・SXF ファイル（*.sfc、*.p21）中間ファイル（☞ p.398）

図面ファイル／図形ファイル

○18 Windows 標準のダイアログ で開く・保存する

関連キーワード コモンダイアログ／デスクトップ／ネットワーク／ファイル選択ダイアログ

関連コマンド [ファイル]-「開く」「名前を付けて保存」 ／ [設定]-「基本設定」

Jw_cad 独自の「ファイル選択」ダイアログの代わりに Windows 標準の「名前を付けて保存」「開く」ダイアログを利用することで、デスクトップやネットワーク上の共有フォルダーを容易に利用できる。

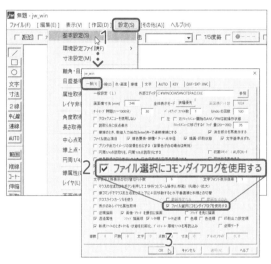

1 「基設」コマンド（メニューバー [設定]-「基本設定」）を選択する。

2 「jw_win」ダイアログの「一般 (1)」タブの「ファイル選択にコモンダイアログを使用する」を🖱し、チェックを付ける。

3 「OK」ボタンを🖱。

Point 以上の設定で、図面ファイルを開く・保存するときのダイアログが Windows 標準の「開く」「名前を付けて保存」ダイアログ（コモンダイアログ）になる。Jw_cad 独自の「ファイル選択」ダイアログを使う場合は、2 のチェックを外す。

▼ Windows 標準のコモンダイアログ

デスクトップやネットワーク上の共有フォルダーを🖱で選択できる

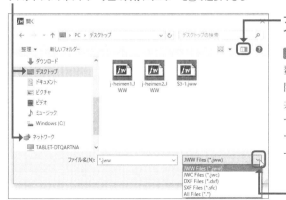

プレビューウィンドウを表示しても、図面ファイルのプレビューは表示されない

Point Jw_cad には排他制御機能（複数のパソコンで同時に同一ファイルを開き、編集・上書きを防ぐ機能）がない。共有フォルダーの図面ファイルを編集するときには、同時に複数のパソコンで編集して上書き保存しないよう注意する。

ファイルの種類切り換え

図面ファイル／図形ファイル

○19 | DXF ファイルを開く

関連キーワード　DXF

関連コマンド　[ファイル]－「DXF ファイルを開く」／[設定]－「基本設定」

DXF 図面ファイルには用紙サイズや縮尺の情報はない。そのため、用紙サイズや DXF 読込みの設定を行ったうえで、DXF ファイルを開く。

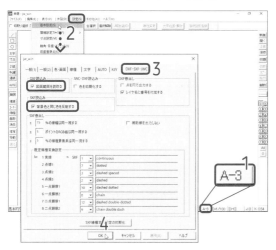

1　これから開く DXF ファイルと同じ用紙サイズに設定する。

2　「基設」コマンド（メニューバー [設定]－「基本設定」）を選択する。

3　「jw_win」ダイアログ「DXF・SXF・JWC」タブを🖱。

4　「DXF 読込み」欄の「図面範囲を読取る」と「SXF 読込み」欄の「背景色と同じ色を反転する」にチェックを付け、「OK」ボタンを🖱。

Point　「図面範囲を読取る」にチェックを付けることで、開くときの用紙サイズに図面が収まるように縮尺を自動調整する。

5　メニューバー [ファイル]－「DXF ファイルを開く」を選択する。

6　「ファイル選択」ダイアログで DXF ファイルが収録されているフォルダーを選択し、DXF ファイルを🖱🖱。

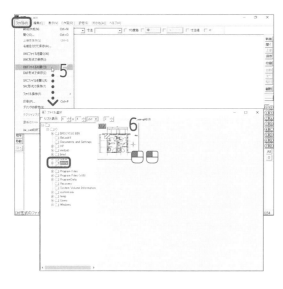

Point　開いた DXF 図面の線色・線種は、SXF 対応拡張線色・線種（☞ p.399）になる。用紙サイズ、縮尺、レイヤ、文字サイズなどが元の図面と異なる、データの一部が欠落することがあり、Jw_cad の図面と同じようには編集できない場合もある。

020 図面ファイルとして保存する

関連キーワード DXF／JWC／JWW／P21／SFC／SXF／図面ファイル／ファイル選択ダイアログ／保存

関連コマンド [ファイル] -「名前を付けて保存」

「保存」コマンド（メニューバー［ファイル］-「名前を付けて保存」）で保存先とファイル名を指定して図面ファイルとして保存する。新しく作図した図面を保存するほか、開いた図面ファイルを別の名前で保存する場合にも同じ操作を行う。

保存していない図面は、タイトルバーに「無題-jw_win」と表示

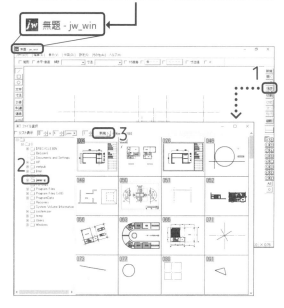

保存形式を指定・変更できる

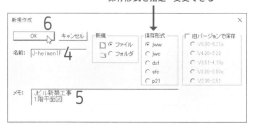

1 「保存」コマンド（メニューバー［ファイル］-「名前を付けて保存」）を選択する。

2 「ファイル選択」ダイアログのフォルダーツリーで保存場所を指定する。

3 「新規」ボタンを🖱。

4 「新規作成」ダイアログの「名前」ボックスにファイル名を入力する。

Point 開いた図面ファイルを別の名前で保存する場合、「名前」ボックスのファイルの名前が色反転するので、その文字を変更する。

5 必要に応じて「メモ」ボックスを🖱し、メモを入力する。

Point 「保存形式」が「jww」「jwc」の場合に限り、メモを入力できる。「保存形式」欄での指定で、JWC・DXF・SXF（SFC・P21）ファイルとして保存することも可能。

6 「OK」ボタンを🖱。

O21 | 旧バージョンの Jw_cad 図面として保存する

関連キーワード **JWW ／旧バージョン／図面ファイル／保存**

関連コマンド **[ファイル] －「名前を付けて保存」**

Jw_cad バージョン 8 で保存した Jw_cad 図面（*.jww）は、6.21a 以前の旧バージョンの Jw_cad では開けない。旧バージョンの Jw_cad に図面を渡すには、渡す先の Jw_cad のバージョンに合わせたバージョンを指定して Jw_cad 図面を保存する。ただし、コモンダイアログ（☞ p.45）では旧バージョンでの保存はできない。

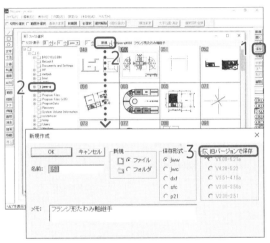

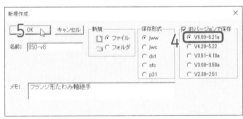

1 「保存」コマンド（メニューバー [ファイル] －「名前を付けて保存」）を選択する。

2 「ファイル選択」ダイアログのフォルダーツリーで保存先を指定し、「新規」ボタンを🖱。

3 「新規作成」ダイアログの「旧バージョンで保存」にチェックを付ける。

Point 「旧バージョンで保存」の指定は Jw_cad を終了するまで有効。

4 保存バージョンを選択する。

Point 「V6.00 - 6.21a」以前の旧バージョンで保存した場合、画像ファイルは保存されない。

5 「名前」ボックスの名前を適宜変更し、「OK」ボタンを🖱。

Point 開いた図面ファイルと同じ名前で同じフォルダーに保存すると、旧バージョン形式で上書き保存されるため、元の図面ファイルとは異なる名前を入力すること。

6 図のメッセージが表示されるので「はい」ボタンを🖱。

022 DXF ファイルとして 図面の一部を保存する

関連キーワード　DXF／保存

関連コマンド　［ファイル］－「DXF 形式で保存」／［編集］－「範囲選択」

通常、図面の一部分だけを保存することはできないが、DXF ファイルに限り、選択した要素のみを保存することができる。

図面ファイル／図形ファイル

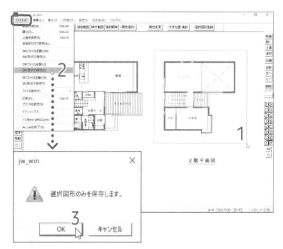

jw_win

⚠ 選択図形のみを保存します。

OK　　キャンセル

1　「範囲」コマンド（メニューバー［編集］－「範囲選択」）を選択し、保存要素を範囲選択（☞ p.84）する。

Point 通常の範囲選択同様、範囲選択後の追加・除外（☞ p.86）、属性選択（☞ p.90）も可能。1 を行わず 2 の操作から行った場合は、非表示レイヤの要素も含めた図面全体を DXF ファイルとして保存する。

2　メニューバー［ファイル］－「DXF 形式で保存」を選択する。

3　「選択図形のみを保存します。」のメッセージウィンドウの「OK」ボタンを🖱。

4　「ファイル選択」ダイアログのフォルダーツリーで保存先を指定する。

5　「新規」ボタンを🖱。

6　「新規作成」ダイアログの「名前」を確認、適宜変更し、「OK」ボタンを🖱。

Point DXF ファイルには用紙サイズ、縮尺の概念はない。図面全体を DXF ファイルとして保存した場合と同様に、レイヤ名も保存される。

023 | 複数の図面のファイル形式を一括変換する

関連キーワード　DXF／JWC／JWK／JWS／JWW／P21／SFC／SXF／図形ファイル／図面ファイル

関連コマンド　［ファイル］－「ファイル操作」－「ファイル一括変換」

JWW・JWC・DXF・SXF（SFC・P21）ファイルをそれぞれ別の形式に一括変換する。また、図形ファイルである JWK ファイルを JWS ファイルに一括変換することもできる。

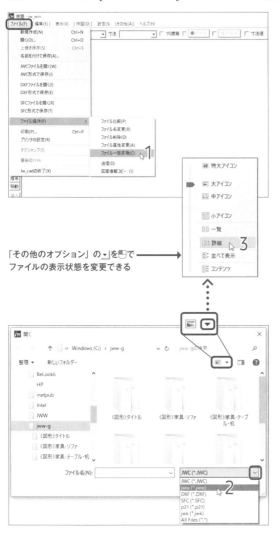

「その他のオプション」の ▾ を 🖱 で
ファイルの表示状態を変更できる

1 メニューバー［ファイル］－「ファイル操作」－「ファイル一括変換」を選択する。

Point 変換元と同じ場所に変換後の図面ファイルも作成される。CD（DVD）- ROM など書込不可なメディアに収録されている図面ファイルを変換する場合は、それらの図面ファイルをローカルディスクのフォルダーにコピーしたうえで変換する。

2 「開く」ダイアログの「ファイルの種類」ボックスの ▾ ボタンを 🖱 し、リストから変換元のファイル形式を選択する。

Point 「jwk (*.jwk)」を選択すると、この後の 7 の指示に関わりなく、JWK 図形ファイルを JWS 図形ファイルに一括変換する。「All Files」を選択するとフォルダー内のすべてのファイルが表示され選択できるが、変換可能なファイルは JWW・JWC・DXF・SFC・P21 形式の 5 種類である。

3 必要に応じて「その他のオプション」の ▾ を 🖱 し、ファイルの表示状態を変更する。

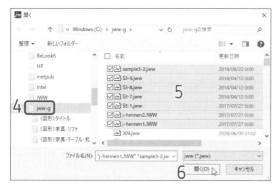

4 変換する図面を収録しているフォルダーを指定する。

5 変換対象ファイルを選択する。

Point Ctrl キーを押したままファイルを🖱️でファイルを追加選択できる。また、最初のファイルを🖱️後、Shift キーを押したまま最後のファイルを🖱️することで、その間のファイルすべてを選択できる。

6 「開く」ボタンを🖱️。

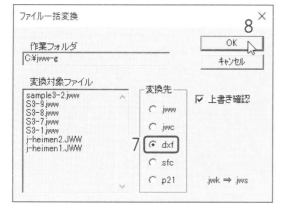

7 「ファイル一括変換」ダイアログの「変換先」欄で変換後のファイル形式を選択する。

8 「OK」ボタンを🖱️。

Point 「上書き確認」にチェックを付けると、同じフォルダーに同じ名前のファイルが存在する場合に上書きを確認するダイアログがファイルごとに表示される。

9 一括変換完了後に開く「確認」ダイアログの「OK」ボタンを🖱️。

024 | バックアップファイルを開いて 上書きされたファイルを取り戻す

関連キーワード BAK ／上書き保存／バックアップファイル／ファイル参照

関連コマンド ［ファイル］−「ファイル操作」−「ファイル名変更」／［設定］−「基本設定」

JWW 図面ファイルの上書き時に、上書き前の図面を「○○.BAK」と拡張子を変えて残す機能がある。このファイルをバックアップファイルと呼ぶ。誤って上書き保存したとき、バックアップファイルの拡張子「BAK」を「jww」に変更すると Jw_cad 図面として開くことができる。

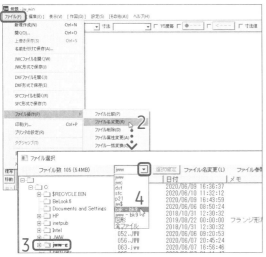

1 誤って上書き保存した図面ファイルを正しい名前に変更しておく（ p.57）。

2 メニューバー［ファイル］−「ファイル操作」−「ファイル名変更」を選択する。

3 「ファイル選択」ダイアログのフォルダーツリーで上書き保存した図面の収録フォルダーを。

4 「ファイルの種類」ボックスの を し、「bak〜bk9」を選択する。

5 フォルダー内のバックアップファイルがリスト表示されるので、「上書きした図面ファイル名 .BAK」を 。

Point ファイル名を すると「ファイル参照」ウィンドウが開く。 **拡大** などのズーム操作を行い図面内容を確認できる。「バックアップファイル数」を「0」に設定（ 次ページ **Hint**）した場合は上書き保存した図面のバックアップファイルはないため、上書き保存前の図面を取り戻すことはできない。

6 ファイルの内容を確認したら、 を してウィンドウを閉じる。

7 ファイル名を変更するバックアップファイル「○○○.BAK」を🖱で選択する。

8 「選択確定」ボタンを🖱。

9 「ファイル名変更」ボックスの最後尾を🖱。

10 Backspsceキーで、「BAK」を消し、「jww」を入力する。

11 「OK」ボタンを🖱。

12 「ファイル選択」ダイアログの×を🖱し、「ファイル名変更」を終了する。

13 「開く」コマンドを選択し、ファイル名を変更したファイルを開いて確認する。

図面ファイル／図形ファイル

Hint バックアアップファイルの設定

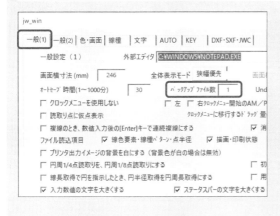

メニューバー[設定]-「基本設定」を選択し、「jw_win」ダイアログの「一般(1)」タブの「バックアップファイル数」ボックスで指定する。「0」を指定した場合、バックアップファイルは作成されない。「2」～「9」を指定すると、指定数のバックアップファイルが「ファイル名.bak」「ファイル名.bk2」「ファイル名.bk3」…（番号が大きいほど古い）と作成される。

○25 | 自動保存ファイルを開いて作図途中の図面を取り戻す

関連キーワード JW$／自動保存ファイル

関連コマンド [ファイル]－「ファイル操作」－「ファイル名変更」／[設定]－「基本設定」

指定時間ごとに編集中の図面を自動保存する機能がある。それにより作成された自動保存ファイルの拡張子「jw$」を「jww」に変更することで Jw_cad 図面として開くことができる。作図途中にパソコンがフリーズした場合などに、パソコンを再起動後、自動保存ファイル名を変更して開くことで作図途中の図面を取り戻せる。

1 メニューバー[ファイル]－「ファイル操作」－「ファイル名変更」を選択する。

2 「ファイル選択」ダイアログのフォルダーツリーで、変更対象の自動保存ファイルが収録されているフォルダーを🖱。

Point 自動保存ファイルの保存場所とファイル名は、編集中の図面の状況により異なる（☞次ページ[Hint]）。

3 「ファイルの種類」ボックスの▾を🖱し、リストの「jw$」を選択する。

4 リスト表示される自動保存ファイルの名前が途中までしか表示されない場合は、「名前」バーと「日付」バーの境界線にマウスポインタを合わせて🖱🖱。

Point 4の操作により、「名前」欄の幅がすべてのファイル名が表示される幅になる。

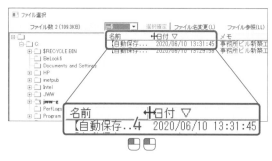

図面ファイル／図形ファイル

5 名前変更対象の自動保存ファイル
を🖐で選択する。

Point ファイル名を🖐🖐することで
「ファイル参照」ウィンドウが開き、図
面の内容を確認できる（☞ p.52）。

6 「選択確定」ボタンを🖐。

7 「ファイル名変更」ボックスの最後
尾を🖐し、入力ポインタを移動す
る。

8 Backspsce キーを押して「$」を
消し、「w」を入力して「.」後ろの
拡張子を「jww」に変更する。

9 「OK」ボタンを🖐。

10 「ファイル選択」ダイアログの☒
を🖐し、閉じる。

11 「開く」コマンドを選択し、ファイ
ル名を変更したファイルを開いて
確認する。

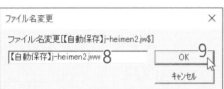

Hint **自動保存ファイルの保存場所と自動保存間隔の指定**

標準では、自動保存ファイルは図面ファイルごとに作成され、その場所とファイル名は状況により
表のように異なる。環境設定ファイル「AutoSaveDir=」行で指定している場合はそれに準じる。

編集中の画面の保存場所	自動保存ファイルの保存場所	自動保存ファイルのファイル名
書込可能な大容量メディアから開いた図面	図面と同じフォルダー	【自動保存】図面名 .jw$
CD－ROM など書込不可なメディアから開いた図面	Cドライブの「JWW」フォルダ	【自動保存】図面名 .jw$
未保存の図面（無題）		【自動保存】.jw$

自動保存する間隔は、メニューバー
［設定］－「基本設定」の「jw_win」
ダイアログ「一般 (1)」タブの「オート
セーブ時間」ボックスに分単位で指
定する。自動保存ファイルを作成した
くない場合は、最大の「1000」を指
定する。

○26 | 図面ファイルの内容を比較する

関連キーワード JWC ／ JWW ／図面ファイル比較

関連コマンド ［ファイル］－「ファイル操作」－「ファイル比較」

作図ウィンドウの図面と指定した図面ファイルの内容を比較し、異なる部分を表示することができる。比較できるのはJWWファイルどうし、またはJWCファイルどうしに限る。

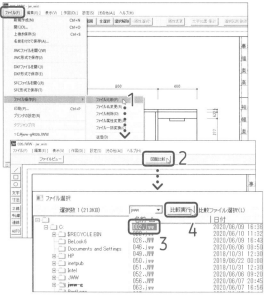

1 比較する図面を開き、メニューバー［ファイル］－「ファイル操作」－「ファイル比較」を選択する。

2 コントロールバーの「図面比較」ボタンを🖱。

3 「ファイル選択」ダイアログで、比較対象の図面ファイルを🖱。

4 「比較実行」ボタンを🖱。

Point 3の比較対象図面と異なる部分が選択色で表示され、3の比較対象図面にあって作図ウィンドウ上の図面にない部分は仮表示色で表示される。コントロールバー「変更部分作図」ボタンを🖱すると、選択色の要素が書込レイヤに作図される。コントロールバー「図面比較」ボタンを🖱すると「ファイル選択」ダイアログが開き、他の図面ファイルを選択して再度比較できる。

図面にない部分は仮表示色で表示

異なる部分は選択色で表示

図面ファイル／図形ファイル

O27 | 図面・図形ファイル名を 変更する

関連キーワード　**JWK ／ JWS ／ JWW ／ 図形ファイル／ 図面ファイル／ ファイル選択ダイアログ／ ファイル名変更**

関連コマンド　**［ファイル］-「開く」 ／ ［その他］-「図形」**

図面ファイルや図形ファイルの名前を「ファイル選択」ダイアログで変更できる。ここでは図面ファイル名を変更する例で説明する。

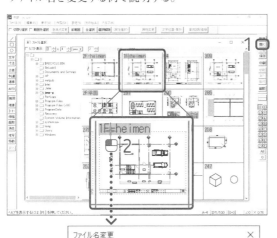

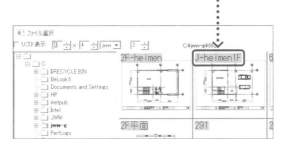

1 「開く」コマンド（メニューバー ［ファイル］-「開く」）を選択する。

Point 図形の名前を変更する場合は 「図形」コマンドを選択する。

2 「ファイル選択」ダイアログで、名前を変更する図面ファイルのファイル名部分を🖱。

3 「ファイル名変更」ダイアログの 「ファイル名変更」ボックスの「.」 （ドット）より前の部分を変更する。

Point ファイル名を変更するとき、「.」 （ドット）とその後ろの3文字「JWW」 （図形の場合「jws」または「jwk」）を 消さないように注意する。誤って消した場合は、「キャンセル」ボタンを🖱して2からやり直すこと。

4 変更後のファイル名を確認し、 「OK」ボタンを🖱。

5 ファイル名が変更されたことを確認し、「ファイル選択」ダイアログの⊠を🖱して閉じる。

028 | 図面・図形ファイルを削除する

関連キーワード JWK ／ JWS ／ JWW ／図形ファイル／図面ファイル／ファイル削除

関連コマンド ［ファイル］－「ファイル操作」－「ファイル削除」

不要になった図面ファイル、図形ファイルやバックアップファイル、自動保存ファイルは、「ファイル操作」コマンドで削除できる。ここでは図形ファイルを削除する例で説明する。

1 メニューバー［ファイル］－「ファイル操作」－「ファイル削除」を選択する。

2 「ファイルの種類」ボックスの▼を🖱し、リストから削除対象のファイル種類（図は「図形」）を選択する。

Point Jw_cad図面ファイルは「jww」、図形ファイルは「図形」を選択する。「jww-bk9」を選択すると、JWW・JWC・DXF・SFC・P21・バックアップファイル・自動保存ファイルがリスト表示される。また、ファイル名を🖱🖱することで、図面内容を確認するための「ファイル参照」ウィンドウを開くことができる（☞ p.52）。

3 「ファイル選択」ダイアログで、削除対象ファイルが収録されているフォルダーを🖱。

4 削除対象のファイルを🖱で選択する。

5 「削除実行」ボタンを🖱。

6 削除確認の「はい」ボタンを🖱。

Point ここで削除したファイルは、Windowsのごみ箱には入らず、完全に削除される。

図形を配置する

関連キーワード JWK ／ JWS ／書込レイヤに作図／ファイル選択ダイアログ

関連コマンド ［その他］－「図形」

図形ファイル（*.jws ／*.jwk）は、「図形」コマンドで作図中の図面に配置する。

「ファイルの種類」ボックス

図形名の表示サイズを調整する
「文字サイズ」ボックス

赤い〇は図形の基準点を示す

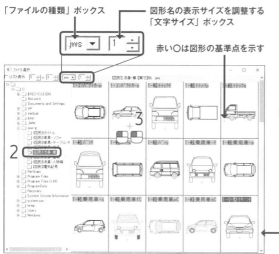

スクロールバー

1 「図形」コマンド（メニューバー［その他］－「図形」）を選択する。

2 「ファイル選択」ダイアログのフォルダーツリーで図形が収録されているフォルダーを🖱。

Point 図形は実寸法で登録されており、登録時の線色・線種で表示される。「ファイルの種類」ボックスを「.jwk」にするとJWK図形を選択できる（☞ p.396）。

3 配置する図形の枠内で🖱🖱。

図形が書込レイヤに作図されることを示す

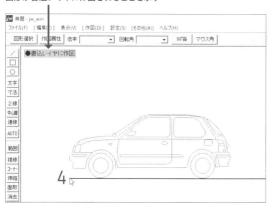

4 マウスポインタに基準点を合わせた図形が仮表示されるので、必要に応じてコントロールバーの指定を行い、図面上の配置位置を🖱（または🖱 free）。

Point コントロールバーの「図形選択」ボタンを🖱して他の図形を選択するか、他のコマンドを選択するまでは、4の操作で続けて同じ図形を配置できる。「図形」コマンドを終了するには、「／」コマンドなど他のコマンドを選択する。

◯30 | 図形を線上に配置する

関連キーワード クロックメニュー（線上点・交点）／線上点指示

関連コマンド [設定]－「線上点・交点取得」／[その他]－「図形」

線上や円・弧上には、図形の配置位置として🖰で読み取りできる点はないが、クロックメニュー🖰←AM9時 線上点・交点 を利用することで、線上や円・弧上の任意の位置を点指示できる。

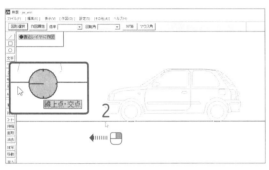

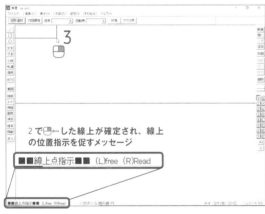

2で🖰←した線上が確定され、線上の位置指示を促すメッセージ

■■線上点指示■■ (L)free (R)Read

2の線上の3の位置に基準点を合わせ図形が配置される

1 「図形」コマンド（メニューバー [その他]－「図形」）を選択し、配置する図形を🖰🖰（☞ p.59）。

2 図形の配置位置として、線（または円・弧）を🖰← AM9時 線上点・交点 。

Point 点指示時に、線・円・弧を🖰← AM9時 線上点・交点 し、次に線上、円・弧上の位置を指示することで、線・円・弧上の任意の位置を点指示できる。2の操作の代わりにメニューバー［設定］－「線上点・交点取得」を選択し、2の線を🖰してもよい。この機能は「図形」コマンドに限らず、他のコマンドでの点指示時にも共通して利用できる。

3 線上点を🖰（または🖰free）。

Point 3の点から2の線上に垂線を下した位置が配置位置として確定する。図は3で作図済みの角を🖰したが、何もない位置で🖰してもよい。

○31 | 図形を左右・上下反転して配置する

関連キーワード 左右反転／上下反転／反転

関連コマンド ［その他］－「図形」

「図形」コマンドのコントロールバー「倍率」ボックスに「-1,1」を指定することで、図形を左右反転して配置できる。

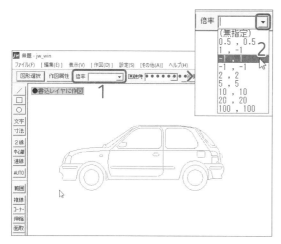

1 「図形」コマンド（メニューバー［その他］－「図形」）を選択し、配置する図形を🖱🖱（☞ p.59）。

2 コントロールバー「倍率」ボックスの⏷を🖱し、リストから「-1,1」を選択する。

Point 「倍率」ボックスに「X（横）倍率,Y（縦）倍率」を入力することで、図形の大きさを変更して配置できる。ここでは、大きさは変更せずに左右を反転するため、横方向の倍率を「-1」（マイナス値は反転）、縦方向の倍率を「1」とする。上下反転する場合は「1,-1」を指定する。

3 左右反転された図形が仮表示されることを確認し、作図位置を🖱（または🖱 Read）。

032 | 図形を斜線と平行に配置する

関連キーワード 線の角度取得

関連コマンド [設定]－「角度取得」－「線角度」／[その他]－「図形」

「図形」コマンドで図形を斜線に平行配置するには、コントロールバー「回転角」ボックスに斜線の角度を入力する。斜線の角度が不明な場合は、「角度取得」を利用して斜線の角度を「回転角」ボックスに取得する。

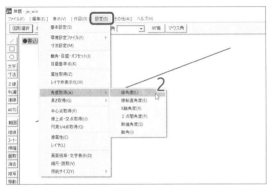

1 「図形」コマンド（メニューバー[その他]－「図形」）を選択し、配置する図形を🖲️🖲️（☞ p.59）。

2 メニューバー[設定]－「角度取得」－「線角度」を選択する。

Point メニューバー[設定]－「角度取得」－「線角度」で図面上の線を🖲️することで、その線の角度を選択コマンドの角度入力ボックスに取得する。この機能は、「図形」コマンドに限らず、角度入力ボックスのあるコマンドで共通して利用できる。

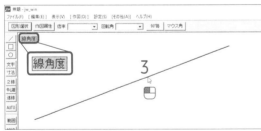

3 角度取得の対象線として、斜線を🖲️。

4 図形の配置位置を🖲️（または🖲️ Read）。

033 図形をマウス指示で回転して配置する

関連キーワード 回転／マウスで回転

関連コマンド [その他]－「図形」

「図形」コマンドのコントロールバー「回転角」ボックスに角度を指定することで、図形を傾けて配置できる（☞ p.62）が、「マウス角」ボタンを🖰すると、マウス指示で仮表示図形を回転して配置できる。

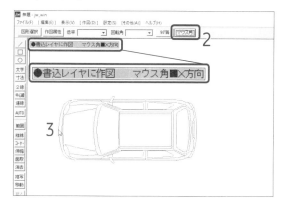

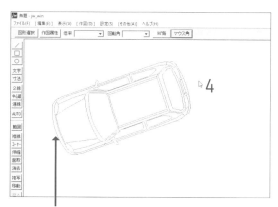

3の位置を基準としてマウスポインタの位置に従い
図形が回転して仮表示される

1 「図形」コマンド（メニューバー [その他]－「図形」）を選択し、配置する図形を🖰🖰（☞ p.59）。

2 コントロールバー「マウス角」ボタンを🖰。

Point 画面左上の マウス角■X方向 は、登録図形のX（横）方向をこの後指示する3、4の角度に合わせることを示す。「マウス角」ボタンを再度🖰すると、 マウス角■Y方向 になり、登録図形のY（縦）方向をこの後指示する3、4の角度に合わせる指定になる。

3 作図位置を🖰（または🖰Read）。

4 3の位置を基準とし、マウスポインタに従い図形が回転して仮表示されるので、角度点を🖰（または🖰Read）。

034 | 図形を書込線色・線種で配置する

関連キーワード 書込線種で作図／書込線色で作図／作図属性

関連コマンド ［その他］－「図形」

通常、図形は登録時の線色・線種で書込レイヤに配置されるが、作図属性の指定で、書込線色や書込線種で配置できる。ここでは、実線の図形を点線に変えて配置する例で説明する。

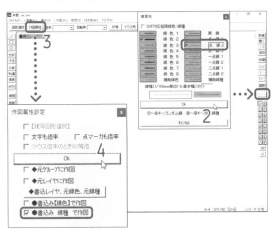

1 「図形」コマンド（メニューバー［その他］－「図形」）を選択し、配置する図形を🖱️（☞ p.59）。

2 「線属性」コマンド（☞ p94）を選択し、書込線種（図は「点線2」）を指定する。

3 コントロールバー「作図属性」ボタンを🖱️。

4 「作図属性設定」ダイアログの「書込み 線種 で作図」にチェックを付け、「Ok」ボタンを🖱️。

Point 書込線色で配置したい場合は「書込み【線色】で作図」にチェックを付ける。複数の項目にチェックを付けることも可能。

5 配置位置を🖱️（または🖱️Read）。

Point 図形が書込線種で作図される。ただし、図形にブロック（☞ p.410）や寸法図形（☞ p.409）が含まれている場合、それらを書込線色・線種に変えることはできない。

035 図形の大きさを変更して配置する

関連キーワード	JWS／作図属性／文字も倍率
関連コマンド	[その他]－「図形」

「図形」コマンドのコントロールバー「倍率」ボックスに「横倍率,縦倍率」を入力することで、図形の横と縦の寸法を変更して配置できる。

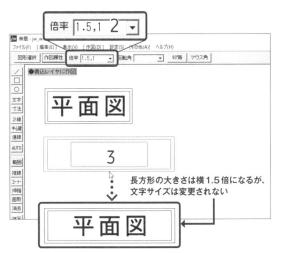

長方形の大きさは横1.5倍になるが、文字サイズは変更されない

1 「図形」コマンド(メニューバー[その他]－「図形」)を選択し、配置する図形を🖱🖱 (☞ p.59)。

2 コントロールバー「倍率」ボックスに「横倍率,縦倍率」を入力する。

Point 「倍率」ボックスに「X(横)倍率,Y(縦)倍率」を入力することで、図形の大きさを変更して配置できる。

3 配置位置を🖱 (または🖱Read)。

Point 文字のサイズは変更されない。同じ倍率で文字サイズも変更する方法は下記 Hint を参照。

Hint 図形内の文字サイズも変更

文字サイズも横1.5倍になる

上記3の操作前に以下の設定を行うことで、図形内の文字も同じ倍率でサイズ変更される。

1 コントロールバー「作図属性」ボタンを🖱。

2 「作図属性設定」ダイアログの「文字も倍率」にチェックを付けて「Ok」ボタンを🖱。

Point この指定は Jw_cad を終了するまで有効。倍率を指定して大きさ変更するときのほか、登録時とは異なる縮尺の図面に文字の入った図形(JWSに限る)を配置する場合にも使用できる。

036 | 図形を登録する

関連キーワード JWK ／ JWS ／上書き登録／図形登録／ファイル選択ダイアログ／フォルダー作成

関連コマンド ［その他］－「図形登録」

図面の一部を選択し、図形（☞ p.59）として登録できる。図形は実寸法で、登録時の線色・線種とレイヤ情報を保持して登録される。

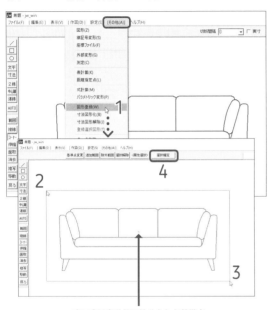

1 「図登」コマンド（メニューバー［その他］－「図形登録」）を選択する。

2 図形登録範囲の始点を🖱。

3 表示される選択範囲枠で登録対象を囲み、終点を🖱（文字を含める場合は🖱）。

4 コントロールバー「選択確定」ボタンを🖱。

赤い○は自動的に決められた基準点

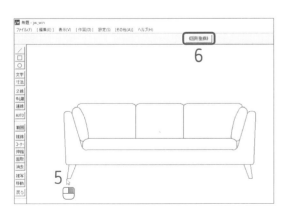

5 登録図形の基準点を🖱。

Point 自動的に決められた基準点のままで登録する場合、5は不要。

6 コントロールバー「《図形登録》」ボタンを🖱。

「ファイルの種類」ボックスは「.jws」

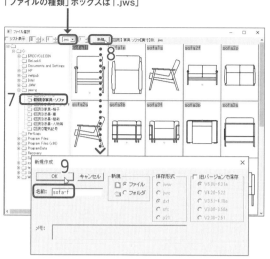

7 「ファイル選択」ダイアログで図形の登録先フォルダーを選択する。

8 「ファイルの種類」ボックスが「.jws」であることを確認し、「新規」ボタンを🖱。

Point 「ファイルの種類」ボックスの形式で図形登録される。DOS版 JW_CAD の図形ファイル形式の「.jwk」（☞ p.396）では、DOS版 JW_CAD にない要素は正しく登録されないため、必ず「.jws」にして登録すること。

9 「新規作成」ダイアログの「名前」ボックスに図形名を入力し、「OK」ボタンを🖱。

Hint 図形の上書き登録と図形フォルダーの作成

図形を上書き登録するには、8 で上書き対象の図形を🖱🖱し、上書き確認のメッセージウィンドウの「OK」ボタンを🖱する。

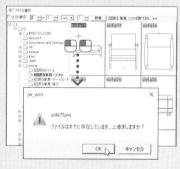

図形のフォルダーを作成するには、図形登録操作途中の 8 の後、「新規作成」ダイアログの「新規」欄の「フォルダ」を選択し、「名前」ボックスの「《図形》」の後ろにフォルダー名を入力して「OK」ボタンを🖱する。7 で選択したフォルダー内に新しいフォルダーが作成される。続けて、8, 9 を行うことで、新しく作成したフォルダーに図形を登録できる。

O37 | 指定範囲を拡大表示する／用紙全体を表示する

関連キーワード 拡大／縮小／ズーム／スライド／全体／前倍率／マウスホイール／用紙全体表示

関連コマンド ［設定］−「基本設定」

マウスの両ボタンドラッグ（左右両方のボタンを押したままマウスを移動）で、拡大表示・縮小表示などのズーム操作を行う。ズーム操作は、コマンドの操作途中いつでも（割り込んで）行える。

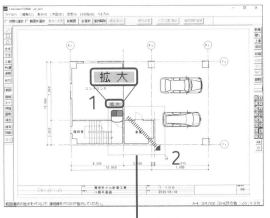

拡大枠で囲んだ範囲が拡大表示される

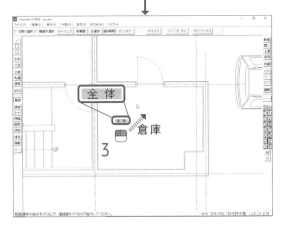

1 拡大する範囲の左上にマウスポインタをおき、🖱️＼拡大（左右両方のボタンを押したまま右下方向へドラッグ）。

Point p.69「一般（2）」タブ「ホイールボタンクリックで線色線種選択」のチェックを外すと、左右両方のマウスボタンを押す代わりにマウスホイールボタンを押すことでも同様のズーム操作が行える。

2 表示される拡大枠で、拡大する範囲を囲みマウスボタンをはなす。

Point 拡大・縮小などのズーム操作は、「戻る」コマンドでキャンセルすることはできない。用紙全体の表示に戻すには、次の操作を行う。

3 作図ウィンドウ上で🖱️✓全体（左右両方のマウスボタンを押したまま右上方向へドラッグし、全体が表示されたらマウスボタンをはなす）。

基本操作／選択／指示

068

マウスドラッグによるズーム機能の割り当て

マウスの両ボタンドラッグには、そのドラッグ方向により、右図の4つのズーム機能が割り当てられている。

🖱\ 拡大 　拡大枠で囲んだ範囲を拡大表示する

🖱/ 全体 　用紙全体を表示する

🖱\ 縮小 　🖱\位置を中心に縮小表示する

🖱/ 前倍率 　1つ前の拡大倍率の範囲を表示する

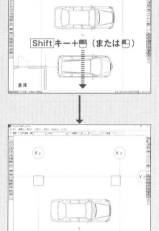

Shift キー+🖱（または🖱）→ スライド（作図ウィンドウの移動）

メニューバー［設定］-「基本設定」を選択し、「一般(2)」タブの「Shift +両ドラッグで画面スライド」または「Shift +左ドラッグで画面スライド」にチェックを付けると、Shift キーを押したまま🖱→（左右両方のボタンを押したままマウスを移動）または🖱→（左ボタンを押したままマウスを移動）することで、ドラッグ方向に作図ウィンドウをスライド（移動）できる。

Shift キー+🖱（または🖱）

基本操作／選択／指示

「ホイールボタンクリックで線色線種選択」のチェックを外すと、両ボタンの代わりにホイールボタンを押したままマウスを移動することでズーム操作を行える

○38 拡大・縮小表示を マウスホイールで行う

関連キーワード 拡大／縮小／ズーム／マウスホイール

関連コマンド [設定]-「基本設定」

メニューバー[設定]-「基本設定」の「一般(2)」タブの指定により、マウスホイールを回転することで、作図ウィンドウのマウスポインタの位置を中心に拡大・縮小表示ができる。

1 「基設」コマンド(メニューバー[設定]-「基本設定」)を選択する。

2 「jw_win」ダイアログの「一般(2)」タブを🖰。

3 「マウスホイール」の「+」または「-」ボックスにチェックを付ける。

Point 「+」にチェックを付けた場合、ホイールを前方に回すと縮小表示、後方に回すと拡大表示の働きをする。「-」にチェックを付けた場合はその逆になる。

4 「OK」ボタンを🖰。

070

○39 拡大・縮小・スクロールを キーボードで行う

関連キーワード 拡大／キーボード／縮小／ズーム／スクロール／用紙全体表示

関連コマンド [設定] －「基本設定」

メニューバー［設定］－「基本設定」の「一般 (2)」タブの指定により、キーボード操作で拡大・縮小表示やスクロールができる。

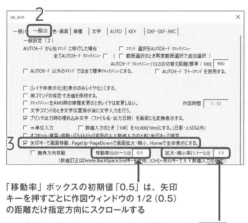

「移動率」ボックスの初期値「0.5」は、矢印キーを押すごとに作図ウィンドウの 1/2 (0.5) の距離だけ指定方向にスクロールする

「拡大・縮小率」ボックスの初期値「1.5」は、PgUp キーを押すごとで 1.5 倍に拡大表示、PgDn キーを押すごとに 1/1.5 (0.666…) 倍に縮小表示する

1 「基設」コマンド（メニューバー［設定］－「基本設定」）を選択する。
2 「jw_win」ダイアログの「一般(2)」タブを🖱。
3 「矢印キーで画面移動、Page UP・PageDown で画面拡大・縮小…」にチェックを付け「OK」ボタンを🖱。

▼ノートパソコンのキーボード例

矢印キーを兼ねる Home キー

Fn キー

矢印キーを兼ねる PgUp PgDn キー

Point 以上の設定でキーボードから以下のズーム操作が行える。

・拡大表示：
 PgUp（PageUp）キーを押す
・縮小表示：
 PgDn（PageDown）キーを押す
・用紙全体表示：
 Home キーを押す
・画面スクロール：
 ↑ → ↓ ← キーを押す

キーボードによっては、矢印キーが PgUp キーや PgDn キー、Home キーを兼ねている場合がある。その場合は Fn キーを押したまま PgUp（または PgDn、Home）キーを押す。

基本操作／選択／指示

○40 | 拡大・縮小・スライドを タッチパネルで行う

関連キーワード 拡大／縮小／ズーム／スライド／タッチパネル

Jw_cad 8 は、Windows 8/10 のタップ、スワイプ、ピンチなどの主なタッチパネル操作に対応しており、ピンチアウト・ピンチインで拡大・縮小表示、スワイプで画面のスライドができる。

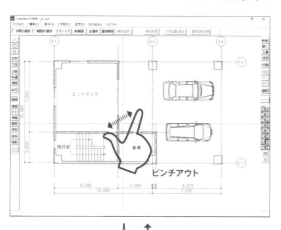

■ ピンチアウトで拡大表示

拡大する個所に 2 本の指で触れたまま、指を互いにはなす。

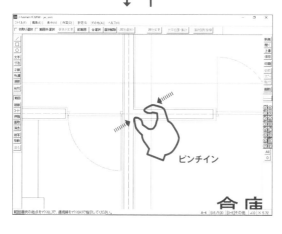

■ ピンチインで縮小表示

画面に触れた 2 本の指を互いに近づける。

■ スワイプで画面をスライド

2 本の指で作図ウィンドウをスワイプ（画面に触れたまま指を滑らせる）する。

Point スワイプによる画面の再表示がスムーズでない場合は、メニューバー［表示］の「Direct2D」にチェックを付ける。なお、1 本指でのタップはクリック指示になる。1 本指でのスワイプはドラッグ指示になり、クロックメニューが表示されるので注意。

○41 | 表示範囲を記憶する

関連キーワード 記憶解除／表示範囲記憶／用紙全体表示

関連コマンド [設定]−「画面倍率・文字表示」

拡大した表示範囲を記憶することで、🖱🖊全体 が🖱🖊(範囲) になり、記憶した範囲を表示する。

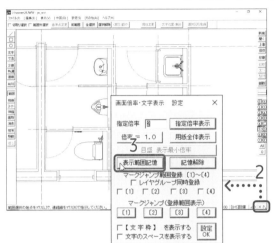

1 記憶する範囲を作図ウィンドウに表示する。

2 ステータスバー「表示倍率」ボタン（メニューバー [設定]−「画面倍率・文字表示」）を🖱。

3 「画面倍率・文字表示 設定」ダイアログの「表示範囲記憶」ボタンを🖱。

Point 表示範囲が記憶され、🖱🖊(範囲) や Home キー（キーボードからの用紙全体表示指示）は記憶範囲の表示になる。この情報は図面ファイルにも保存される。

基本操作／選択／指示

Hint 表示範囲記憶後に用紙全体表示

表示範囲を記憶すると、🖱🖊や Home キー指示は記憶範囲の表示になり、用紙全体表示にならない。用紙全体を表示するには以下の2つの方法がある。

■ 表示範囲記憶を解除せずに用紙全体を表示する
「画面倍率・文字表示 設定」ダイアログの「用紙全体表示」ボタンを🖱。

■ 表示範囲記憶を解除する
「画面倍率・文字表示 設定」ダイアログの「記憶解除」ボタンを🖱。

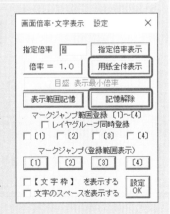

042 | 複数の表示範囲を記憶する

関連キーワード　表示範囲記憶／マークジャンプ

関連コマンド　[設定]－「画面倍率・文字表示」

表示範囲記憶の代わりにマークジャンプ登録をすることで、最大8つまでの表示範囲を記憶し、利用できる。

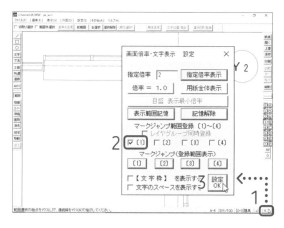

▨ 表示範囲を記憶する

1　記憶する範囲を作図ウィンドウに表示し、ステータスバー「表示倍率」ボタン（メニューバー [設定]－「画面倍率・文字表示」）を🖱。

2　「画面倍率・文字表示　設定」ダイアログの「マークジャンプ 範囲登録」の[1]～[4]のいずれかのボックスを🖱し、チェックを付ける。

> **Point**　Shift キーを押したまま[1]～[4]ボックスを🖱することで、[1]～[4]に加え、Shift +[1]～[4]の計8カ所を登録できる。

3　「設定OK」ボタンを🖱。

▨ 登録した範囲を表示する

1　ステータスバー「表示倍率」ボタンを🖱。

2　「画面倍率・文字表示　設定」ダイアログの「マークジャンプ（登録範囲表示）」の登録した番号（図は「[1]」）ボタンを🖱。

> **Point**　マークジャンプ範囲登録時、Shift キーを押したまま🖱した場合は、Shift キーを押したまま登録した番号ボタンを🖱。

基本操作／選択／指示

043 | 矢印⇔クロスラインカーソルを切り替える

関連キーワード カーソル／クロスラインカーソル／目盛付きクロスラインカーソル

基本設定でのクロスラインカーソルの設定（☞ p.37）をしなくても、以下の操作を行うことで、任意に矢印カーソルとクロスラインカーソルを切り替えることができる。

クロスラインカーソル

1 ステータスバー「表示倍率」ボタンを🖱←し、「用紙サイズ」ボタンでマウスボタンをはなす。
2 ステータスバーで🖱。

Point 1の操作後、2の操作で、矢印形状のマウスポインタがクロスラインカーソルに切り替わる。クロスラインカーソルは、「基本設定」コマンドの「色・画面」タブの「ズーム枠色」で指定の色と「線種」タブの「クロスラインカーソルの線種 No.」で指定の線種で表示される。再び矢印形状に戻すには、再度、ステータスバーで🖱する。

基本操作／選択／指示

Hint 目盛付きクロスラインカーソルへの切り替え

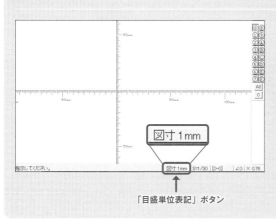

「目盛単位表記」ボタン

上記の2でステータスバーを🖱すると、図のような目盛付きのクロスラインカーソルに切り替わり、「用紙サイズ」ボタンが「目盛単位表記」ボタンになる。「目盛単位表記」ボタンを🖱すると目盛単位の「図寸」⇔「実寸」が切り替わる。
ステータスバーで🖱すると矢印形状に、🖱すると目盛なしのクロスラインカーソルに切り替わる。

044 | キーボードで
コマンドを選択する

関連キーワード キーボード／コマンド選択

関連コマンド [設定]−「基本設定」

コマンドを割り当てたキーを押すことで、そのコマンドを選択できる。各キーへのコマンドの割り当てはメニューバー[設定]−「基本設定」の「KEY」タブで指定されており、適宜変更できる。

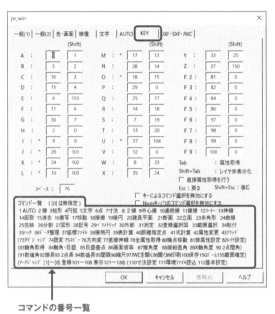

コマンドの番号一覧

「基設」コマンド（メニューバー[設定]−「基本設定」）を選択し、「jw_win」ダイアログの「KEY」タブの$\boxed{A}$〜$\boxed{Z}$キー、$\boxed{F2}$〜$\boxed{F9}$キーの各ボックスの数値で各キーに割り当てられているコマンドの確認やその変更ができる。

以下の割り当てキーは変更不可。

$\boxed{Tab}$キー：属性取得

$\boxed{Shift}$キー＋$\boxed{Tab}$キー：レイヤ非表示化

$\boxed{Esc}$キー：戻る

$\boxed{Shift}$キー＋$\boxed{Esc}$キー：進む

キーによるコマンド選択は、文字入力時と外部変形プログラムのオプション入力時には使用できない。

Hint 「文字」コマンド選択時のキーボード指示

「○」コマンドをキーボードで選択する際、通常は$\boxed{E}$キーを押すが、「文字」コマンド選択時は$\boxed{Tab}$キーを押してから$\boxed{E}$キーを押す

「文字」コマンド選択時は、キー入力は文字入力操作になる。

「文字」コマンド選択時にキーボードからのコマンド選択をするには、$\boxed{Tab}$キーを押した後に、コマンド選択キーを押す。

基本操作／選択・指示

O45 キーボードでコントロールバーの指定をする

関連キーワード キーボード/コントロールバー指定

通常、コントロールバーの指定はマウスのクリック操作で行うが、コマンドによってはコントロールバーの一部の指定をキーボードから行えるものもある。

「／」コマンドでは、スペースキーを押すことで「水平・垂直」のチェックの有⇔無を、Shiftキーを押したままスペースキーを押すことで「15度毎」のチェックの有⇔無を切り替えできる。

基本操作／選択／指示

▼ スペースキーで行えるコントロールバーの指定

コマンド	スペースキー	Shiftキー+スペースキー
「／」	☑水平・垂直	☑15°毎
「□」	「傾き」90 ⇔無指定	☑水平・垂直
「○」	☑円弧	「基点」
「寸法」	「傾き」90 ⇔ 0	
「2線」	「2線の間隔」を1/2に	「2線の間隔」を2倍に
「連線」	「基準角度」（無指定）⇒ 15 ⇒ 45	「基準点」マウス位置⇔前線終点
「範囲」「複写」の範囲選択時	☑切取り選択	☑範囲外選択
範囲後選択	「追加範囲」	「除外範囲」
「複線」	「複線間隔」を1/2に	「複線間隔」を2倍に
「伸縮」	「一括処理」	「端点移動」
「複写」「移動」「パラメトリック」の選択確定後	「任意方向」⇒「X方向」⇒「Y方向」⇒「XY方向」	「XY方向」
「多角形」	「中央」⇒「頂点」⇒「辺」	「中央」⇒「頂点」⇒「辺」
「測定」	測定単位 mm ⇔ m	「小数桁」0⇒1⇒2⇒3⇒4⇒F
「表計算」	「小数桁」0⇒1⇒2⇒3⇒4⇒F	

「測定」「表計算」「式計算」コマンドでは、キーボード上部の数字キーを押すことで、コントロールバーの項目の選択ができる。

距離測定	面積測定	座標測定	角度測定	○単独円指定	mm／【m】	小数桁 0	測定結果書込	書込設定
1キー	2キー	3キー	4キー	5キー	6キー	7キー	8キー	9キー

○46 | 点を読み取る（スナップ）

関連キーワード Read／仮点／交点／実点／スナップ／接点／端点／読取点

CADで作図した線は、始点と終点の2つの座標点（X,Y）により構成されている。線の端に「端点」が存在し、線や円・弧が交差する位置には「交点」が存在する。点指示時に🖱️することで、これらの図面上の点を読み取る。

▼🖱️で読み取りできる点

始点を指示してください (L)free (R)Read

Jw_cadでは、点指示時の操作メッセージに「(L) free (R) Read」が表示される。「(R) Read」は、既存の端点や交点を🖱️することで、その座標点（X,Y）を読み取り、指示点として利用する。一方「(L) free」は、点がない位置を🖱️することで、その位置に新しく座標点（X,Y）を作成して指示点とする。

A 端点、**B** 交点、**C** 接点、**D** 実点、**E** 仮点、**F** 文字列の左下・右下、**G** 用紙枠の角および目盛点（☞ p.38）は🖱️で読み取りできる。

H 要素のない位置、**I** 線上・円周上、**J** 円・弧中心位置で🖱️した場合、点がありませんと表示され、点指示できない。

Hint 🖱️で読み取りできないがクロックメニューで点指示できる点

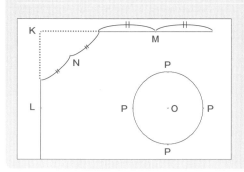

以下の点指示は🖱️ではできないが、クロックメニューを利用することで点指示できる。

K 線・円・弧の仮想交点を指示 ☞ p.81
L 線上で点指示 ☞ p.60
M 線の中点を指示 ☞ 次ページ
N 2点間の中心点を指示 ☞ p.267
O 円・弧中心点を指示 ☞ p.266
P 円・弧の上下左右1/4点を指示 ☞ p.80

基本操作／選択／指示

047 線の中点を点指示する

関連キーワード クロックメニュー（中心点・A 点）／線の中点

関連コマンド ［作図］－「線」／［設定］－「中心点取得」

線の中点には座標値はないため、🖱で読み取ることはできない。線の中点指示は、クロックメニュー（☞ p.403）の🖱→ AM3 時 中心点・A 点 を利用する。ここでは図面上の線の中点を始点として線を作図する例で説明するが、他のコマンドの点指示時にも共通して利用できる。

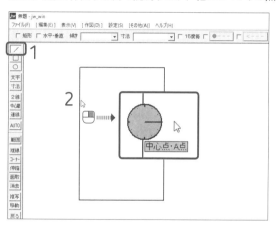

1 「／」コマンド(メニューバー［作図］－「線」）を選択する。

2 始点として、線を🖱→ AM3 時 中心点・A 点 。

Point 🖱→した線の中点が指示され、始点として確定する。2 の操作の代わりに、メニューバー［設定］－「中心点取得」を選択して 2 の線を🖱してもよい。

2 の線の中点が始点になる

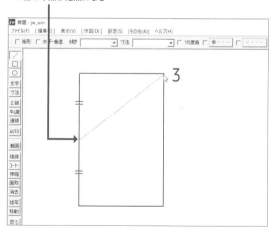

3 終点を🖱（または🖱 free）。

基本操作／選択／指示

○48 円周の 1/4 位置を点指示する

関連キーワード 円周 1/4 点／円周 1/8 点／円周上の点／クロックメニュー（円周 1/4 点）

関連コマンド ［作図］－「点」／［設定］－「基本設定」「円周 1/4 点取得」

円・弧の円周上には🖰で読み取りできる点はない。「円周 1/4 点」を利用することで、円・弧の中心点から見て、0°/90°/180°/270°の円周上の位置を点指示できる。ここでは円の右 1/4 の位置に仮点（☞ p.405）を作図する例で説明するが、他のコマンドの点指示時にも共通して利用できる。

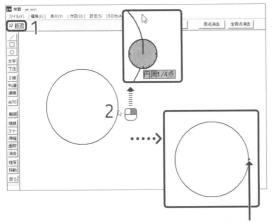

基本操作／選択／指示

2 の位置に近い 1/4 位置の円周上に仮点が作図される

1 「点」コマンド（メニューバー［作図］－「点」）を選択し、コントロールバー「仮点」にチェックを付ける。

2 点位置として、円の右を🖰↑ AM 0 時 円周 1/4 点 。

Point 2 の操作により、🖰↑位置に近い円周上の 1/4 位置が点指示される。2 の操作の代わりに、メニューバー［設定］－「円周 1/4 点取得」を選択して 2 の位置で円を🖰してもよい。

Hint 円周 1/8 位置の点指示

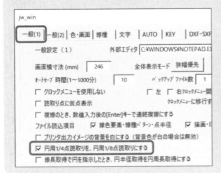

メニューバー［設定］－「基本設定」の「一般(1)」タブの「円周 1/4 点読取りを、円周 1/8 点読取りにする」にチェックを付けることで、1/4 位置に加え、中心から 45°、135°、225°、315°の円周上の位置を点指示できる。

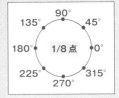

○49 | 2つの線・円・弧の仮想交点を点指示する

関連キーワード　仮想交点／クロックメニュー（線上点・交点）

関連コマンド　[設定] －「線上点・交点取得」／[その他] －「図形」

🖱で読み取りできない仮想交点（実際には交差していない2つの線・円・弧の延長線上にある交点）は、クロックメニュー🖱← AM9時 線上点・交点 で点指示できる。ここでは「図形」コマンド（☞ p.59）で、交差していない2つの線の仮想交点に図形の基準点を合わせて配置する例で説明するが、他のコマンドの点指示時にも共通して利用できる。

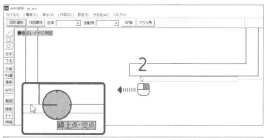

1 「図形」コマンド（メニューバー [その他] －「図形」）を選択し、配置する図形を🖱🖱（☞ p.59）。

2 図形の配置位置として、1つ目の線を🖱← AM9時 線上点・交点 。

Point 点指示時に線・円・弧を🖱← AM9時 線上点・交点 し、次に他の線・円・弧を🖱することで、2つの線・円・弧の仮想交点を指示できる。2の操作の代わりにメニューバー [設定] －「線上点・交点取得」を選択し、2の線を🖱してもよい。

3 もう1本の線を🖱。

2と3の線の仮想交点に基準点を合わせて図形が配置される

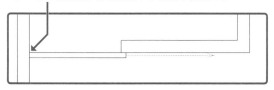

基本操作／選択／指示

○50 │ 相対座標で点指示する

関連キーワード オフセット／クロックメニュー（オフセット）／相対座標

関連コマンド ［設定］－「軸角・目盛・オフセット」／［その他］－「図形」

クロックメニュー🖱️↓ AM6時 オフセット を利用することで、図面上の点（端点・交点・接点など）からの相対座標を指定して点指示できる。ここでは図面上の端点から下に5mmの位置に図形を配置する例で説明するが、「図形」コマンドに限らず、他のコマンドでも点指示時に共通して利用できる。

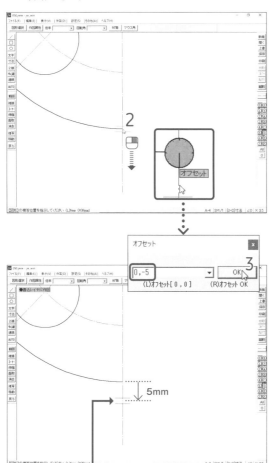

2 で🖱️↓した点から5mm下に基準点を合わせて図形が配置される

1 「図形」コマンド（メニューバー［その他］－「図形」）を選択し、配置する図形を🖱️🖱️（☞ p.59）。

2 図形の配置位置として、相対座標の原点となる図面上の点を🖱️↓AM6時 オフセット 。

Point 2の点からの相対座標を入力するための「オフセット」ダイアログが開く。2の操作の代わりにメニューバー［設定］－「軸角・目盛・オフセット」を選択し、「軸角・目盛・オフセット　設定」ダイアログの「オフセット1回指定」を🖱️して2の点を🖱️でもよい。

3 「オフセット」ボックスに「0，-5」を入力し、「OK」ボタンを🖱️。

Point 「オフセット」数値入力ボックスに2の点を0（原点）としたX,Y座標を「,」（カンマ）で区切って入力することで、2の点から横にX、縦にY離れた位置を点指示できる。X,Y座標は、原点から右と上を+（プラス）、左と下を-（マイナス）数値で入力する。

基本操作／選択／指示

051 | 重複した線のうち 目的の線を指示する

関連キーワード 書込線のみ読取り／書込レイヤのみ読取り／重複線

関連コマンド [編集]－「コーナー処理」／[設定]－「線属性」

線が重ね書きされている部分を🖱️した場合、必ずしも目的の線を指示できるとは限らない。[Ctrl]キーを併用することで、重ね書きされた線のうち書込線と同一線色・線種の線を確実に指示できる。また、[Shift]キーを併用することで、書込レイヤの線を確実に指示できる。ここでは「コーナー」コマンドで説明するが、他のコマンドの線指示時にも共通して利用できる。

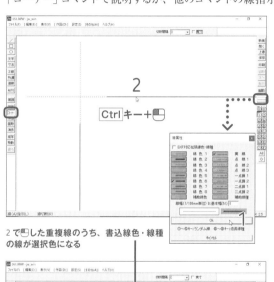

2で🖱️した重複線のうち、書込線色・線種の線が選択色になる

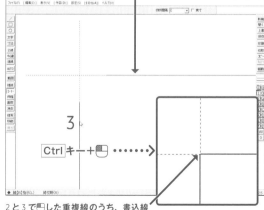

2と3で🖱️した重複線のうち、書込線色・線種の線どうしで角が作成される

1 「線属性」コマンド（メニューバー[設定]－「線属性」）を選択し、書込線を目的の線と同じ線色・線種にする。

2 「コーナー」コマンド（メニューバー[編集]－「コーナー処理」）を選択し、対象線（A）として、[Ctrl]キーを押したまま、重複している線を🖱️。

Point [Ctrl]キーを押したまま、線・円・弧を🖱️すると、書込線色・線種の線・円・弧のみを読み取る。[Ctrl]キーを押したまま、書込線色・線種と異なる線色・線種の要素を🖱️した場合、図形がありませんと表示され、読み取りできない。

3 対象線【B】として、[Ctrl]キーを押したままもう一方の重複している線を🖱️。

Point 3で[Ctrl]キーの代わりに[Shift]キーを押した場合は、書込レイヤに作図されている要素のみを読み取る。[Ctrl]キーと[Shift]キーの両方を押したまま🖱️すると、書込レイヤに作図されている書込線色・線種の要素のみを読み取る。

基本操作／選択／指示

○52 | 複数の要素を 選択範囲枠で囲んで選択する

| 関連キーワード | 選択範囲枠 |

| 関連コマンド | ［編集］−「範囲選択」 |

複数の要素をまとめて消去、移動、複写するには、対象の要素を選択範囲枠で囲んで選択する。これを「範囲選択」と呼ぶ。ここでは「範囲」コマンドの例で説明するが、他のコマンド（「複写」「移動」「消去」「図形登録」コマンドなど）で範囲選択するときの共通操作である。

選択範囲の終点を指示して下さい（L)文字を除く（R)文字を含む

枠内に全体が入る要素が選択色になる

1 「範囲」コマンド（メニューバー［編集］−「範囲選択」）を選択する。

2 範囲選択の始点位置を🖱。

3 対象とする要素が選択範囲枠に入るように囲み、終点を🖱（文字を含む）。

Point 2で終点を🖱（文字を除く）した場合は、選択範囲枠内の文字は選択されない。選択範囲枠に全体が入る要素が選択色になる。ブロック（☞ p.410）はその基準点が選択範囲枠に入る場合に、画像は画像左下の画像表示命令文全体が選択範囲枠に入る位置で終点を🖱（文字を含む）した場合に、それぞれ選択色になる。

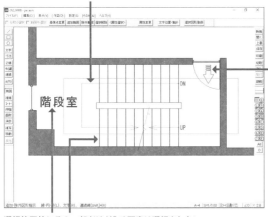

ブロックはその全体が選択範囲枠に入っていなくても基準点が入っていれば選択される

選択範囲枠にその一部だけが入る要素は選択されない

053 | 選択範囲枠から
はみ出た要素も選択する

関連キーワード 交差線選択／選択範囲枠

関連コマンド [編集]－「範囲選択」

範囲選択では、選択範囲枠内に全体が入る要素のみが選択される。選択範囲枠内の要素に加え、選択範囲枠にその一部が入る要素も選択するには、選択範囲枠の終点指示をダブルクリックする。ここでは「範囲」コマンドで説明するが、範囲選択時の共通操作である。

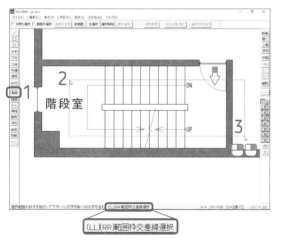

(LL)(RR)範囲枠交差線選択

選択範囲枠に交差する線・
円・弧要素も選択される

選択範囲枠に交差しても文字・ソリッド要素は選択されない

1 「範囲」コマンド（メニューバー [編集]－「範囲選択」）を選択する。

2 範囲選択の始点位置を🖱。

3 対象要素の全体またはその一部が選択範囲枠に入るように囲み、終点を🖱🖱（文字を含む範囲枠交差線選択）。

Point 終点をダブルクリックすることで、選択範囲枠内に全体が入る要素に加え、その一部が入る（選択範囲枠と交差する）線・円・弧要素が選択される。選択範囲枠と交差しても文字やソリッド要素は選択されない。また、2で終点を🖱🖱（文字を除く）すると文字は選択されない。

基本操作／選択／指示

○54 選択要素を追加・除外する

関連キーワード 選択追加・除外

関連コマンド ［編集］−「範囲選択」

範囲選択（☞ p.84/85）後に、要素を🖱️または🖱️することで、追加で選択または選択から除外できる。ここでは「範囲」コマンドで説明するが、範囲選択時の共通操作である。

追加・除外図形指示　線・円・点(L)、文字(R)、連続線[Shift]+(R)

1 「範囲」コマンド（メニューバー［編集］−「範囲選択」）を選択し、操作対象の要素を範囲選択する（☞ p.84）。

Point この段階で、線・円・弧・実点要素を🖱️（文字要素は🖱️、連続線は Shift キーを押したまま🖱️）することで追加で選択または選択から除外できる。

2 操作対象に追加する線を🖱️。

3 操作対象に追加する文字を🖱️。

4 Shift キーを押したまま、操作対象から除外するブロックを🖱️。

Point 選択色の要素を指示すると操作対象から除外される。ブロックは連続線と同じく Shift キーを押したまま🖱️することで指示する。

3 の文字が選択色になる　　2 の線が選択色になる

○55 | 複数の要素を まとめて追加・除外する

関連キーワード 除外範囲／選択追加・除外／追加範囲

関連コマンド ［編集］－「範囲選択」

範囲選択の終点指示後、コントロールバー「追加範囲」（または「除外範囲」）ボタンを🖱して対象を選択範囲枠で囲むと追加選択（または選択から除外）できる。ここでは「範囲」コマンドで説明するが、範囲選択時の共通操作である。

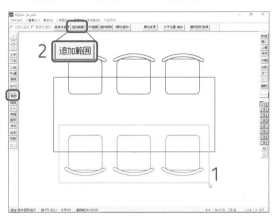

1 「範囲」コマンド（メニューバー［編集］－「範囲選択」）を選択し、操作対象の要素を範囲選択する（☞ p.84）。

2 コントロールバー「追加範囲」ボタンを🖱。

Point 「追加範囲」は、操作対象に追加する要素を範囲選択する。2で「除外範囲」ボタンを🖱した場合は、選択されている要素から除外する要素を範囲選択する。

選択範囲枠に全体が入る要素が対象に追加され選択色になる

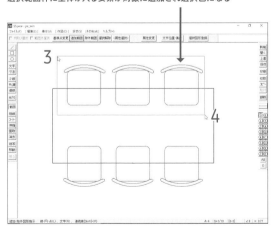

3 追加範囲の始点位置を🖱。

4 選択範囲枠で追加する要素を囲み、終点を🖱。

基本操作／選択／指示

○56 選択範囲枠を斜線と平行に表示する

関連キーワード 軸角取得／選択範囲枠

関連コマンド [編集]－「範囲選択」／[設定]－「角度取得」－「軸角」

選択範囲枠は軸角に平行に表示される。斜線と平行に表示するには、「角度取得」コマンドを利用して、軸角を斜線の角度に設定する。ここでは「範囲」コマンドで説明するが、範囲選択時の共通操作である。

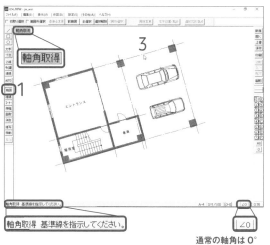

軸角取得 基準線を指示してください。

通常の軸角は 0°

選択範囲枠は軸角に平行に表示される

3 の線の角度が軸角になる

1 「範囲」コマンド（メニューバー[編集]－「範囲選択」）を選択する。

2 メニューバー[設定]－「角度取得」－「軸角」を選択する。

3 軸角取得の基準線として斜線を🖱。

Point 通常、水平方向が 0° だが、一時的に、指定角度を作図上の 0°（軸角 🖙 p.404）にできる。2、3 の操作により、3 の線の角度が軸角になる。設定した軸角は解除（🖙 p.109 **Hint**）するか、Jw_cad を終了するまで有効。

4 範囲選択の始点位置を🖱。

5 選択範囲枠で対象要素を囲み、終点を🖱。

基本操作／選択／指示

すべての要素を選択する

関連キーワード 全選択

関連コマンド [編集]−「範囲選択」

範囲選択時にコントロールバー「全選択」ボタンを🖱することで、図面上の編集可能なすべての要素を選択できる。ここでは「範囲」コマンドで説明するが、範囲選択時の共通操作である。

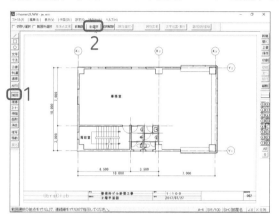

1 「範囲」コマンド（メニューバー[編集]−「範囲選択」）を選択する。

2 コントロールバー「全選択」ボタンを🖱。

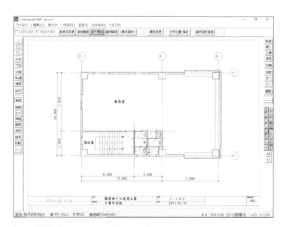

編集可能なすべての要素が選択色になる

Point 「全選択」ボタンを🖱することで、図面上の編集可能なすべての要素を選択できる。また、「全選択」では、通常の範囲選択では選択できない仮点も選択される。

基本操作／選択／指示

058 | 条件を満たす要素のみを選択・除外する

関連キーワード 選択・除外／属性選択の指定条件

関連コマンド ［編集］－「範囲選択」

範囲選択時、「＜属性選択＞」のダイアログで条件を指定することで、範囲選択した要素の中から指定した条件を満たす要素のみを選択（または除外）できる。ここでは「範囲」コマンドで文字要素と寸法要素を選択する例で説明するが、範囲選択時の共通操作である。

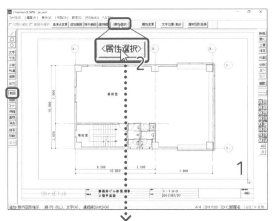

1 「範囲」コマンド（メニューバー［編集］－「範囲選択」）を選択し、操作対象を含む要素を範囲選択する（☞ p.84）。

2 コントロールバー「＜属性選択＞」ボタンを🖱。

3 属性選択のダイアログで、指定条件を🖱し、チェックを付ける。

Point 図は文字要素と寸法要素を選択するため「文字指定」と「寸法属性指定」にチェックを付けている。指定条件について詳しくは、次ページの Hint を参照。

4 「【指定属性選択】」にチェックが付いていることを確認する。

Point 「【指定属性選択】」にチェックを付けると、1で選択した要素の中から3でチェックを付けた条件に合う要素のみが選択され選択色になる（他の要素は除外され元の色に戻る）。4で「《指定属性除外》」にチェックを付けると、1で選択した要素の中から3でチェックを付けた条件に合う要素が除外されて元の色に戻る。

5 「OK」ボタンを🖱。

基本操作／選択・指示

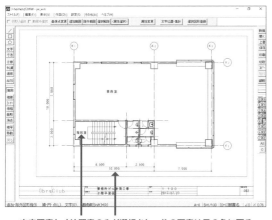

Point 3で指定した条件に合う要素のみが選択され、他の要素は除外されて元の色に戻る。現在選択されている要素に対し、「属性変更」を選択してレイヤ変更（☞ p.344）することや、「消去」コマンドを選択して消去、「移動」コマンドを選択して移動などの操作が行える。

文字要素と寸法要素のみが選択され、他の要素は元の色に戻る

Hint 属性選択のダイアログの指定条件

コントロールバー「＜属性選択＞」ボタンを🖱して開くダイアログでは、以下の条件を指定できる。

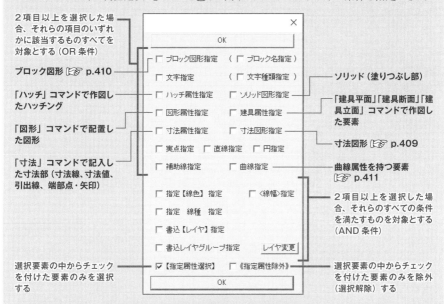

- **2項目以上を選択した場合、それらの項目のいずれかに該当するものすべてを対象とする（OR条件）**
- **ブロック図形** ☞ **p.410**
- **「ハッチ」コマンドで作図したハッチング**
- **「図形」コマンドで配置した図形**
- **「寸法」コマンドで記入した寸法部（寸法線、寸法値、引出線、端部点・矢印）**

- **ソリッド（塗りつぶし部）**
- **「建具平面」「建具断面」「建具立面」コマンドで作図した要素**
- **寸法図形** ☞ **p.409**
- **曲線属性を持つ要素** ☞ **p.411**
- **2項目以上を選択した場合、それらのすべての条件を満たすものを対象とする（AND条件）**

- **選択要素の中からチェックを付けた要素のみを選択する**
- **選択要素の中からチェックを付けた要素のみを除外（選択解除）する**

※寸法図形の寸法値およびブロック図形の文字要素は「文字指定」「（文字種類指定）」の対象にならない。

※寸法図形の寸法線およびブロック図形の要素は「指定【線色】指定」「指定 線種 指定」の対象にならない。

059 | 計算式を入力して 数値を指定する

関連キーワード 計算式入力／数値長取得／数値入力

関連コマンド [設定] -「長さ取得」-「数値長」

各コマンドのコントロールバー「数値入力」ボックスに計算式を入力することで、その解を数値として指定できる。ここでは「複線」コマンドのコントロールバー「複線間隔」ボックスの画面で説明するが、他のコマンドの数値入力ボックスの入力にも共通して利用できる。

複線間隔 [930+25*2]/2 ▼ 連続 端点指定

⋮
Enter キーを押す必要はないが、
Enter キーを押すと計算結果が表示される
↓

複線間隔 490 ▼ 連続 端点指定

「数値入力」ボックスに計算式を入力することで、その計算結果を数値として指定できる。

Point ×は「*」を、÷は「/」を入力する。大括弧、小括弧は [ ] を、べき乗は「＾」、π（3.141592654）は「P」を入力する。

Hint 図面上の計算式を数値入力ボックスに取得

2 の計算結果がコントロールバー「数値入力」
ボックスに取得される

図面上に文字要素として記入済みの計算式を数値入力ボックスに取得することで、その計算結果を数値として指定できる。

1 メニューバー [設定] -「長さ取得」-「数値長」を選択する。
2 図面上の計算式を🖱。

Point 2で図面上の数値を🖱した場合も、その数値がコントロールバーの数値入力ボックスに取得される。ただし、寸法図形の寸法値を🖱した場合は、 寸法図形です と表示されて取得されない。

基本操作／選択／指示

092

060 | マウス操作で数値入力・電卓計算入力をする

関連キーワード 数値入力／数値入力ダイアログ／電卓計算

関連コマンド [作図]－「矩形」

「数値入力」ボックスへの数値入力は、キーボードを使わずにマウス操作だけでも行える。ここでは「□」コマンドのコントロールバー「寸法」ボックスに「850,200」を入力する例で説明するが、他のコマンドの数値入力ボックスの入力にも共通して利用できる。

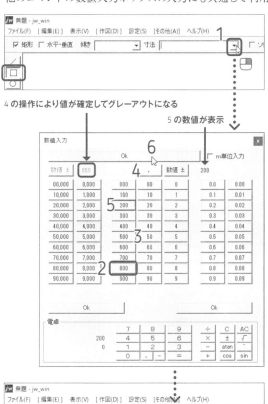

4 の操作により値が確定してグレーアウトになる

5 の数値が表示

コントロールバー「寸法」ボックスに「850,200」が入力される

1 「□」コマンド（メニューバー[作図]－「矩形」）を選択し、コントロールバー「寸法」ボックスの▼を🖱。

2 「数値入力」ダイアログの「800」ボタンを🖱。

3 「50」ボタンを🖱。

4 「, 」ボタンを🖱。

Point 「, 」ボタンを🖱することで、左上の数値「850」が確定してグレーアウトされ、2 数目を入力する段階になる。この段階で、再度「, 」ボタンを🖱すると、1 数目の数値を再指定できる。

5 「200」ボタンを🖱。

6 右上に「200」と表示されたことを確認し、「Ok」ボタンを🖱。

Point 3 つのうちの「OK」ボタンを🖱しても確定される。「OK」ボタンを🖱する代わりに、ボタン以外の位置で🖱または最後の数値のボタンを🖱することでも確定できる。また、2 ～ 5 の操作の代わりに、「電卓」欄のボタンを🖱して計算を行うこともできる。

基本操作／選択／指示

093

061 書込線の線色・線種を指定する

関連キーワード 書込線／線色・線種／標準線色・線種

関連コマンド ［設定］－「線属性」

基本的に線・円・弧は書込線の線色・線種で、実点・仮点は書込線の線色で作図される。
書込線は「線属性バー」に表示され、「線属性」コマンドまたは「線属性」バーを🖱することで、
書込線の線色・線種を指定する「線属性」ダイアログが開く。

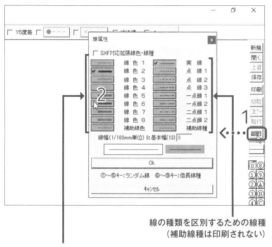

線の種類を区別するための線種
（補助線種は印刷されない）

線の太さを区別するための線色（補助線色は印刷されない）

1 「線属性」コマンド（メニューバー
　［設定］－「線属性」）を選択する。

2 「線属性」ダイアログで、線色ボタ
　ン（図は「線色6」）を🖱。

Point 線の太さを区別するための線
色を選択する。各線色の線の太さの
指定は「基本設定」コマンドの「色・
画面」タブで行う（☞ p.364）。

3 線種ボタン（図は「一点鎖1」）を
　🖱。

Point 図の線色1～8、補助線色と
実線～二点鎖、補助線種が Jw_cad
の標準線色・線種である。その他の
拡張線色・線種や個別線幅について
は p.399/404/412 を参照。

4 「Ok」ボタンを🖱。

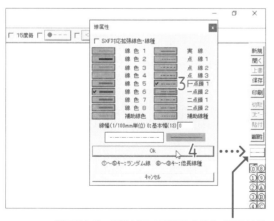

「線属性」バーの表示が 2、3 で選択した線色・線種になる

基本操作／選択／指示

062 | 書込線を図面上の線と 同じ線色・線種にする

関連キーワード　書込線／書込レイヤ／クロックメニュー（属性取得）／線色・線種

関連コマンド　[設定]－「属性取得」

「属性取得」で作図済みの線・円・弧などを🖱すると、書込線が🖱した線・円・弧と同じ線色・線種になる。それとともに書込レイヤも🖱した線・円・弧の作図レイヤになる。

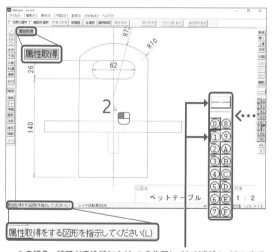

2の線色・線種が書込線になり、2の作図レイヤが書込レイヤになる

1 「属取」コマンド（メニューバー [設定]－「属性取得」）を選択する。

Point 1の操作の代わりに[Tab]キーを押してもよい。

2 作図済みの線・円・弧を🖱。

Point 書込線が2の線色・線種と同じになり、2が作図されているレイヤが書込レイヤになる。これを「属性取得」と呼ぶ。2の操作で「選択されたブロックを編集します」ダイアログが開いた場合は、属性取得は完了しているので、「キャンセル」ボタンを🖱（☞ p.411）。

基本操作／選択／指示

Hint　クロックメニューで属性取得

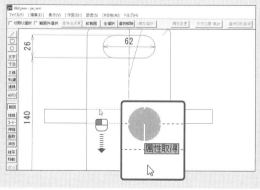

1、2の操作の代わりに、線・円・弧を🖱↓ AM6時 属性取得 することでも属性取得できる。

063 | ユーザー定義線色を確認する

関連キーワード SXF 対応拡張線色／線色／ソリッド色／ユーザー定義線色

関連コマンド ［設定］－「線属性」「属性取得」

SXF 対応拡張線色・線種のユーザー定義線色は、他の図面ファイルにコピーするとグレーで表示される。コピー先でも元図面と同じ色で表示するには、ユーザー定義が必要である。ここでは、元図面でのソリッドや線・円・弧のユーザー定義色の番号と色の確認方法を説明する。

3でソリッドを🖱した場合、🖱したソリッド色になる

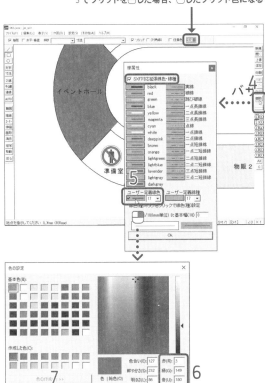

1 「□」コマンド（メニューバー［作図］－「矩形」）を選択し、コントロールバー「ソリッド」にチェックを付ける。

2 「属取」コマンド（メニューバー［設定］－「属性取得」）を選択する。

3 確認対象のソリッド（または線・円・弧）を🖱。

Point 3で🖱した要素がソリッド、線・円・弧のいずれの場合も、書込線色が3で🖱したユーザー定義色になる。

4 「線属性」コマンド（メニューバー［設定］－「線属性」）を選択する。

5 「線属性」ダイアログの凹表示のユーザー定義線色の番号を確認（図は「17」）し、「ユーザー定義線色」ボタンを🖱。

6 「色の設定」パレット右下の「赤」「緑」「青」ボックスの数値（図は「3」「149」「180」）をメモする。

7 「色の設定」パレットの「キャンセル」ボタンを🖱して閉じる。

8 「線属性」ダイアログの「Ok」ボタンを🖱して閉じる。

○64 | ユーザー定義線色を設定する

関連キーワード SXF 対応拡張線色／線色／ユーザー定義線色

関連コマンド ［設定］－「線属性」

SXF 対応拡張線色・線種のユーザー定義線色は、他の図面ファイルにコピーするとグレーで表示される。コピー先でも元図面と同じ色で表示するには、ユーザー定義が必要である。ここではコピー先の図面でユーザー定義線色を元図面と同じ線色に設定する方法を説明する。

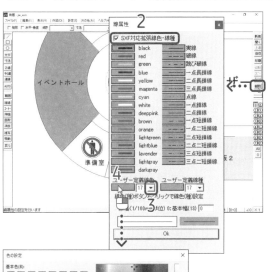

1 「線属性」コマンド（メニューバー［設定］－「線属性」）を選択する。

2 「線属性」ダイアログの「SXF 対応拡張線色・線種」にチェックを付ける。

3 ユーザー定義線色の番号ボックスの⌄を🖱し、元図面と同じ番号（図は「17」）を選択する。

4 「ユーザー定義線色」ボタンを🖱。

5 「色の設定」パレット右下の「赤」「緑」「青」ボックスの数値を元図面で確認した数値（☞ 前ページ6）に変更する。

6 「OK」ボタンを🖱。

7 「線色名設定」ダイアログで線色番号を確認し、「OK」ボタンを🖱。

8 「線属性」ダイアログの「Ok」ボタンを🖱。

Point 作図ウィンドウを再描画（🖱✎ 全体 など）することで、3 で選択した番号のユーザー定義線色の要素が5で定義した色で表示される。

基本操作／選択／指示

065 ユーザー定義線種を確認する

関連キーワード　SXF 対応拡張線種／線種／ユーザー定義線種

関連コマンド　［設定］-「線属性」「属性取得」

SXF 対応拡張線色・線種のユーザー定義線種は、他の図面ファイルにコピーすると表示されない。コピー先でも元図面と同じ表示にするには、ユーザー定義が必要である。ここでは、元図面でのユーザー定義線種の番号と線種設定の確認方法を説明する。

2 で🖱️した要素の線種が書込線種になる

1 「属取」コマンド（メニューバー［設定］-「属性取得」）を選択する。

2 確認対象の線・円・弧を🖱️。

3 「線属性」コマンド（メニューバー［設定］-「線属性」）を選択する。

4 「線属性」ダイアログの「SXF 対応拡張線色・線種」にチェックを付ける。

5 「線属性」ダイアログの凹表示のユーザー定義線種の番号を確認し、「ユーザー定義線種」ボタンを🖱️。

6 「ユーザー定義線種設定」ダイアログの「セグメント数」「ピッチ（mm 単位）」「1 ユニットのドット数」ボックスの数値をメモする。

7 「ユーザー定義線種設定」ダイアログの「キャンセル」ボタンを🖱️して閉じる。

8 「線属性」ダイアログの「Ok」ボタンを🖱️して閉じる。

○66 ユーザー定義線種を設定する

関連キーワード SXF 対応拡張線種／線種／ユーザー定義線種

関連コマンド [設定]－「線属性」

SXF 対応拡張線色・線種のユーザー定義線種は、他の図面ファイルにコピーすると表示され
ない。コピー先でも元図面と同じ線種で表示するには、ユーザー定義が必要である。ここで
はコピー先の図面でユーザー定義線種を元図面と同じ線種に設定する方法を説明する。

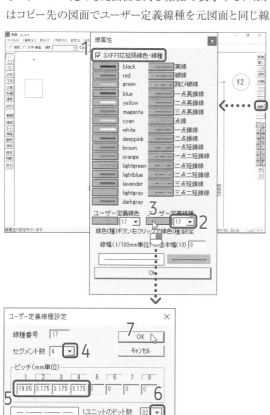

1 「線属性」コマンド（メニューバー
　[設定]－「線属性」）を選択し、「線
　属性」ダイアログの「ＳＸＦ対応
　拡張線色・線種」にチェックを付
　ける。

2 ユーザー定義線種の番号ボックス
　の▾を🖑し、元図面と同じ番号を
　選択する。

3 「ユーザー定義線種」ボタンを🖑。

4 「ユーザー定義線種設定」ダイア
　ログの「セグメント数」ボックスの
　▾を🖑し、元図面で確認した数値
　（☞ 前ページ6）を選択する。

5 「ピッチ」ボックスに元図面で確認
　した数値を入力する。

6 「1ユニットのドット数」の▾を🖑
　し、元図面で確認した数値を選択
　する。

7 「OK」ボタンを🖑。

8 「線種名設定」ダイアログの「OK」
　ボタンを🖑。

9 「線属性」ダイアログの「Ok」ボタ
　ンを🖑。

Point 作図ウィンドウを再描画（🖑✐
全体など）することで、2 で選択した
番号のユーザー定義線種の要素が4
〜7で指定した線種で表示される。

基本操作／選択／指示

099

○67 作図・編集操作を取り消す

関連キーワード undo の回数／戻る

関連コマンド ［編集］−「戻る」／ ［設定］−「基本設定」

「戻る」コマンドでは、直前の作図・編集操作を取り消し、操作前の状態に戻す。「戻る」コマンドを🖱️した回数分、操作前に戻すことができる。

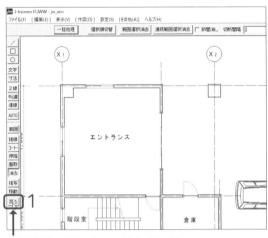

戻す操作がない場合はグレーアウトして🖱️できない

1 「戻る」コマンド（［編集］−「戻る」）
を🖱️。

Point 「戻る」コマンドは直前の作図・編集操作を1つ前に戻す指示で、「戻る」コマンドを🖱️した回数分、操作が取り消され、操作前の状態になる。「戻る」コマンドを🖱️する代わりに Esc キー（または Ctrl キーと Z キー）を押してもよい。「戻る」コマンドで取り消せるのは作図・編集操作のみで、ズーム操作や用紙サイズ・縮尺・書込線・レイヤなどの設定操作は取り消せない。

Hint 戻すことができる回数の指定

「戻る」コマンドを🖱️して戻すことのできる回数は、メニューバー［設定］−「基本設定」の「jw_win」ダイアログの「一般 (1)」タブの「Undoの回数」ボックスで指定できる。初期値は「100」。

基本操作／選択／指示

○68 「戻る」で取り消す前の状態を復元する

関連キーワード　進む／戻る

関連コマンド　[編集]－「進む」

「戻る」コマンドを余分に🖱️して戻し過ぎた場合は、「進む」コマンドを🖱️することで、「戻る」コマンドを🖱️する前の状態を復元できる。

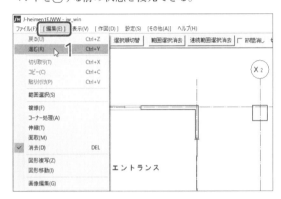

1　「進む」コマンド（[編集]－「進む」）を🖱️。

Point 「進む」コマンドは、「戻る」コマンドで取り消す前の状態を復元する。1の操作の代わりに Ctrl キーを押したまま、Y キーを押してもよい。

復元する内容がない場合はグレーアウトして🖱️できない

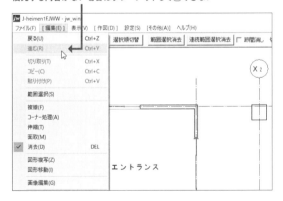

基本操作／選択／指示

○69 | 線を作図する

関連キーワード　15°ごとの線／水平線・垂直線

関連コマンド　[作図]－「線」

「／」(線) コマンドで、始点と終点をクリック指示することで線を作図する。

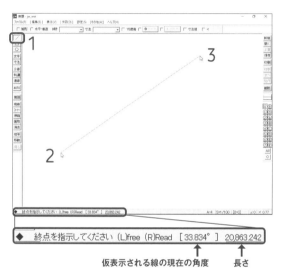

1 「／」コマンド(メニューバー[作図] －「線」)を選択する。

2 始点を🖱 (または🖱Read)。

3 終点を🖱 (または🖱Read)。

◆ 終点を指示してください (L)free (R)Read ［ 33.834° ］ 20,863.242

↑ 仮表示される線の現在の角度　↑ 長さ

Hint　水平線・垂直線や 15°、30°、45°…と 15°ごとに固定された線

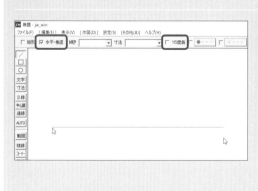

■ 水平線・垂直線を作図
コントロールバー「水平・垂直」に チェックを付けることで、90°ごとに 固定された線(水平線または垂直線) を作図する。

■ 15°ごとに固定された線を作図
コントロールバー「15度毎」にチェッ クを付けることで、15°ごとに固定さ れた線 (0°/15°/30°/45°…) を作図 する。

○70 | 長さを指定して線を作図する

関連キーワード 線の長さ指定／線の長さ取得

関連コマンド [作図]−「線」／[設定]−「長さ取得」−「線長」

「／」コマンドのコントロールバー「寸法」ボックスに長さを入力して始点と終点を指示することで、始点から指定長さの線を作図する。

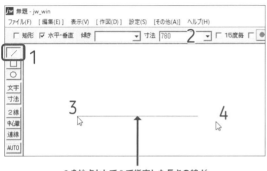

3 を始点として 2 で指定した長さの線が
マウスポインタの方向に仮表示される

1 「／」（線）コマンド（メニューバー
　[作図]−「線」）を選択する。

2 コントロールバー「寸法」ボックス
　に線の長さを入力する。

Point 寸法の入力は、3 で始点を指示
した後に行うことも可能。

3 始点を🖱️（または🖱️Read）。

4 終点を🖱️（または🖱️Read）。

Hint　作図済みの線と同じ長さの線

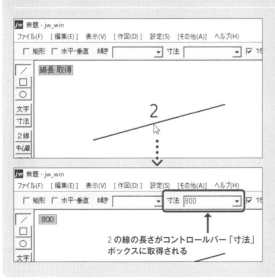

2 の線の長さがコントロールバー「寸法」
ボックスに取得される

上記の 2 の操作の代わりに以下の
操作を行うことで、作図済みの線
の長さをコントロールバー「寸法」
ボックスに取得できる。

1 「線長」コマンド（メニューバー
　[設定]−「長さ取得」−「線長」）
　を選択する。

2 作図済みの線を🖱️。

作
図

071 | 角度を指定して線を作図する

関連キーワード 角度入力／線の角度指定

関連コマンド ［作図］－「線」

「／」コマンドのコントロールバー「傾き」ボックスに角度を入力して始点と終点を指示することで、指定角度に固定された線を作図する。

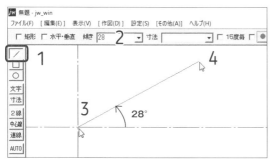

3 を始点として **2** で指定した角度の線が
マウスポインタに従い仮表示される

1 「／」コマンド（メニューバー［作図］
－「線」）を選択する。

2 コントロールバー「傾き」ボックス
に角度（図は「28」）を入力する。

Point 角度の入力は、3で始点を指示
した後に行うことも可能。

3 始点を🖰（または🖰free）。

4 終点を🖰（または🖰Read）。

Hint | 水平線・垂直線と指定角度の線

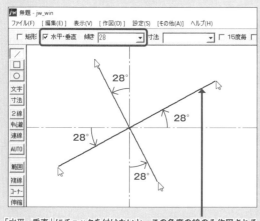

「水平・垂直」にチェックを付けないと、この角度の線のみ作図される

コントロールバー「水平・垂直」に
チェックを付けた状態で「傾き」ボッ
クスに角度を指定すると、指定した
角度の線のほかに、水平線・垂直
線と水平線・垂直線から指定角度
の線を作図できる。

作図

○72 | 勾配を指定して線を作図する

関連キーワード 角度入力／勾配／線の角度指定

関連コマンド [作図]-「線」

「／」コマンドのコントロールバー「傾き」ボックスに「//」に続けて勾配を入力し、始点・終点を指示して作図する。ここでは3寸勾配と1/8勾配の例で、「傾き」ボックスへの入力方法を説明する。この入力方法は「／」コマンドに限らず、他のコマンドの角度入力にも共通して利用できる。

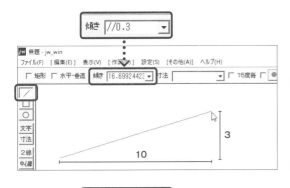

■3寸勾配の作図

コントロールバー「傾き」ボックスに「//0.3」を入力する。

Point 0.3は3÷10の解。4寸勾配なら「//」に続けて「0.4」を入力する。右下がりの3寸勾配を作図する場合は、先頭に「−」（マイナス）を付けて「-//0.3」と入力する。傾きを入力後、Enterキーを押すか、Jw_cadのバージョンによっては線の始点を指示すると、「傾き」ボックスの数値は度単位に変換される。

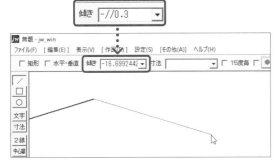

■1/8勾配の作図

コントロールバー「傾き」ボックスに「// [1/8]」を入力する。

Point 「//」に続けて、1÷8の計算式を入力する。[ ]は、数学の計算式における（ ）を示す。右下がりの1/8勾配を作図する場合は、先頭に「−」（マイナス）を付けて「-// [1/8]」と入力する。

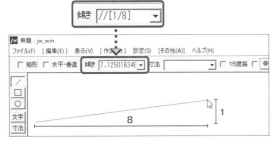

作図

073 | 斜線に対して垂直な線を作図する

関連キーワード 鉛直線／線の角度指定／線の角度取得

関連コマンド [作図]－「線」傾き／[設定]－「角度取得」－「線鉛直角度」

「／」コマンドのコントロールバー「傾き」ボックスに、対象とする斜線に垂直な角度を入力して作図する。斜線の角度が不明な場合は「角度取得」機能を利用する。「角度取得」は「／」コマンドに限らず、他のコマンドでも共通して利用できる。

1 「／」コマンド(メニューバー[作図]－「線」)を選択する。

2 「鉛直」コマンド(メニューバー[設定]－「角度取得」－「線鉛直角度」)を選択する。

Point 「線鉛直角度」は、次に指示する線に対して垂直な角度をコントロールバーの角度入力(図では「傾き」)ボックスに取得する。

3 対象とする斜線を🖱。

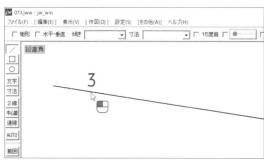

「傾き」ボックスに3の線に垂直な角度が取得される

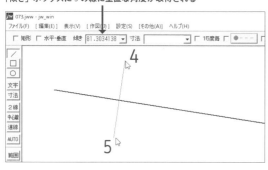

4 線の始点を🖱。

5 終点を🖱。

○74 | 斜線に対して垂直な線を斜線上から作図する

関連キーワード 鉛直線／クロックメニュー（鉛直・円周点）／線の角度指定

関連コマンド ［作図］－「線」

「／」コマンドの始点指示時に、斜線を🖱️↑で表示されるクロックメニュー（☞ p.403）
鉛直・円周点を利用することで、🖱️↑した斜線上を始点とする鉛直線を作図できる。

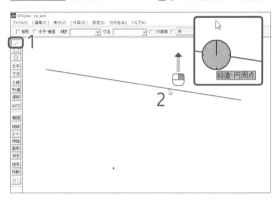

1 「／」コマンド（メニューバー［作図］
－「線」）を選択する。

2 始点として斜線を🖱️↑ AM0 時
鉛直・円周点。

Point 「／」コマンドで、始点指示時
に線を🖱️↑ AM0 時鉛直・円周点する
ことで、その線上を始点とした鉛直線
を作図できる。コントロールバー「水
平・垂直」にチェックが付いている場
合は、🖱️↑ AM0 時は鉛直・円 1/4 点
と表示される。

3 終点を🖱️（または🖱️ free）。

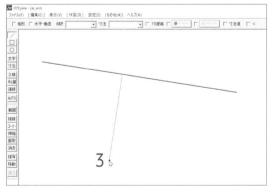

2 の線上を始点とした鉛直線がマウスポインタまで仮表示される

◯75 | 斜線からの角度（度・分・秒）を指定して線を作図する

関連キーワード 角度入力（度・分・秒）／軸角解除／軸角取得／線の角度指定／度分秒

関連コマンド ［作図］－「線」／［設定］－「角度取得」－「軸角」／［設定］－「軸角・目盛・オフセット」

斜線からの角度を指定するには、その斜線の傾きを一時的に作図上の0°（軸角）に設定したうえで、「傾き」ボックスに角度を入力する。ここでは作図済みの斜線から32°18′24.1″（32度18分24.1秒）の線を作図する例で説明する

1 メニューバー［設定］－「角度取得」－「軸角」を選択する。

Point 通常、水平方向が0°だが、一時的に、指定角度を作図上の0°（軸角 ☞ p.404）にできる。軸角の角度は「軸角・目盛・オフセット　設定」ダイアログに数値入力で指定するほかに、1、2の操作で作図済みの線を🖱️することで指定できる。

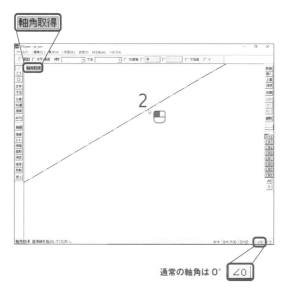

2 軸角取得の基準線として斜線を🖱️。

通常の軸角は0°　∠0

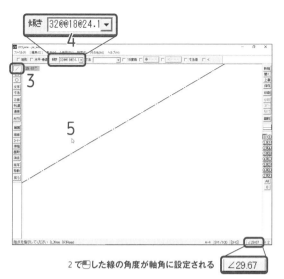

3 「/」コマンド(メニューバー[作図]
－「線」)を選択する。

4 コントロールバー「傾き」ボックス
に指定角度「32@@18@24.1」
を入力する。

Point 度・分・秒単位での入力は、
度の代わりに「@@」、分の代わりに
「@」を入力する。入力後、[Enter]キー
を押すと「傾き」ボックスの表示は「32°
18' 24.1"」に変換される。

5 始点を🖱 (または🖱Read)。

2で🖱した線の角度が軸角に設定される ∠29.67

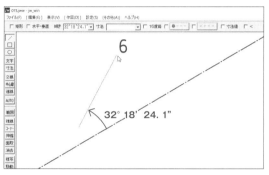

6 終点を🖱 (または🖱Read)。

32° 18' 24.1"

作図

Hint 軸角の解除

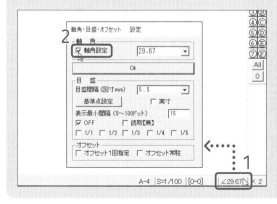

以下の操作を行うことで軸角が解
除され、ステータスバーの「軸角」
ボタンの表示も「∠0」に戻る。

1 ステータスバー「軸角」ボタン
(メニューバー[設定]－「軸角・
目盛・オフセット」)を🖱。

2 「軸角・目盛・オフセット　設定」
ダイアログの「軸角設定」の
チェックを🖱。

○76 | 斜線の延長上に線を作図する

関連キーワード 延長上の線

関連コマンド ［作図］－「中心線」

2つの線・点または線と点の中心線を作図する「中心線」コマンド（☞ p.117）で、2つの線として同一の線を指示することで、その線の延長上に線を作図できる。

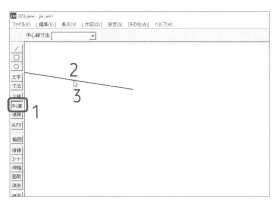

1 「中心線」コマンド（メニューバー［作図］－「中心線」）を選択する。

2 1番目の線として斜線を🖰。

3 2番目の線として同じ斜線を🖰。

Point 1番目、2番目の線として同じ線を🖰することで、中心線の位置が、その線上に確定する。

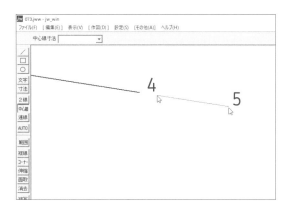

4 始点を🖰（または🖰 Read）。

5 終点を🖰（または🖰 Read）。

077 円・弧から鉛直線を作図する

関連キーワード　円・弧に鉛直／鉛直線／クロックメニュー（鉛直・円周点）

関連コマンド　［作図］ー「線」

円周上には🖱で読み取りできる点はないが、「／」コマンドの始点指示時に、🖱↑で表示されるクロックメニュー（☞ p.403）鉛直・円周点を利用することで、円・弧に鉛直な線を円周上から作図できる。

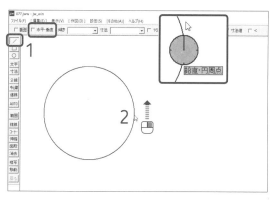

1　「／」コマンド（メニューバー［作図］ー「線」）を選択し、コントロールバー「水平・垂直」のチェックを外す。

2　始点として、円・弧を🖱↑ AMO 時 鉛直・円周点 。

Point 2で🖱↑した円・弧の円周上を始点とした、円・弧に鉛直な線がマウスポインタまで仮表示される。「／」コマンドのコントロールバー「水平・垂直」にチェックが付いていると、🖱↑ AMO 時は、鉛直・円 1/4 点 と表示され、🖱↑位置に近い1/4位置（中心から0°、90°、180°、270°の円周上の位置）が始点となり、水平線・垂直線がマウスポインタまで仮表示される。

3　終点を🖱（または🖱 free）。

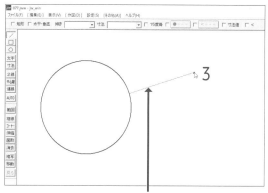

2の円周上を始点とした円・弧に鉛直な線がマウスポインタに従い仮表示される

○78 | 角度を固定した線の終点を 円周上にする

関連キーワード クロックメニュー（線・円交点）

関連コマンド [作図]－「線」

「／」コマンドで角度を固定した線の終点指示に限り、線・円・弧を🖱↑して表示されるクロックメニュー（☞ p.403）線・円交点を利用することで、作図途中の仮表示の線と🖱↑した線・円・弧との交点を終点として確定できる。

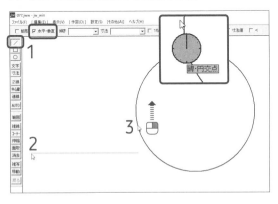

1 「／」コマンド（メニューバー[作図]－「線」）を選択し、コントロールバー「水平・垂直」にチェックを付ける。

2 始点を🖱（または🖱Read）。

3 終点位置を指示する線・円・弧を🖱↑ AMO時 線・円交点。

Point 「／」コマンドのコントロールバー「傾き」ボックスに角度を指定するか、「水平・垂直」や「15度毎」にチェックを付けた場合に限り、終点指示時に線・円・弧を🖱↑ AM0時 線・円交点 すると、作図途中の線と🖱↑した線・円・弧との交点を終点として確定する。線との交点が2カ所以上想定される円・弧を🖱↑した場合、その🖱↑位置に近い交点が終点になる。

2 からの水平線と 3 で🖱↑した円の交点が終点になる

112

○79 | 2つの円・弧を結ぶ接線を作図する

関連キーワード **接線**

関連コマンド **[作図]−「接線」**

「接線」コマンドのコントロールバー「円→円」を選択し、2つの円・弧を指示して作図する。

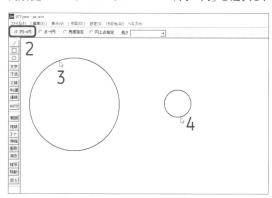

1 「接線」コマンド(メニューバー[作図]−「接線」)を選択する。

2 コントロールバー「円→円」を選択する。

3 1つ目の円・弧を🖰。

Point 3、4の円・弧の指示は、接線を作図する側で🖰すること。

4 2つ目の円・弧を🖰。

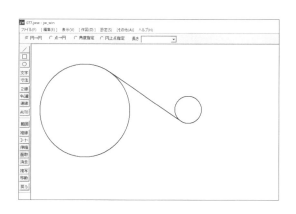

作図

○80 | 点から円・弧に接線を作図する

関連キーワード 接線

関連コマンド ［作図］－「接線」

「接線」コマンドのコントロールバー「点→円」を選択し、点と円・弧を指示して作図する。

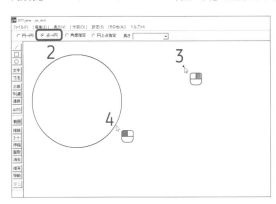

1 「接線」コマンド（メニューバー［作図］－「接線」）を選択する。

2 コントロールバーの「点→円」を選択する。

3 点を🖱。

4 円・弧を🖱。

Point 4の円・弧の指示は、接線を作図する側で🖱すること。

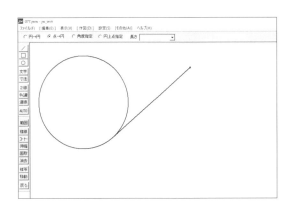

114

081 | 角度を指定して 接線を作図する

関連キーワード 接線／接線の角度指定／接線の長さ指定

関連コマンド [作図] −「接線」

「接線」コマンドのコントロールバー「角度指定」を選択し、角度と円・弧と接線の始点、終点を指定して作図する。

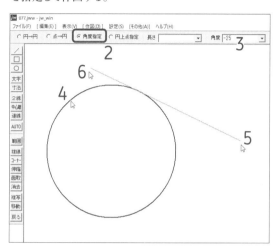

1 「接線」コマンド（メニューバー [作図] −「接線」）を選択する。

2 コントロールバーの「角度指定」を選択する。

3 コントロールバー「角度」ボックスに角度（図は「−25」）を入力する。

4 円・弧を🖱。

Point 4 の円・弧の指示は、接線を作図する側で🖱すること。

5 始点を🖱（または🖱 Read）。

6 終点を🖱（または🖱 Read）。

Hint 指定長さの接線

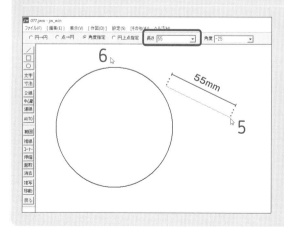

コントロールバー「長さ」ボックスに長さを入力して上記 5、6 を行うと、5 の点から 6 の方向に指定長さの接線を作図する。

作図

115

○82 | 円周上の点を指定して接線を作図する

関連キーワード 接線

関連コマンド [作図]-「接線」

「接線」コマンドのコントロールバー「円上点指定」を選択し、円・弧と円上点、始点、終点を指示して作図する。

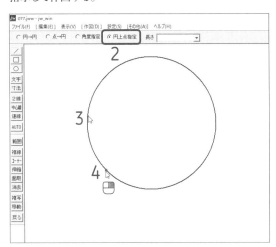

1 「接線」コマンド（メニューバー[作図]-「接線」）を選択する。
2 コントロールバーの「円上点指定」を選択する。
3 円・弧を🖰。
4 円上点を🖰（または🖰free）。

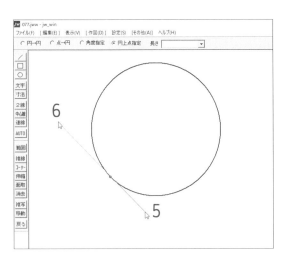

5 始点を🖰（または🖰Read）。
6 終点を🖰（または🖰Read）。

083 | 中心線を作図する

関連キーワード 中心線

関連コマンド [作図] －「中心線」

「中心線」コマンドで、2つの線・円・弧・点の中心線を指定長さで作図する。

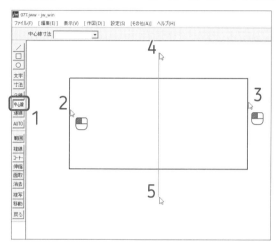

1 「中心線」コマンド（メニューバー[作図] －「中心線」）を選択する。

2 1番目の線を🖱。

3 2番目の線を🖱。

Point 線・円・弧は🖱、点は🖱で指示する。この例の場合、2、3で長方形の左上角と右上角を🖱しても結果は同じ。

4 中心線の始点を🖱（または🖱Read）。

5 中心線の終点を🖱（または🖱Read）。

Hint   2点間の中心線

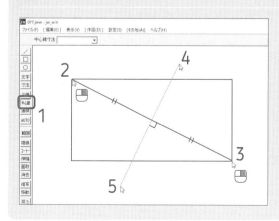

上記 2、3で点を🖱することで、2点間の中心線を作図する。

1 「中心線」コマンド（メニューバー[作図] －「中心線」）を選択する。

2 1番目の点を🖱。

3 2番目の点を🖱。

4 中心線の始点を🖱（または🖱Read）。

5 中心線の終点を🖱（または🖱Read）。

○84 | 連続線を作図する

関連キーワード 連続線

関連コマンド ［作図］－「連続線」

「連線」コマンドで順に点を指示することで、それらの点をつなぐ連続線を作図する。

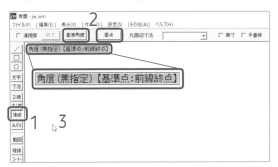

1 「連線」コマンド（メニューバー［作図］－「連続線」）を選択する。

2 コントロールバー「丸面辺寸法」ボックスを空白または「（無指定）」にし、「基準角度」ボタンを何度か🖱して、作図ウィンドウ左上の表示を 角度（無指定）【基準点：前線終点】にする。

Point 「基準角度」ボタンを🖱で作図する線の固定角度が「無指定」⇒「15度毎」⇒「45度毎」に切り替わる

3 始点を🖱（または🖱Read）。

4 終点を🖱（または🖱Read）。

5 終点を🖱（または🖱Read）。

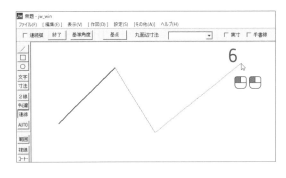

6 終点を🖱🖱（または🖱🖱）。

Point 終点をダブルクリックすることで作図が完了する。6で終点を🖱した後、コントロールバー「終了」ボタンを🖱してもよい。作図した連続線は1本ずつ独立した線要素であり、それらをひとまとまりの要素として扱うための属性は付いていない。

作図

○85 | 角を丸面取りした連続線を作図する

関連キーワード　丸面取り／連続線

関連コマンド　[作図]−「連続線」

「連線」コマンドのコントロールバー「丸面辺寸法」ボックスに丸面取りの半径寸法（図寸）を入力することで、角を丸面取りした連続線が作図できる。ここでは R=3mm で丸面取りした45°固定の連続線を作図する例で説明する。

1 「連線」コマンド（メニューバー[作図]−「連続線」）を選択する。

2 コントロールバー「基準角度」「基点」ボタンを適宜🖱し、作図ウィンドウ左上の表示を 角度45度毎《基準点：マウス位置》 にする。

Point 「基準角度」ボタンを🖱で作図する線の固定角度が「無指定」⇒「15°毎」⇒「45°毎」に切り替わる。固定角度が「無指定」以外のときに「基点」ボタンを🖱で、連続線の交点位置が「前線終点」⇔「マウス位置」に切り替わる。

5 の🖱位置に赤い〇が表示される

3 コントロールバー「丸面辺寸法」ボックスに「3」（図寸 mm）を入力する。

4 始点を🖱（または🖱 Read）。

5 終点を🖱（または🖱 Read）。

Point 基点をマウス位置に指定したため、この段階で連続線の接続部の位置は固定されない。45°ごとに固定された点線の仮線とともにマウスポインタに従い仮表示される。

6 の🖱位置に赤い〇が表示される

6 終点を🖱（または🖱 Read）。

7 終点を🖱🖱（または🖱🖱 Read）。

○86 滑らかな曲線を作図する

関連キーワード 曲線／曲線属性／スプライン

関連コマンド [作図]－「曲線」

「曲線」コマンドの「スプライン曲線」を利用することで、指示点を通る滑らかな曲線を作図できる。

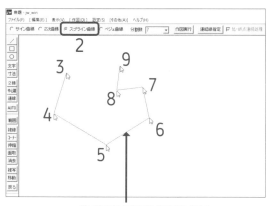

指示点を結ぶ赤い線が仮表示される

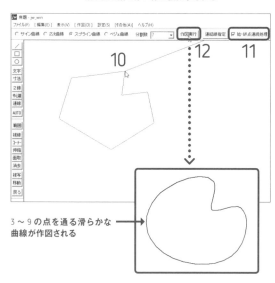

3～9の点を通る滑らかな
曲線が作図される

1 「曲線」コマンド（メニューバー[作図]－「曲線」）を選択する。

2 コントロールバー「スプライン曲線」を選択する。

3 始点を🖱（または🖱Read）。

4 中間点を🖱（または🖱Read）。

5 終点を🖱（または🖱Read）。

6～9 順次終点を🖱（または🖱Read）。

10 閉じた図形を作図するため、終点として、3の始点を🖱。

11 コントロールバー「始・終点連続処理」にチェックを付ける。

Point 11のチェックを付けることで、始点・終点の角も滑らかな曲線にする。コントロールバー「分割数」ボックスでは、指示した点間をいくつの線分に分割して作図するかを指定する。数値が大きいほど滑らかな曲線になる。

12 コントロールバー「作図実行」ボタンを🖱。

Point Jw_cad の曲線は実際には短い線分が連続したもので、それらをひとまとまりの要素として扱う曲線属性（☞ p.411）が付加されている。「消去」コマンドで曲線を🖱すると、曲線全体が消去される。

作図

○87 │ フリーハンドの線を作図する

「連線」コマンドの「手書線」では、マウスポインタの軌跡を連続線として作図する。

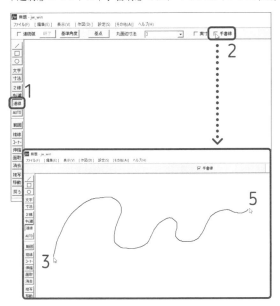

1 「連線」コマンド（メニューバー [作図]－「連続線」）を選択する。

2 コントロールバー「手書線」を🖱し、チェックを付ける。

3 始点を🖱（または🖱Read）。

4 マウスポインタを移動して線を作図する。

5 終点を🖱（または🖱Read）。

Point 作図された線は短い線分が連続したもので、それらをひとまとまりの要素として扱う曲線属性は付いていない。「消去」コマンドで手書線を🖱すると、🖱部分の線分だけが消える。コントロールバー「手書線」のチェックを外すと、チェックを付ける前のコントロールバーに戻る。

Hint ランダム線の利用

上記「連線」コマンドの「手書線」は、マウスポインタの軌跡を短い線分の連続線として作図するため、図面をフリーハンドで手書きしたように表現したい場合などには向かない。

図面を手書き表現にしたい場合には、フリーハンドで書いたような線として印刷されるランダム線（☞ p.412）という線種を利用するとよい。

～～～～～～～	①ランダム線
～～～～～～～	②ランダム線
～～～～～～～	③ランダム線
～～～～～～～	④ランダム線
～～～～～～～	⑤ランダム線

○88 | 円を作図する

関連キーワード **円の基点**

関連コマンド **[作図]-「円弧」**

「○」コマンドでは、中心点と円位置を指示することで指示した2点間を半径とする円を作図する。

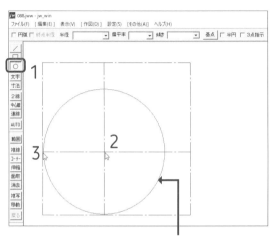

1 「○」コマンド(メニューバー[作図]
　-「円弧」)を選択する。

2 作図する円の中心点位置を🖰(ま
　たは🖰free)。

3 円位置を🖰(または🖰free)。

2を中心とする円がマウスポインタまで仮表示される

Hint 指示した2点間を直径とする円

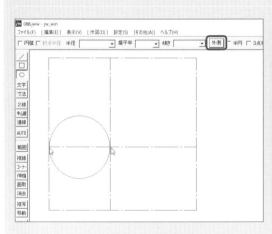

コントロールバー「半径」入力ボッ
クスが空白の時は、「基点」ボタンを
🖰すると「外側」(指示した2点が
直径)⇔「中央」(指示した2点が
半径)に切り替わる。上記の2また
は3の前にコントロールバー「基点」
ボタンを🖰し、「外側」に切り替える
ことで、2、3間を直径とする円を作
図できる。

作図

○89 半径を指定して円を作図する

関連キーワード 円の基点／円の半径指定

関連コマンド [作図]－「円弧」

「○」コマンドのコントロールバー「半径」ボックスに半径寸法を入力し、作図位置を指示することで円を作図する。

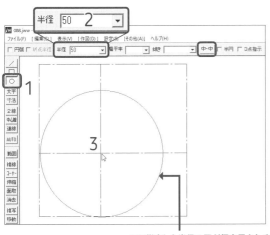

2で指定した半径の円が仮表示される

1 「○」コマンド(メニューバー[作図]
　－「円弧」)を選択する。

2 コントロールバー「半径」ボックス
　に半径寸法(図は「50」)を入力
　する。

3 基点を確認し、円の作図位置を🖲
　(または🖲free)。

Point 仮表示の円に対するマウスポインタの位置を「基点」と呼ぶ。基点はコントロールバー「基点」ボタンを🖲することで変更できる。

作図

Hint 円の基点の切り替え

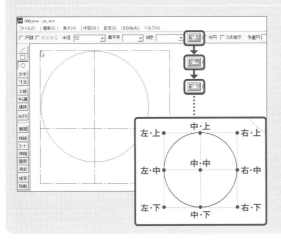

コントロールバー「半径」ボックスに数値が入力されている場合、「基点」ボタンを🖲すると「左・上」⇒「左・中」⇒「左・下」⇒「中・下」⇒「右・下」⇒「右・中」⇒「右・上」⇒「中・上」⇒「中・中」の9カ所に切り替わる。🖲すると逆回りに切り替わる。

「半径」入力ボックスが空白の場合は、🖲すると「外側」⇔「中央」に切り替わる(☞ p.122)。

090 | 多重の円・弧を作図する

関連キーワード 多重の円・弧／二重の円・弧

関連コマンド [作図] − 「円弧」

「○」コマンドのコントロールバー「多重円」ボックスに数値を入力することで、指定数の多重円・弧を作図する。

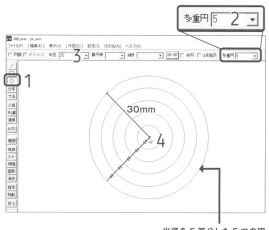

半径を 5 等分した 5 つの円

1 「○」コマンド(メニューバー[作図] − 「円弧」)を選択する。

2 コントロールバー「多重円」ボックスに円の数（図は「5」）を入力する。

3 コントロールバー「半径」ボックスに半径寸法（図は「30」）を入力する。

4 基点を確認し、円の作図位置を🖰（または🖰 Read）。

Hint　二重円・弧（指定寸法内側に円・弧を追加）

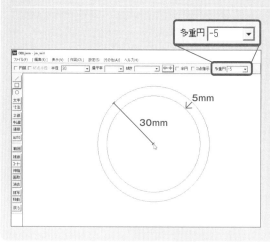

上記 2 の操作でコントロールバー「多重円」ボックスに、「−」（マイナス）数値を入力すると、その数値分内側に平行複写された円・弧が追加された二重の円・弧になる。

作図

124

◯91 3点を通る円を作図する

「◯」コマンドのコントロールバー「3点指示」にチェックを付けて3点を指示することで、指示した3点を通る円を作図する。

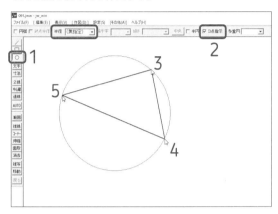

1 「◯」コマンド(メニューバー[作図]-「円弧」)を選択する。

2 コントロールバー「3点指示」にチェックを付ける。

Point コントロールバー「半径」ボックスが空白または「(無指定)」になっていることを確認する。

3 1点目を🖰。

4 2点目を🖰。

5 3点目を🖰。

Hint 2点と半径を指定した円

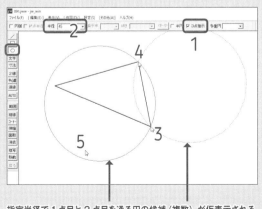

指定半径で1点目と2点目を通る円の候補(複数)が仮表示される

上記の操作で、コントロールバー「半径」ボックスに円の半径を入力すると、指定した2点を通る指定半径の円が作図できる。

1 上記の1、2を行う。

2 コントロールバー「半径」ボックスに円の半径(図は「45」)を入力する。

3 1点目を🖰。

4 2点目を🖰。

5 作図する円にマウスポインタを近づけ、円が仮表示色の実線で表示された状態で🖰。

作図

○92 | 接円を作図する

関連キーワード 接円

関連コマンド [作図] − 「接円」

「接円」コマンドでは、3つの条件（接する線・円・弧・点、半径）を指定して円を作図する。
ここでは、2つの線と1つの円に接する接円を作図する例で説明する。

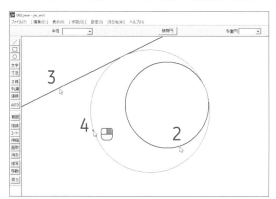

1 「接円」コマンド（メニューバー [作図] − 「接円」）を選択する。
2 コントロールバー「半径」ボックスを空白または「（無指定）」にして、1番目の円を🖱。
3 2番目の線を🖱。
4 3番目の点を🖱。

Point 2〜4で接する対象として線・円・弧を指示するには🖱、点を指示するには🖱する。

Hint 円・弧の指示位置の注意

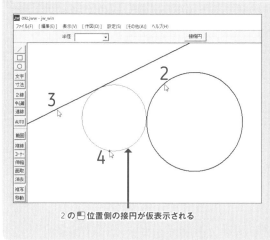

2の🖱位置側の接円が仮表示される

円・弧を🖱する位置によって、作図される接円の大きさが異なる。
上記2で円の上側（図の位置）で🖱した場合、作図される接円は図のようになる。

○93 | 半径を指定して 接円を作図する

関連キーワード 接円

関連コマンド [作図] －「接円」

「接円」コマンドのコントロールバー「半径」ボックスに半径寸法を入力したうえで、接する線・円・弧・点を指定して円を作図する。ここでは、2つの線・円に接する半径40mmの接円を作図する例で説明する。

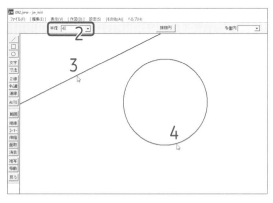

1 「接円」コマンド（メニューバー [作図] －「接円」）を選択する。

2 コントロールバー「半径」ボックスに半径寸法（図は「40」）を入力する。

3 1番目の線を🖱。

Point 「接円」コマンドでは、3つの条件（ここでは半径寸法が1つ目の条件）を指定することで、その条件を満たす接円を作図する。接する対象として線・円・弧を指示するには🖱、点を指示するには🖱する。

4 2番目の円を🖱。

Point 2～4の条件を満たす接円が複数ある場合、マウスポインタを移動することで、マウスポインタに近い接円が仮表示される。作図する接円が仮表示された状態で🖱して作図する。

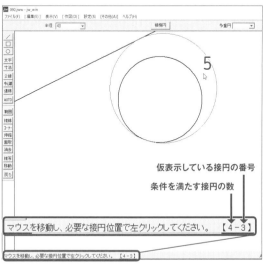

仮表示している接円の番号

条件を満たす接円の数

マウスを移動し、必要な接円位置で左クリックしてください。【4-3】

5 マウスポインタを移動し、作図する接円が仮表示された状態で🖱。

作図

○94 | 中心点・始点・終点を 指示して円弧を作図する

関連キーワード 円弧終点半径

関連コマンド [作図] － 「円弧」

「○」コマンドのコントロールバー「円弧」にチェックを付け、中心点・始点・終点を指示して円弧を作図する。

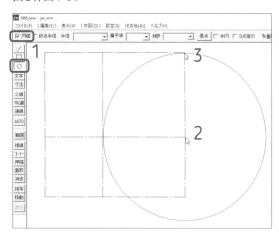

1 「○」コマンド(メニューバー[作図] － 「円弧」)を選択し、コントロールバー「円弧」にチェックを付ける。

2 コントロールバー「半径」ボックスを空白または「(無指定)」にして、中心点位置を🖱（または🖱free)。

3 始点位置を🖱（または🖱free)。

Point 始点指示は、円弧の始点位置を決めるとともに半径を確定する。コントロールバー「終点半径」にチェックを付けると、中心点－終点の間隔が円弧の半径になる。指定半径の円弧を作図するには、2でコントロールバー「半径」ボックスに半径を入力する。

4 終点位置を🖱（または🖱free)。

Point 終点指示は、円の中心から見た円弧の作図角度を決める。Jw_cadでは、円弧作図時の始点⇒終点指示は左回り、右回りのいずれでも行える。

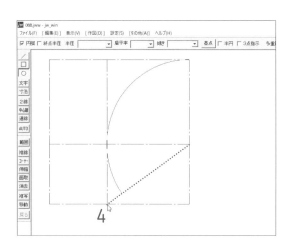

作図

○95 │ 両端点と通過点を指示して円弧を作図する

関連キーワード 3点指示円・弧

関連コマンド [作図]-「円弧」

「○」コマンドのコントロールバー「円弧」と「3点指示」にチェックを付け、円弧の両端点（始点・終点）と通過点を指示して円弧を作図する。

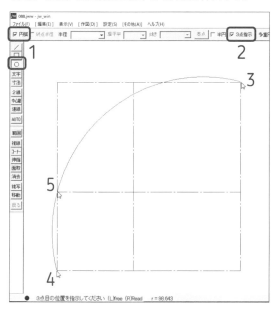

1 「○」コマンド(メニューバー[作図]－「円弧」)を選択し、コントロールバー「円弧」にチェックを付ける。

2 コントロールバー「半径」ボックスを空白（または「（無指定）」）にして、「3点指示」にチェックを付ける。

3 1点目を🖱(または🖱free)。

4 2点目を🖱(または🖱free)。

5 3点目点を🖱(または🖱free)。

作図

○96 | 両端点と半径を指定して 円弧を作図する

関連キーワード 3点指示円・弧

関連コマンド [作図]−「円弧」

「○」コマンドのコントロールバー「円弧」と「3点指示」にチェックを付け、「半径」ボックスに半径寸法を入力することで、円弧の両端点（始点・終点）を指示して指定半径の円弧を作図する。

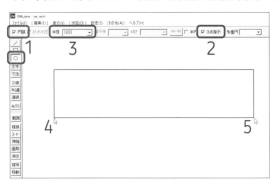

1 「○」コマンド（メニューバー[作図]−「円弧」）を選択し、コントロールバーの「円弧」にチェックを付ける。

2 コントロールバー「3点指示」にチェックを付ける。

3 コントロールバー「半径」ボックスに半径寸法（図は「1800」）を入力する。

4 1点目を🖱（または🖱 free）。

5 2点目を🖱（または🖱 free）。

条件を満たす複数の円弧が仮表示される

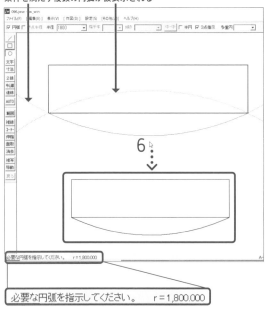

必要な円弧を指示してください。　r＝1,800.000

Point 4、5を両端点とする半径1800mmの円弧が複数、仮表示され、操作メッセージは「必要な円弧を指示してください」になる。この例では、条件に合う円弧が4つあり、マウスポインタに一番近い円弧が仮表示色の実線で、そのほかの円弧は仮表示色の点線で表示される。作図する円弧にマウスポインタを近づけ、実線表示になった状態で🖱して確定する。

6 作図する円弧にマウスポインタを近づけ、実線表示になった状態で🖱。

○97 | 半円を作図する

関連キーワード 半円

関連コマンド [作図] − 「円弧」

「○」コマンドのコントロールバー「半円」にチェックを付け、半円の両端点（始点・終点）と作図方向を指示して半円を作図する。

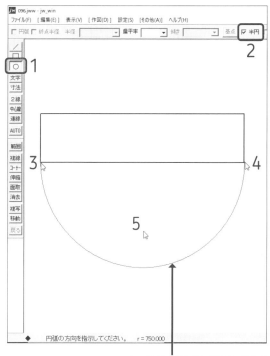

マウスポインタ側に半円が仮表示される

1 「○」コマンド（メニューバー［作図］−「円弧」）を選択する。

2 コントロールバー「半円」にチェックを付ける。

3 1点目を🖱（または🖱free）。

4 2点目を🖱（または🖱free）。

5 半円を作図する側で🖱。

作図

○98 ┃ 連続した円弧を作図する

関連キーワード 円弧／連続弧

関連コマンド ［作図］-「連続線」

「連線」コマンドのコントロールバー「連続弧」にチェックを付けることで、連続した円弧を作図できる。

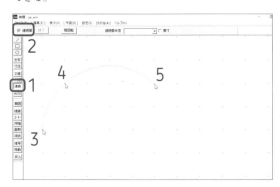

1 「連線」コマンド（メニューバー［作図］-「連続線」）を選択する。

2 コントロールバー「連続弧」にチェックを付ける。

3 始点を🖱（または🖱free）。

Point 作図済みの線や円弧に接続した連続弧を作図する場合は、3 始点指示時に、線または円弧の接続する端点側を🖱🖱して 5 へ進む。

4 中間点を🖱（または🖱free）。

5 終点を🖱（または🖱free）。

Point コントロールバー「弧反転」ボタンを🖱で、点線の仮表示の円弧が反転する。

6 終点を🖱🖱（または🖱🖱free）で終了する。

Point 6 の操作の代わりに終点6を🖱し、コントロールバー「終了」ボタンを🖱してもよい。コントロールバー「連続弧半径」に半径寸法（図寸）を入力すると、指定半径の連続弧を作図できる。半径を実寸で指定する場合は、コントロールバー「実寸」ボックスにチェックを付けて実寸法を入力する。

作図

099 | 長軸半径を指定して 楕円を作図する

関連キーワード 楕円／長軸半径・短軸半径／扁平率

関連コマンド [作図]－「円弧」

「○」コマンドのコントロールバー「扁平率」ボックスに楕円の扁平率（短軸半径÷長軸半径×100）を入力することで、指定半径を長軸半径とした楕円の作図になる。

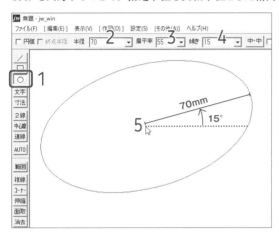

1 「○」コマンド（メニューバー [作図]－「円弧」）を選択する。

2 コントロールバー「半径」ボックスに長軸半径（図は「70」）を入力する。

3 コントロールバー「扁平率」ボックスに扁平率（図は「55」）を入力する。

4 必要に応じて、コントロールバー「傾き」ボックスに傾き（図は「15」）を入力する。

Point 「基点」ボタンでの基点切り替え操作は、指定半径の円作図と同じ（☞ p.123）。

5 円位置を🖱（または🖱Read）。

Hint 長軸半径と短軸半径を指定した楕円

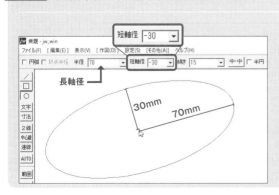

コントロールバー「半径」ボックスに長軸半径を入力し、「扁平率」ボックスに「－」（マイナス）に続けて短軸半径を入力することで、表記が「短軸径」ボックスとなり、指定した長軸半径と短軸半径の楕円を作図できる。

作図

100 | 中心点・位置を指示して楕円を作図する

関連キーワード 楕円／扁平率

関連コマンド [作図]－「円弧」

「○」コマンドのコントロールバー「扁平率」ボックスに楕円の扁平率（短軸半径÷長軸半径×100）を入力し、中心点と円周上の位置を指示することで楕円を作図する。

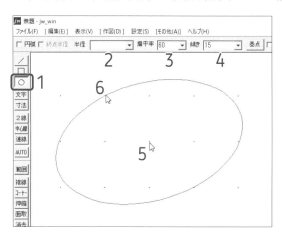

1 「○」コマンド（メニューバー[作図]－「円弧」）を選択する。

2 コントロールバー「半径」ボックスを空白または「（無指定）」にする。

3 「扁平率」ボックスに扁平率（%）（図は「60」）を入力する。

4 必要に応じて、コントロールバー「傾き」ボックスに長軸半径の傾き（図は「15」）を入力する。

5 中心点を🖰（または🖰free）。

6 円位置を🖰（または🖰free）。

Point 円の作図の場合と異なり、5、6は半径寸法を示すものではない。

Hint 円周上の2点指示による楕円

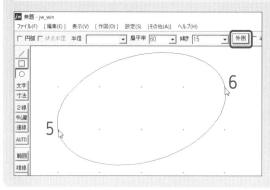

コントロールバー「基点」（中央）ボタンを🖰し、「外側」にして上記の操作を行うと、円周上の2点を指示することで、扁平率や傾きを指定して楕円を作図できる。この場合の5、6は長径を示すものではない。

101 | 長軸両端と通過点を指示して楕円を作図する

関連キーワード 3点指示円・弧／接楕円／楕円

関連コマンド [作図]−「接円」

3点を通る楕円は、「接円」コマンドの「接楕円」の「3点指示」で作図する。

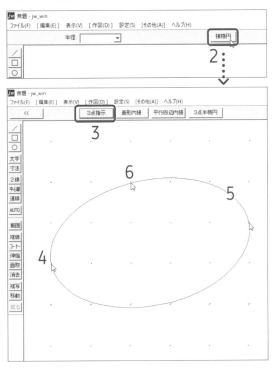

1 「接円」コマンド（メニューバー[作図]−「接円」）を選択する。

2 コントロールバー「接楕円」ボタンを🖱。

3 コントロールバー「3点指示」ボタンを🖱。

4 楕円軸の始点を🖱（または🖱 free）。

5 楕円軸の終点を🖱（または🖱 free）。

Point 4、5を楕円長軸とし、次に指示する6を通る楕円が作図される。

6 通過点を🖱（または🖱 free）。

作図

102 | 接楕円を作図する

関連キーワード 接楕円／楕円

関連コマンド [作図]－「接円」

「接円」コマンドのコントロールバー「接楕円」で、ひし形や平行四辺形に内接する楕円を作図できる。

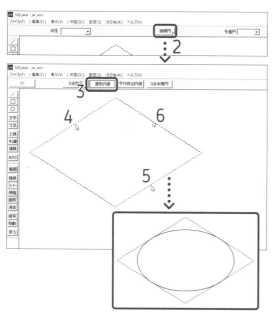

1 「接円」コマンド（メニューバー［作図］－「接円」）を選択する。

2 コントロールバー「接楕円」ボタンを🖱。

3 コントロールバー「菱形内接」ボタンを🖱。

4 1辺目を🖱。

5 2辺目を🖱。

6 3辺目を🖱。

Hint 平行四辺形に内接する楕円

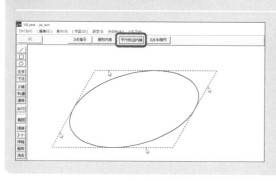

上記の3でコントロールバー「平行四辺内接」ボタンを🖱し、平行四辺形の4辺を🖱することで、平行四辺形に内接する楕円を作図できる。

103 | 半楕円を作図する

関連キーワード 3点指示円・弧／楕円弧／半楕円

関連コマンド [作図]－「円弧」「接円」

「○」コマンドのコントロールバー「半円」にチェックを付け、「扁平率」を指定することで半楕円を作図できる。また、「接円」コマンドの「接楕円」の「3点半楕円」では、両端点と通過点を指示することで半楕円を作図できる。

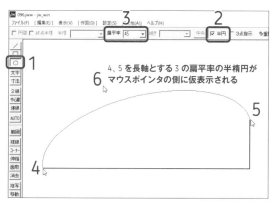

■ 扁平率指示による半楕円

1 「○」コマンド（メニューバー[作図]－「円弧」）を選択する。

2 コントロールバーの「半円」にチェックを付ける。

3 コントロールバー「扁平率」ボックスに扁平率（図は「45」）を入力する。

4 1点目を🖱（または🖱free）。

5 2点目を🖱（または🖱free）。

6 半楕円を作図する側で🖱。

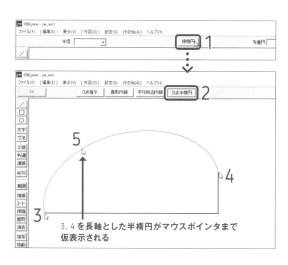

■ 3点指示による半楕円

1 「接円」コマンド（メニューバー[作図]－「接円」）を選択し、コントロールバー「接楕円」ボタンを🖱。

2 コントロールバー「3点半楕円」ボタンを🖱。

3 楕円軸の始点を🖱（または🖱free）。

4 楕円軸の終点を🖱（または🖱free）。

5 通過点を🖱（または🖱free）。

作図

104 | サイズを指定して 長方形を作図する

関連キーワード　長方形／長方形の基準点

関連コマンド　[作図]－「矩形」

「□」コマンドのコントロールバー「寸法」ボックスに「横の長さ，縦の長さ」を入力して長方形を作図する。ここでは2本の線の交点に長方形の左中を合わせて作図する例で説明する。

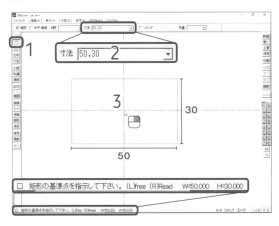

1 「□」コマンド(メニューバー[作図] －「矩形」)を選択する。

2 コントロールバー「寸法」ボックスに「横の長さ，縦の長さ」(図は「50,30」)を入力する。

Point 正方形(横と縦が同じ長さ)を作図する場合は、「,縦の長さ」は省略して、「1辺の長さ」のみを入力すればよい。

3 長方形の作図基準点を🖱(または🖱free)。

Point 「□」コマンドでは、長方形の作図基準点を指示後、マウスポインタを移動することで、仮表示の長方形の下図9カ所のいずれかを、指示した基準点に合わせて作図する。

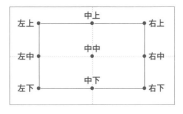

4 マウスポインタを右へ移動し、3で指示した点に仮表示の矩形の左中を合わせ、位置を決める🖱。

105 | 対角を指定して長方形を作図する

関連キーワード 多重の長方形／長方形／二重の長方形

関連コマンド [作図]－「矩形」

「□」コマンドのコントロールバー「寸法」ボックスを空白にして、2つの対角を指示することで長方形を作図する。

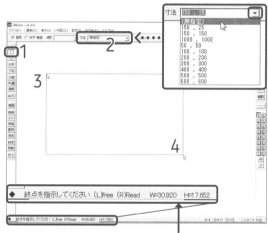

1 「□」コマンド(メニューバー[作図]－「矩形」)を選択する。

2 コントロールバー「寸法」ボックスを空白または「(無指定)」にする。

Point 「寸法」ボックスの ▼ を🖱し、リストの「(無指定)」を🖱することで、寸法を指定しない状態になる。

3 始点を🖱(または🖱Read)。

4 終点を🖱(または🖱Read)。

仮表示の長方形の横の長さ（W=）と縦の長さ（H=）が表示される

作図

Hint 多重の長方形・二重の長方形

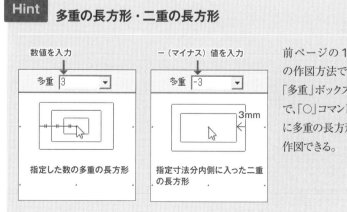

数値を入力
多重 [3]
指定した数の多重の長方形

－(マイナス)値を入力
多重 [-3]
3mm
指定寸法分内側に入った二重の長方形

前ページの104と105のいずれの作図方法でも、コントロールバー「多重」ボックスに数を入力することで、「○」コマンドと同様(☞ p.124)に多重の長方形や二重の長方形を作図できる。

106 | 面取りされた長方形を作図する

「□」コマンドのコントロールバー「多重」ボックスに「,」に続けて半径寸法を入力することで、角をR面取りされた長方形を作図する。「,」に続けて−（マイナス）値を入力することで、角をC面取りされた長方形を作図する。

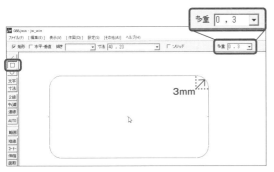

■ R面取りされた長方形

「□」コマンド（メニューバー［作図］−「矩形」）のコントロールバー「多重」ボックスに「,」（カンマ）に続けて「半径寸法」を入力する。

Point 「多重」ボックスの「,」の前に数値を入力（☞ p.139）することで、多重の面取りされた長方形を作図できる。

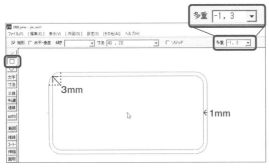

■ C面取りされた長方形

「□」コマンド（メニューバー［作図］−「矩形」）のコントロールバー「多重」ボックスに「,」（カンマ）に続けて「−（マイナス）辺寸法」を入力する。

107 | 3辺の長さを指定して三角形を作図する

関連キーワード　三角形

関連コマンド　[作図] − 「多角形」

「／」コマンドで指定長さの一辺を作図後、「多角形」コマンドの「2辺」で2辺の長さを指定することで作図する。

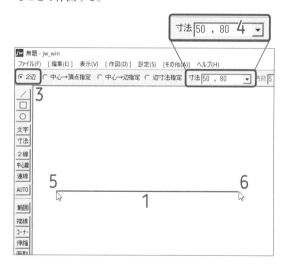

1 「／」コマンドで長さを指定（☞ p.103）して、三角形の底辺を作図する。

2 「多角形」コマンド（メニューバー[作図]−「多角形」）を選択する。

3 コントロールバー「2辺」を選択する。

4 コントロールバー「寸法」ボックスに「三角形左辺の長さ, 右辺の長さ」（図は「50, 80」）を入力する。

5 底辺左端点を🖱。

6 底辺右端点を🖱。

Point 4で入力した順に5、6の点指示を行う。

7 作図する側に2辺を仮表示した状態で🖱。

Point コントロールバー「寸法」ボックスを「（無指定）」にして5、6の点を指示した場合、7の位置を頂点とする2辺を作図する。

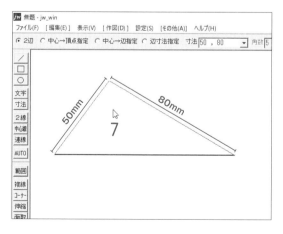

108 | 円に内接する正多角形を作図する

関連キーワード 正多角形

関連コマンド [作図]-「多角形」

「多角形」コマンドのコントロールバーで角の数を指定し、「中心→頂点指定」を選択することで、
円に内接する正多角形を作図する。

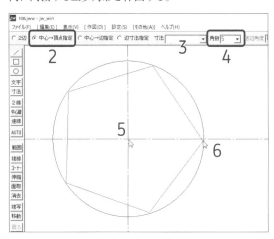

1 「多角形」コマンド（メニューバー
[作図]-「多角形」）を選択する。

2 コントロールバー「中心→頂点指
定」を選択する。

3 コントロールバー「寸法」ボックス
の✓を🖱し、「（無指定）」を🖱。

4 コントロールバー「角数」ボックス
に角数（図は「5」）を入力する。

5 多角形の中心点として、円の中心
点を🖱。

6 位置として、円周上の点を🖱。

Point 4で「寸法」ボックスに円の半
径を入力して、5の中心点を🖱しても同
じ大きさの多角形が作図できる。

Hint 「中心→頂点指定」「中心→辺指定」「辺寸法指定」の違い

中心→頂点指定	中心→辺指定	辺寸法指定
正多角形の中心→頂点までの長さを指定	正多角形の中心→辺までの長さを指定	正多角形の1辺の長さを指定

作図

109 | 辺の長さを指定して 正多角形を作図する

関連キーワード 正多角形

関連コマンド [作図] ー「多角形」

「多角形」コマンドのコントロールバーで「辺寸法指定」を選択し、辺の長さを指定することで作図する。

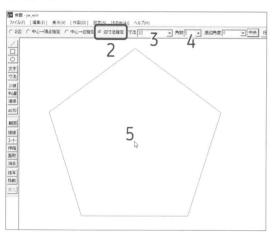

1 「多角形」コマンド（メニューバー [作図] ー「多角形」）を選択する。

2 コントロールバー「辺寸法指定」を選択する。

3 コントロールバー「寸法」ボックスに1辺の長さ（図は「30」）を入力する。

4 コントロールバー「角数」ボックスに角数（図は「5」）を入力する。

Point コントロールバー「底辺角度」ボックスに底辺の角度を入力することで、正五角形の角度を変更できる。

5 作図位置を🖱。

Hint 基準点の切り替え

コントロールバー「中央」ボタンを🖱することで、多角形に対するマウスポインタの位置（基準点）が「中央」⇒「頂点」⇒「辺」に切り替わる。

110 │ 線・円・弧を平行複写する

関連キーワード 平行線／平行複写

関連コマンド ［編集］－「複線」

「複線」コマンドでは、コントロールバー「複線間隔」ボックスで指定の間隔で線・円・弧を平行複写する。平行複写した線・円・弧を「複線」と呼ぶ。

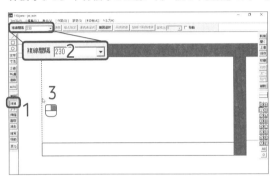

1 「複線」コマンド（メニューバー［編集］－「複線」）を選択する。

2 コントロールバー「複線間隔」ボックスに間隔（図は「230」）を入力する。

3 基準線として平行複写対象の線・円・弧を🖱。

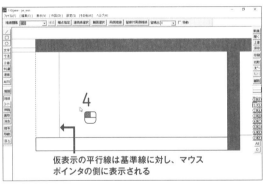

仮表示の平行線は基準線に対し、マウスポインタの側に表示される

Point マウスポインタを移動すると、3の線に対し、マウスポインタの側に平行線が仮表示される。4で作図する側に仮表示した状態で🖱して確定する。

4 基準線に対して平行線を作図する側にマウスポインタを移動し、作図方向を決める🖱。

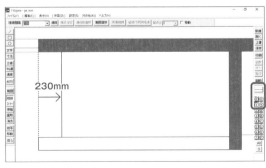

230mm

Point 3の基準線の線色・線種、レイヤに関わらず、書込レイヤに書込線色・線種で平行複写される。

作図

111 | 同間隔・同方向に 複数の複線を作図する

関連キーワード 平行線／平行複写（連続）

関連コマンド ［編集］－「複線」

「複線」コマンドで複線を作図後、コントロールバー「連続」ボタンを🖰すると、同じ間隔で同じ方向に🖰した回数分の複線を作図できる。

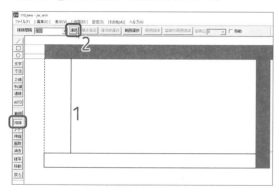

同間隔で同方向にもう1つ複線が作図される

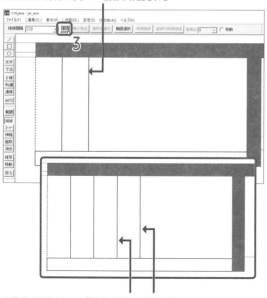

同間隔で同方向に3で🖰した回数分の複線が作図される

1 「複線」コマンド（メニューバー［編集］－「複線」）を選択し、1本目の複線を作図する（☞前ページ 2〜4）。

2 コントロールバー「連続」ボタンを🖰。

Point コントロールバー「連続」ボタンを🖰することで、直前に作図した複線と同じ間隔で同じ方向に🖰した回数分の複線を作図する。

3 コントロールバー「連続」ボタンを必要な回数（図は2回）🖰。

Point コントロールバー「連続」ボタンにマウスポインタを合わせ、マウスの右ボタンを押したままにすると、右ボタンをはなすまで同間隔、同方向に複線を作図し続ける。

作図

112 | 間隔を連続入力して 複線を作図する

関連キーワード 平行線／平行複写

関連コマンド [編集]－「複線」／[設定]－「基本設定」

「基本設定」コマンドの「一般 (1)」タブの指定により、「複線」コマンドで複線間隔を連続入力して複線を連続作図できる。

■ 必要な設定

1 「基設」コマンド（メニューバー [設定]－「基本設定」）を選択する。

2 「一般 (1)」タブの「複線のとき、数値入力後の [Enter] キーで連続複線にする」にチェックを付け、「OK」ボタンを🖱。

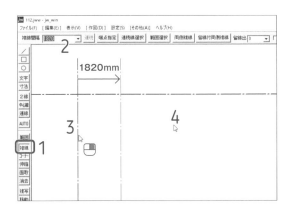

■ 間隔を連続入力して複線を作図

1 「複線」コマンド（メニューバー [編集]－「複線」）を選択する。

2 コントロールバー「複線間隔」ボックスに最初の間隔（図は「1820」）を入力する。

3 基準線を🖱。

4 基準線に対し、複線を作図する側にマウスポインタを移動し、Enter キーを押す。

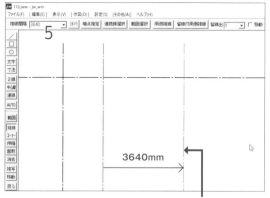

4で作図した複線からマウスポインタの側に「複線間隔」ボックスの間隔で次の複線が仮表示される

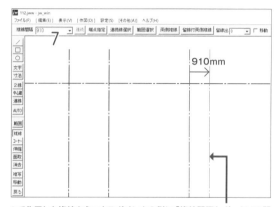

6で作図した複線からマウスポインタの側に「複線間隔」ボックスの間隔で次の複線が仮表示される

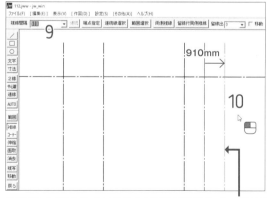

8で作図した複線からマウスポインタの側に「複線間隔」ボックスの間隔で次の複線が仮表示される

5 コントロールバー「複線間隔」ボックスに次の間隔（図は「3640」）を入力する。

Point コントロールバーの「数値入力」ボックスの数値が色反転しているときは、ボックスを🖱せずにそのままキーボードから数値を入力できる。同じ間隔で複線を作図する場合は、入力をせずにそのまま6の操作に進む。複線はマウスポインタの側に仮表示されるため、ここでマウスポインタを作図ウィンドウの右端においておくと、途中でマウスポインタを移動する手間が省ける。

6 Enterキーを押す。

7 コントロールバー「複線間隔」ボックスに次の間隔（図は「910」）を入力する。

8 Enterキーを押す。

9 コントロールバー「複線間隔」ボックスが7で入力した間隔であることを確認する。

10 ここで連続作図を終了するため、作図方向を指示する🖱。

作図

113 | 指定した点までの間隔で複線を作図する

関連キーワード 平行線／平行複写

関連コマンド ［編集］－「複線」

複線間隔を指定せずに図面上の点を指示することで、基準線からその点までの間隔で複線を作図できる。

2 の操作で「複線間隔」ボックスが空白になる

「複線間隔」ボックスに 2、3 間の間隔が取得される

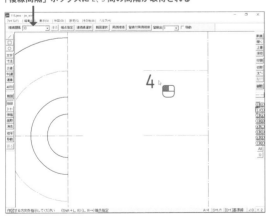

1 「複線」コマンド（メニューバー［編集］－「複線」）を選択する。

2 基準線を🖲。

Point 基準線を🖲すると、コントロールバー「複線間隔」ボックスが空白になる。続けて作図ウィンドウ上で🖲または🖲することで、基準線からその位置までの間隔を「複線間隔」ボックスに取得して、その間隔で複線を仮表示する。

3 複写する位置を🖲（または🖲free）。

4 作図方向を決める🖲。

114 | 基準線と長さの異なる複線を作図する

関連キーワード 平行線／平行複写

関連コマンド [編集]－「複線」

「複線」コマンドでは、指示した基準線と同じ長さの複線が仮表示される。基準線とは異なる長さの複線を作図するには、作図方向を指示する前にコントロールバー「端点指定」ボタンを🖱して、始点・終点を指示する。

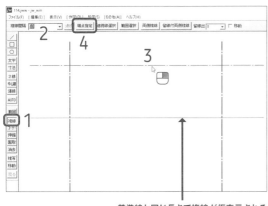

基準線と同じ長さで複線が仮表示される

1 「複線」コマンドを選択（メニューバー [編集]－「複線」）する。

2 コントロールバー「複線間隔」ボックスに数値（図は「50」）を入力する。

3 基準線を🖱。

Point 複線が仮表示された段階でコントロールバー「端点指定」ボタンを🖱し、始点・終点を指示することで、基準線とは異なる長さの複線を作図できる。

4 コントロールバー「端点指定」ボタンを🖱。

5 作図する複線の始点位置を🖱（または🖱 free）。

6 始点位置からマウスポインタまで複線が仮表示されるので、終点位置を🖱（または🖱 free）。

7 基準線に対して作図する側に複線が仮表示された状態で、作図方向を決める🖱。

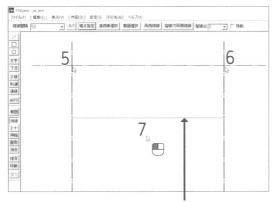

6までの長さの複線が仮表示される

作図

115 | 角を作りながら
連続した複線を作図する

関連キーワード 角／平行複写

関連コマンド ［編集］－「複線」

「複線」コマンドで連続して複線を作図するとき、2本目以降の複線の作図方向指示を🖱して行うことで、1つ前に作図した複線と角で連結した複線を作図できる。

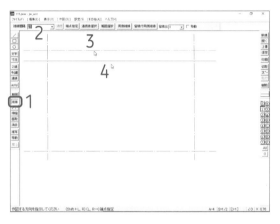

5の線から「複線間隔」ボックスの間隔で複線が仮表示される

複線方向を指示 マウス(L)、前複線と連結 マウス(R)

1 「複線」コマンド（メニューバー［編集］－「複線」）を選択する。

2 コントロールバー「複線間隔」ボックスに間隔（図は「25」）を入力する。

3 基準線（図は上の水平線）を🖱。

4 基準線に対して複線を作図する側にマウスポインタを移動し、作図方向を決める🖱。

5 次の基準線（図は左の垂直線）を🖱（前回値）。

Point 連続して複線を作図する場合、2本目以降の複線の作図方向指示時の操作メッセージには「前複線と連結マウス（R）」が表示される。作図方向指示を🖱で行うことで、1つ前に作図した複線と現在の複線の交点に角を作って複線を作図する。

6 基準線の右側で作図方向を決める🖱（前複線と連結）。

作図

1つ前に作図した複線との交点に角が作られ、連結した複線が作図される

7　次の基準線を🖱（前回値）。

8　基準線の上側で作図方向を決める🖱（前複線と連結）。

Point 8で誤って🖱したときは、「戻る」コマンドで取り消さず、複線の作図完了後に「コーナー」コマンド（☞ p.189）で角を作ること。「戻る」コマンドで取り消した場合、再度指示する次の複線は1本目の複線と見なされるため、作図方向指示を🖱でしても、6で作図した複線との角は作られない。

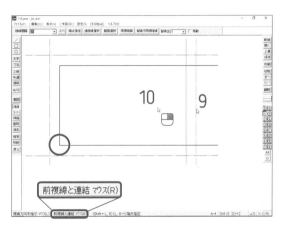

9　次の基準線を🖱（前回値）。

10　基準線の左側で作図方向を決める🖱（前複線と連結）。

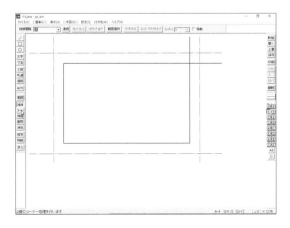

Point 最初に作図した複線と最後に作図した複線の角は、自動的には作られない。そのため「コーナー」コマンド（☞ p.189）や「包絡」コマンド（☞ p.194）で角を作る。

作図

116 | 連続した線の複線を一括作図する

関連キーワード 平行複写 (一括)

関連コマンド ［編集］－「複線」

「複線」コマンドで基準線を指定後にコントロールバー「連続線選択」ボタンを🖱することで、基準線に連続するすべての線を基準線として連続した複線を作図する。

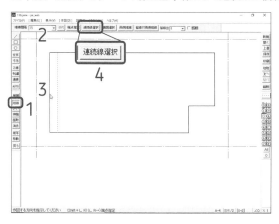

3 の基準線に連続するすべての線が基準線として選択色になり、マウスポインタの側に複線が仮表示される

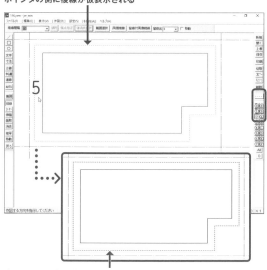

書込レイヤに書込線（図は点線）で複線が一括作図される

1 「複線」コマンド（メニューバー［編集］－「複線」）を選択する。

2 コントロールバー「複線間隔」ボックスに間隔（図は「15」）を入力する。

3 基準線を🖱。

4 コントロールバー「連続線選択」ボタンを🖱。

Point 基準線を指示後、コントロールバー「連続線選択」ボタンを🖱すると、指示した基準線に連続するすべての線が複線の基準線になる。連続線に円弧が含まれていると、一部の円弧の複線が逆の方向に仮表示されることがある。その場合は、逆に表示される基準線（円弧）を🖱し、表示方向を個別に反転したうえで 5 へ進む。

5 基準線に対し、作図する側にマウスポインタを移動し、連続した複線が作図する側に仮表示された状態で、作図方向を決める🖱。

作図

117 │ 線・円・弧を平行移動する

関連キーワード　移動／平行移動／元レイヤ

関連コマンド　[編集]−「複線」

「複線」コマンドのコントロールバー「移動」にチェックを付けることで、複線作図操作の結果が移動になる。

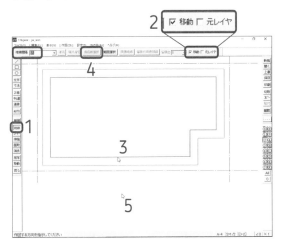

1 「複線」コマンド（メニューバー [編集]−「複線」）を選択する。

2 コントロールバー「移動」ボックスにチェックを付ける。

Point 2のチェックを付けることで平行複写ではなく平行移動になる。ここでは続けて前ページの2〜5と同じ操作を行う。

3 コントロールバー「複線間隔」ボックスに間隔を入力し、基準線を🖱。

4 コントロールバー「連続線選択」ボタンを🖱。

5 基準線に対し、移動する側で🖱。

Point 2のチェックを付けたため、基準線がそのままの線色・線種で書込レイヤに平行移動される。コントロールバー「移動」の右の「元レイヤ」にチェックを付けると、基準線のレイヤのまま平行移動される。コントロールバー「移動」のチェックは、Jw_cadを終了するまで有効。

作図

118 複数の基準線の両側に複線を一括作図する

関連キーワード 壁線／平行複写（一括）

関連コマンド ［編集］−「複線」

「複線」コマンドで、複数の基準線を範囲選択後、コントロールバー「両側複線」または「留線付両側複線」ボタンを🖱することで、範囲選択した基準線の両側に連続した複線を作図できる。壁線の作図に利用できる。

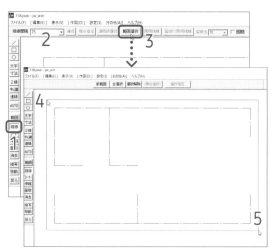

1 「複線」コマンド（メニューバー［編集］−「複線」）を選択する。

2 コントロールバー「複線間隔」ボックスに間隔（図は「75」）を入力する。

3 コントロールバー「範囲選択」ボタンを🖱。

4 範囲選択の始点を🖱。

5 表示される選択範囲枠で基準線を囲み、終点を🖱。

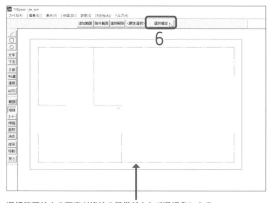

6 コントロールバー「選択確定」ボタンを🖱。

選択範囲枠内の要素が複線の基準線として選択色になる

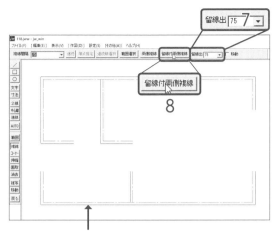

「複線間隔」ボックスで指定した間隔で複線が仮表示される

Point 「複線」コマンドの「範囲選択」ボタンを🖱して複線の基準線を範囲選択することで、選択した基準線に対する複線を一括作図できる。この段階で作図方向を決めて🖱すると、仮表示された側に複線が一括作図される。

7 コントロールバー「留線出」ボックスを🖱し、間隔（図は「75」）を入力する。

8 コントロールバー「留線付両側複線」ボタンを🖱。

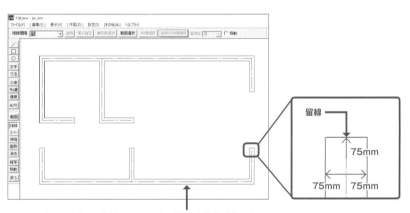

基準線から2で指定した複線間隔分両側に連続した複線が作図され、基準線の端部から7で指定した間隔分外側に留線が作図される

作図

155

119 | 基準線の両側に異なる間隔で平行線を作図する

関連キーワード W線／壁線／平行線

関連コマンド ［作図］－「2線」

「2線」コマンドでは、基準線から指定した間隔分はなれた平行な2本の線（振分線）を作図する。基準線からの振分間隔の異なる壁線の作図に利用できる。

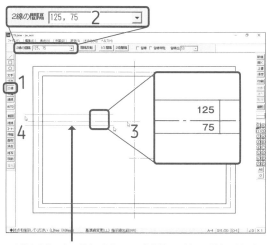

4の始点からマウスポインタまで3の基準線の両側に、指定した振り分け間隔で2本の線が仮表示される

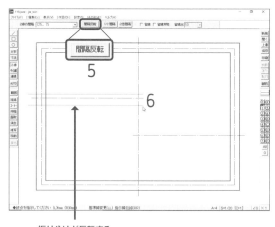

振り分けが反転する

1 「2線」コマンド（メニューバー［作図］－「2線」）を選択する。

2 コントロールバー「2線の間隔」ボックスに基準線からの振り分け（図は「125,75」）を「,」（カンマ）で区切って入力する。

3 基準線を🖱。

4 始点位置を🖱（または🖱Read）。

Point 4の始点からマウスポインタまで3の基準線の両側に、2で指定した振り分け間隔で2本の平行線が仮表示される。仮表示される2本の線の間隔が逆の場合は、コントロールバー「間隔反転」ボタンを🖱して反転する。

5 コントロールバー「間隔反転」ボタンを🖱。

6 終点位置を🖱（または🖱Read）。

作図

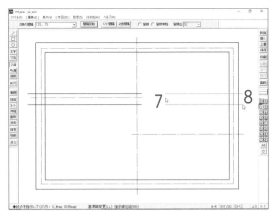

Point 2本の平行線が作図され、始点指示を促す操作メッセージが表示される。続けて始点を指示することで、同じ基準線上にさらに2本の平行線を作図する。

7 始点位置を🖱（または🖱Read）。

8 終点位置を🖱（または🖱Read）。

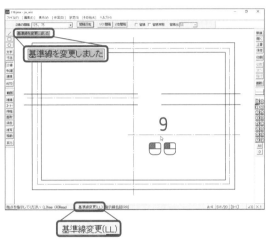

Point 2本の平行線が作図され、始点指示を促す操作メッセージが表示される。他の線を基準線にする場合は、基準線にする線を🖱🖱する。

9 次の基準線を🖱🖱。

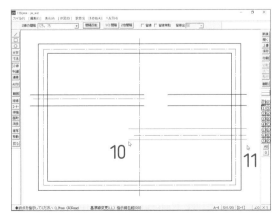

10 始点位置を🖱（または🖱Read）。

Point 仮表示される2本の平行線の間隔が逆の場合は、コントロールバー「間隔反転」ボタンを🖱して反転する。

11 終点位置を🖱（または🖱Read）。

作図

157

120 | 連続した 2 本の平行線を 作図する

関連キーワード W 線／壁線／平行線／包絡

関連コマンド ［作図］－「2 線」

「2 線」コマンドで、1 本目の基準線と始点指示後、終点を指示せずに次の基準線を🖲🖲することで、連続して次の基準線の両側に 2 本の平行線を作図する。壁線の作図に利用できる。

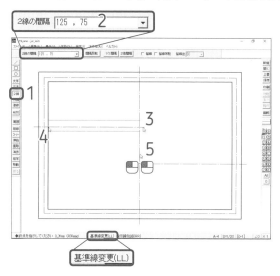

1 「2 線」コマンド (メニューバー［作図］－「2 線」) を選択する。

2 コントロールバー「2 線の間隔」ボックスに基準線からの振り分け (図は「125,75」) を「,」(カンマ) で区切って入力する。

3 基準線を🖲。

4 始点位置を🖲 (または🖲 free)。

Point 仮表示の 2 本の平行線の振分けが逆の場合は、コントロールバー「間隔反転」ボタンを🖲して反転する。

5 終点を指示せずに、次の基準線を🖲🖲 (基準線変更)。

Point 終点を指示せずに次の基準線を🖲🖲することで、その前の2 本の平行線と連続した線を作図できる。仮表示の 2 本の平行線の振り分けが逆の場合は、コントロールバー「間隔反転」ボタンを🖲して反転する。

6 終点を指示せずに、次の基準線を🖲🖲 (基準線変更)。

5 の線が基準線になり、その両側に前の 2 線と連続する線が仮表示される

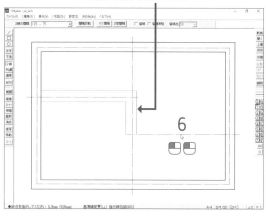

7 終点を🖱️（または🖱️free）。

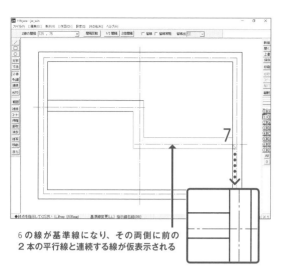

6の線が基準線になり、その両側に前の
2本の平行線と連続する線が仮表示される

Hint 作図済みの線と2本の平行線の始点・終点を包絡

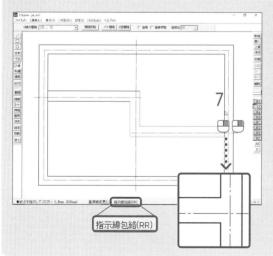

指示線包絡(RR)

「2線」コマンドの始点・終点指示時
に点ではなく線を🖱️🖱️（指示線包
絡）することで、🖱️🖱️した線と包絡
処理した2本の平行線を作図する。
上記7で線を🖱️🖱️すると、図のよ
うに包絡処理されて2本の平行線
が作図される。

Point 作図する2本の平行線の内
外に対して線を残す側で🖱️🖱️する
こと。

作図

159

121 | 2点間を等分割する点を作図する

関連キーワード　仮点／等分割点

関連コマンド　［編集］-「分割」

「分割」コマンドのコントロールバー「分割数」ボックスに分割数を入力し、2つの点を指示することで、2点間を等分割する点を作図できる。

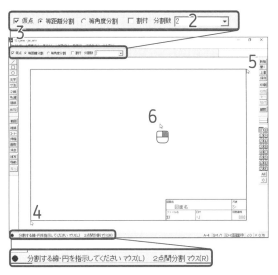

1 「分割」コマンド（メニューバー［編集］-「分割」）を選択する。

2 コントロールバー「分割数」ボックスに分割数（図は「2」）を入力する。

3 コントロールバー「仮点」にチェックを付ける。

Point コントロールバー「仮点」にチェックを付けると、書込線色の仮点（☞ p.405）を作図する。チェックを付けない場合は、書込線色の実点を作図する。

4 分割の始点を🖱。

5 分割の終点を🖱。

6 何もない位置で🖱。

Point 線や円・弧上の2点間を分割する場合は、6でその線・円・弧を🖱する。

2の指定数で等分した距離が表示される

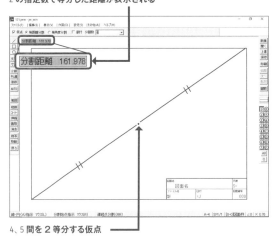

4、5間を2等分する仮点 ━━

122 | 円を等分割する点を作図する

関連キーワード 円の等分割／実点／等分割点

関連コマンド ［編集］−「分割」

「分割」コマンドのコントロールバー「分割数」ボックスに分割数を入力し、分割の始点を指示後に円を🖱することで、円を等分割する点を作図できる。この機能はバージョン8.00以降で利用できる。

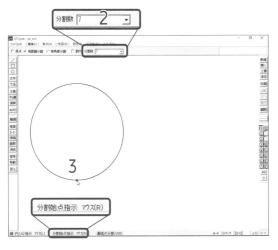

1 「分割」コマンド（メニューバー［編集］−「分割」）を選択する。

2 コントロールバー「分割数」ボックスに分割数（図は「7」）を入力する。

3 分割の始点を🖱。

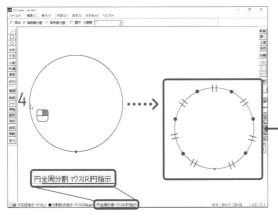

4 分割する円を🖱。

Point 円周上の2点間や円弧を等分割する点を作図する場合は、4で分割の終点を🖱した後、分割する円・弧を🖱する。

コントロールバー「仮点」にチェックを付けない場合は書込線色の実点が、チェックを付けた場合は書込線色の仮点が作図される

作図

123 | 楕円弧を等分割する点を作図する

関連キーワード 楕円の分割／等分割点

関連コマンド [編集] －「分割」

「分割」コマンドのコントロールバー「分割数」ボックスに分割数を入力し、始点・終点と楕円弧を指示することで、楕円弧の円周上に等分割点を作図する。楕円弧の場合、「等距離分割」と「等角度分割」のどちらを選択するかで等分割の結果が異なる。

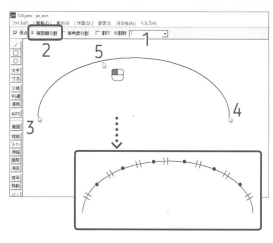

1 「分割」コマンド（メニューバー［編集］－「分割」）を選択し、コントロールバー「分割数」ボックスに分割数（図は「7」）を入力する。

2 コントロールバー「等距離分割」を選択する。

Point 「等距離分割」は円周上の距離を等分に分割する。

3 分割の始点を🖰。

4 分割の終点を🖰。

5 分割対象の楕円弧を🖰。

5 の楕円弧上の 3、4 間を等距離で分割する点が作図される

Hint 等角度分割

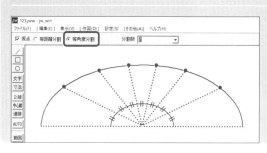

上記 2 でコントロールバー「等角度分割」を選択した場合、5 の楕円の3、4 間の中心角度を等分割する点が楕円弧上に作図される。

124 | 等分割線を作図する

関連キーワード 等分割線

関連コマンド [編集]－「分割」

「分割」コマンドのコントロールバー「分割数」ボックスに分割数を入力し、2つの線・円・弧または点と線・円・弧を指示することで、その間を等分割する線・円・弧を作図する。

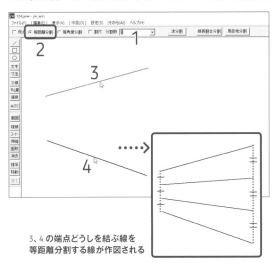

3、4の端点どうしを結ぶ線を
等距離分割する線が作図される

1 「分割」コマンド（メニューバー
　[編集]－「分割」）を選択し、コン
　トロールバー「分割数」ボックス
　に分割数（図は「3」）を入力する。

2 コントロールバー「等距離分割」
　を選択する。

Point 指示する2本の線が平行でない場合、「等距離分割」と「等角度分割」では作図される分割線が異なる。

3 分割始点の線・円・弧を🖱。

Point 線・円・弧は🖱、点は🖱で指示をする。3で円・弧を指示した場合、4で線を指示することはできない。

4 分割終点の線を🖱。

作図

Hint 点と線の等分割線

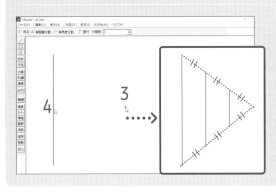

上記3で点を🖱した場合、図のような等分割線が作図される。

125 距離を指定して分割する

関連キーワード 距離以下分割／等距離分割

関連コマンド ［編集］－「分割」

「分割」コマンドのコントロールバー「等距離分割」を選択して「割付」にチェックを付けることで、指定距離での等分割ができる。

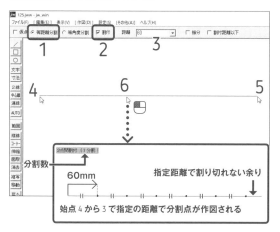

1 「分割」コマンド（メニューバー［編集］－「分割」）を選択し、コントロールバー「等距離分割」を🖱。

2 コントロールバー「割付」にチェックを付ける。

3 コントロールバー「距離」ボックスに分割距離（図は「60」）を入力する。

4 分割の始点を🖱。

5 分割の終点を🖱。

6 分割対象の線を🖱。

Hint 「割付」での「振分」と「指定距離以下」

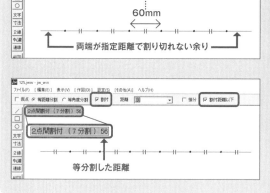

■「振分」にチェック

4、5で指示した2つの要素の中心から指定距離の分割線・分割点を振り分け作図する。

■「割付距離以下」にチェック

3で指定した距離以下での最大分割数で等分割する分割線・分割点を作図する。

作図

126 距離を指定して円周上に点を作図する

関連キーワード 円周上の点／仮点／距離指定点／実点

関連コマンド [その他]－「距離指定点」

「距離指定点」コマンドで、始点から指定距離の位置に点を作図できる。

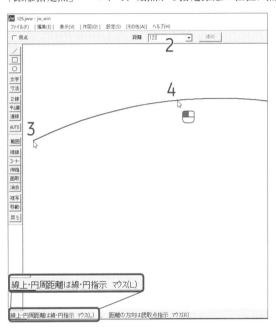

1 「距離」コマンド（メニューバー[その他]－「距離指定点」）を選択する。

2 コントロールバー「距離」ボックスに指定距離（図は「120」）を入力する。

3 始点を🖱。

4 円・弧を🖱。

Point 4で線や円・弧を🖱することで、始点から指定距離の線上または円周上に点を作図する。

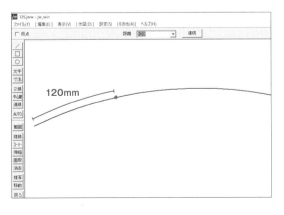

Point コントロールバー「仮点」にチェックを付けない場合は書込線色の実点を、チェックを付けた場合は書込線色の仮点（☞ p.405）を作図する。コントロールバー「連続」ボタンを🖱すると、4で作図した点からコントロールバー「距離」ボックスで指定した位置にさらに点を作図する。

作図

127 | 線・円・弧の仮想交点に 点を作図する

関連キーワード 仮想交点／仮点／交点／実点

関連コマンド ［作図］−「点」

2つの線・円・弧が交差しているところには🖱で読み取りできる交点があるが、実際に交差していない場合、それらの交点（「仮想交点」と呼ぶ）を🖱で読み取ることはできない。「点」コマンドのコントロールバー「交点」では、実際に交差していない線・円・弧の交点に点を作図する。

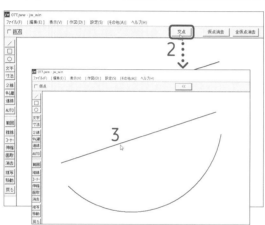

1 「点」コマンド(メニューバー[作図]−「点」) を選択する。

2 コントロールバー「交点」ボタンを🖱。

3 1つ目の線・円・弧を🖱。

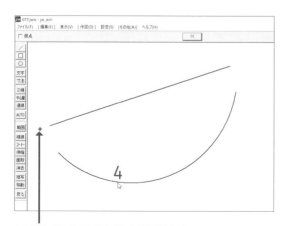

4 2つ目の線・円・弧を🖱。

Point コントロールバー「仮点」にチェックを付けない場合は書込線色の実点を、チェックを付けた場合は書込線色の仮点（☞ p.405）を、3、4の延長線上の交点(仮想交点)に作図する。仮想交点が2カ所ある場合は、3または4で円・弧を🖱した位置に近い交点に点が作図される。

3、4の線・円・弧の仮想交点に点が作図される

作図

128 切断記号を作図する

関連キーワード グループ化／切断記号／バージョン 8.22

関連コマンド [その他]－「線記号変形」

切断記号は、あらかじめ作図しておいた斜線を、「線記号変形」コマンドで変形作図する。

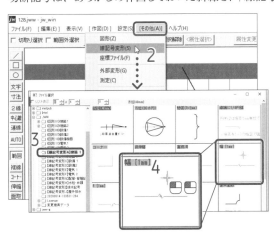

1 「／」コマンドで切断記号に変形するための斜線を作図しておく。

2 「記変」コマンド（メニューバー[その他]－「線記号変形」）を選択する。

3 「ファイル選択」ダイアログのフォルダーツリーで「JWW」フォルダー下の「【線記号変形 A】建築 1」を選択する。

4 右側の記号一覧から「幅［1mm］」を🖱️🖱️で選択する。

5 指示直線（1）として、1で作図した斜線を🖱️。

Point 🖱️した線のマウスポインタ位置に切断記号が仮表示される。線記号は基本的に図寸で管理されており、作図される大きさは図面の縮尺にかかわらず同じである。大きさを変更するには、コントロールバー「倍率」ボックスに倍率を入力する。

6 記号の作図位置を🖱️（または🖱️ Read）。

Point バージョン 8.22 以降でコントロールバーに表示される「グループ化」にチェックを付けて 6 を行うと、変形作図された記号（図は 4 本の線）がひとまとまりの要素として扱える。

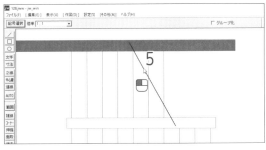

作図

167

129 | 要素を消去する

関連キーワード 画像の消去／寸法の消去／ソリッドの消去／文字の消去

関連コマンド [編集]−「消去」

線・円・弧・実点・文字・曲線・ブロック・ソリッド・寸法図形・画像など、図面上の要素は「消去」コマンドで🖱️して消去する。ただし、仮点（☞ p.405）は「消去」コマンドでは消去できない。

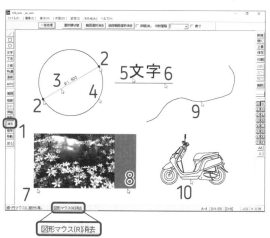

1 「消去」コマンド（メニューバー [編集]−「消去」）を選択する。

2 消去対象の実点を🖱️。

3 寸法を🖱️。

Point 寸法図形（☞ p.409）の場合、寸法線を🖱️すると、その寸法線とセットの寸法値もともに消える。また、グループ化された寸法（☞ p.407）やSXF図面の寸法を🖱️すると、寸法部全体（寸法線、寸法値、引出線、端部矢印・実点）が消える。

4 円・弧を🖱️。

5 文字を🖱️。

6 線を🖱️。

7 画像の左下付近を🖱️。

Point 図面上の画像は文字要素と同じ扱いになる。画像を消去するには、画像表示命令文（☞ p.400）が記入されている左下付近を🖱️する。

8 ソリッド（塗りつぶし）を🖱️。

9 曲線を🖱️。

10 ブロックを🖱️。

Point 複数の要素をひとまとまりの要素として扱う性質の曲線、ブロック（☞ p.410）やグループ化された線記号（☞ p.402）を🖱️した場合、🖱️した要素全体が消去される。

編集／変更

130 | 文字を優先的に消去する

関連キーワード 線等優先選択消去／文字の消去／文字優先選択消去

関連コマンド [編集]－「消去」

「消去」コマンドでは、文字も、それ以外の要素も🖰で消去するため、文字を🖰したときに近くの線要素が消えてしまうことがある。そのような場合は文字要素を優先的に消去するモードにしたうえで、消去対象の文字を🖰する。

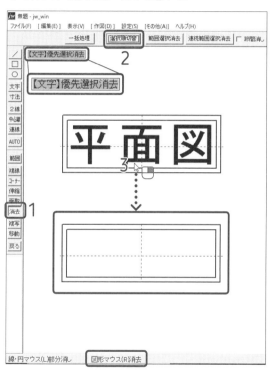

1 「消去」コマンド（メニューバー [編集]－「消去」）を選択する。

2 コントロールバー「選択順切替」ボタンを🖰。

Point 作図ウィンドウ左上に【文字】優先選択消去と表示され、文字要素を優先的に消去するモードになる。再度、「選択順切替」ボタンを🖰すると、文字以外の要素を優先的に消去する線等優先選択消去に切り替わる。

3 消去対象の文字を🖰。

131 複数の要素をまとめて消去する

関連キーワード 範囲選択消去

関連コマンド [編集]－「消去」

「消去」コマンドの「範囲選択消去」では、図面上の複数の要素を範囲選択枠で囲むことで選択し、消去する。

3の位置を対角とする選択範囲枠がマウスポインタまで表示される

選択範囲枠に全体が入る要素が選択色になる

1 「消去」コマンド（メニューバー[編集]－「消去」）を選択する。

2 コントロールバー「範囲選択消去」ボタンを🖱。

Point 「範囲選択消去」では、消去する要素を範囲選択（☞ p.84）し、まとめて消去する。

3 範囲選択の始点を🖱。

4 表示される選択範囲枠で消去対象を囲み、選択範囲の終点を🖱（文字を含む）。

Point 選択範囲枠内の文字を消去しない場合は、4で終点を🖱（文字を除く）。選択範囲枠に全体が入る要素が消去対象として選択され、選択色になる。選択範囲枠から一部がはみ出した要素は選択されない（選択要素の追加・除外方法 ☞ p.86）。

5 消去対象が選択色になったことを確認し、コントロールバー「選択確定」ボタンを🖱。

Point 5の操作により選択色の要素が消去され「消去」コマンド選択時の状態になる。2で「連続範囲選択消去」ボタンを🖱した場合は、要素消去後、3の範囲選択の始点を指示する段階になり、連続して範囲選択消去が行える。

編集／変更

132 補助線のみを消去する

関連キーワード 全選択／属性選択／範囲選択消去／補助線種／補助線のみ消去

関連コマンド [編集]－「消去」

「消去」コマンドの「範囲選択消去」で、「属性選択」を利用することで選択した要素の中から補助線のみを選択して消去できる。

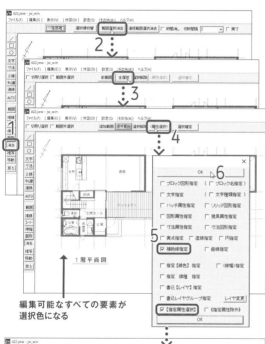

編集可能なすべての要素が
選択色になる

3で選択色になった要素から補助線のみが選
択され、他の要素は除外されて元の色に戻る

1階平面図　　2階平面図

1 「消去」コマンド（メニューバー [編集] －「消去」）を選択する。

2 コントロールバー「範囲選択消去」ボタンを🖱。

3 コントロールバー「全選択」ボタンを🖱。

Point 「全選択」ボタンを🖱すると、編集可能なすべての要素が選択される。

4 コントロールバー「〈属性選択〉」ボタンを🖱。

5 属性選択のダイアログの「補助線指定」にチェックを付ける。

6 【指定属性選択】」にチェックが付いていることを確認し、「OK」ボタンを🖱。

Point 属性選択のダイアログで指定することで、3で選択色になった要素から指定した条件に合う要素のみを選択・除外できる（☞ p.91）。

7 消去対象として、補助線だけが選択色になったのを確認し、コトロールバー「選択確定」ボタンを🖱。

133 | 仮点を消去する

関連キーワード 仮点消去／消去／全仮点消去

関連コマンド [作図]−「点」

仮点（☞ p.405）は、「消去」コマンドでは消去できない。「点」コマンドの「仮点消去」「全仮点消去」で消去する。

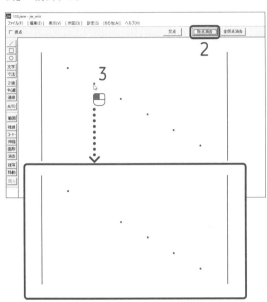

1 「点」コマンド（メニューバー [作図]−「点」）を選択する。

2 コントロールバー「仮点消去」ボタンを🖱。

3 消去対象の仮点を🖱。

Hint すべての仮点を一括消去

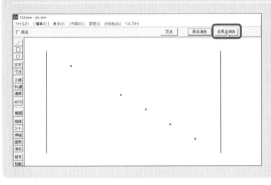

「点」コマンドのコントロールバー「全仮点消去」ボタンを🖱すると、すべての仮点（編集不可のレイヤに作図されている仮点は除く）が一括消去される。

編集／変更

134 選択範囲枠内を切り取って図の一部分を消去する

関連キーワード 切り取り消去

関連コマンド [編集] - 「消去」

「消去」コマンドの「範囲選択消去」のコントロールバー「切取り選択」にチェックを付けることで、選択範囲枠にその一部が入る要素の選択範囲内を切り取り、消去できる。

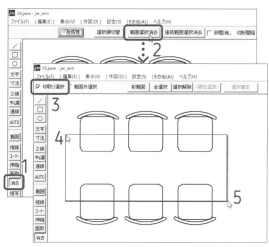

選択範囲枠に全体が入る要素が選択色に一部が入る要素が選択色の点線になる

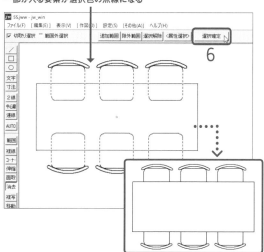

1 「消去」コマンド（メニューバー [編集] - 「消去」）を選択する。

2 コントロールバー「範囲選択消去」ボタンを🖱。

3 コントロールバー「切取り選択」にチェックを付ける。

4 範囲選択の始点を🖱（または🖱 free）。

5 選択範囲枠で切り取り消去対象を囲み、終点を🖱（または🖱 free）。

Point 「切取り選択」にチェックを付けると、範囲選択の始点・終点ともに「🖱 free/ 🖱 Read」となり、選択範囲枠内の文字を含める。選択範囲枠に全体が入る要素が消去対象として選択色になり、その一部が入る要素が切り取り消去の対象として選択色の点線で表示される。切り取り消去の対象になるのは線・円・弧で、文字・ソリッド（塗りつぶし）・寸法図形・ブロック・画像は切り取り選択の対象にはならない。

6 コントロールバー「選択確定」ボタンを🖱。

編集／変更

135 線・円・弧の一部分を消去する

関連キーワード 円・弧の部分消し／部分消し

関連コマンド ［編集］－「消去」

「消去」コマンドで、部分消しをする対象（線・円・弧）を🖱したうえで、部分消しの始点と終点を指示することで、線・円・弧の一部分を消去する。

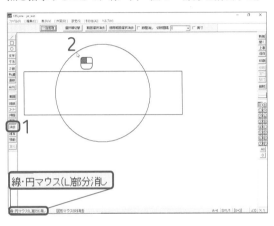

線・円マウス(L)部分消し

2で🖱した円が部分消しの対象として選択色になる

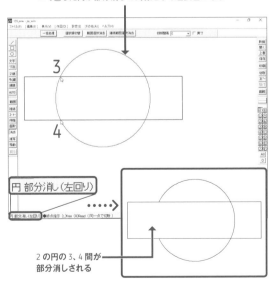

円 部分消し（左回り）

2の円の3、4間が部分消しされる

1 「消去」コマンド（メニューバー［編集］－「消去」）を選択する。

2 一部分を消去する要素（図は円）を🖱（部分消し）。

Point 線や円・弧の一部を消去する場合は、その線や円・弧を🖱で指示する。ここでは円の一部分を消去する例でその手順を説明するが、線の一部を消去する場合も手順は同じ。この操作はコントロールバー「節間消し」にチェックが付いていないことが前提である。

3 部分消しの始点を🖱（または🖱free）。

4 部分消しの終点を🖱（または🖱free）。

Point 円・弧の一部分を消去する場合、部分消しの始点⇒終点は、左回りで指示すること。

編集／変更

136 | 線・円・弧の節間を 消去する

関連キーワード 節間消し／部分消し

関連コマンド　**[編集]-「消去」**

「消去」コマンドのコントロールバー「節間消し」にチェックを付けると、🖱（部分消し）が🖱（節間消し）に切り替わり、線・円・弧で🖱した位置の両側の点間を消去する。

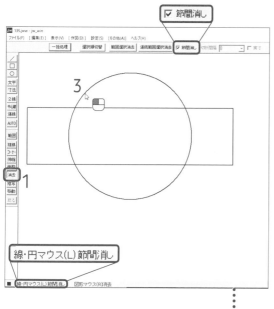

☑ 節間消し

線・円マウス(L)節間消し

1. 「消去」コマンド（メニューバー [編集] -「消去」）を選択する。
2. コントロールバー「節間消し」にチェックを付ける。
3. 線・円・弧を部分消しする位置で🖱。

3 で円を🖱した位置両側の交点間の円が部分消しされる

Point コントロールバー「節間消し」にチェックを付けると、🖱の部分消しが節間消しになり、🖱した線・円・弧の🖱位置両側の一番近い点間を消去する。

編集／変更

175

137 | 複数の線を2線間で一括部分消しする

関連キーワード 一括部分消し／部分消し

関連コマンド [編集]-「消去」

「消去」コマンドの「一括処理」では、複数の線の部分消しを一括で行う。

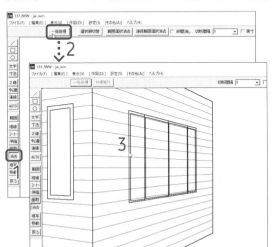

1 「消去」コマンド（メニューバー[編集]-「消去」）を選択する。

2 コントロールバー「一括処理」ボタンを🖤。

3 消し始めの基準線を🖤。

Point 3で消し始めの基準線を🖤することで一括部分消しになる。🖤した場合は、3の線を消去対象の始めの線と見なし、線の一括消去になる。

3の線が基準線として水色で表示される

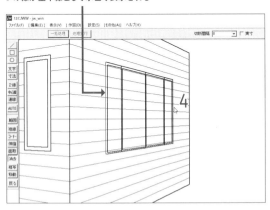

4 消し終わりの基準線を🖤。

編集／変更

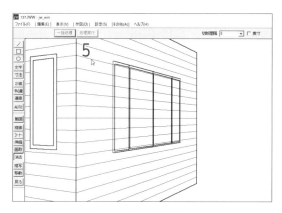

5 一括部分消しの対象とする始めの線を🖰。

Point 5の位置からマウスポインタまで赤い点線が仮表示される。この赤い点線に交差する線が一括処理の対象線になる。

5の位置からマウスポインタまで赤い点線が表示される

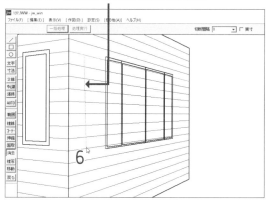

6 一括部分消しの対象とする線に赤い点線が交差する位置で、消し終わりの線を🖰。

Point 6の終線を🖰（同一線種選）すると、🖰した線と同じ線色・線種・レイヤの線のみを対象線として選択する。

赤い点線に交差した線が選択色になる

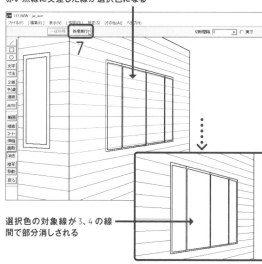

Point 赤い点線に交差した線が一括処理の対象線として選択され、選択色になる。この段階で線を🖰することで、一括処理の対象に追加または除外することができる。

7 コントロールバー「処理実行」ボタンを🖰。

選択色の対象線が3、4の線間で部分消しされる

編集／変更

177

138 | 文字に重なるハッチング線を消去する

関連キーワード　一括部分消し／切り取り消去／消去／ハッチング／部分消し／包絡

関連コマンド　[編集]－「包絡処理」

「包絡」コマンドの包絡範囲枠で文字を囲み、終点を🖰することで、包絡範囲枠内の線を切り取り消去できる。

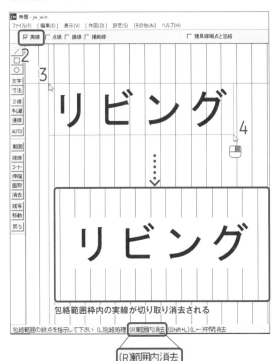

包絡範囲枠内の実線が切り取り消去される

包絡範囲の終点を指示して下さい (L)包絡処理 (R)範囲内消去 (Shift+L)(L←)中間消去

(R)範囲内消去

1 「包絡」コマンド（メニューバー[編集]－「包絡処理」）を選択する。

2 コントロールバーで処理の対象線種（図は「実線」）にチェックが付いていることを確認する。

Point 「包絡」コマンドでは、コントロールバーでチェックが付いた線種の線のみを対象とする。円・弧・文字・点などは処理の対象にならない。

3 包絡範囲の始点を🖰。

4 表示される包絡範囲枠で文字（ハッチングを切り取り消去する範囲）を囲み、終点を🖰（範囲内消去）。

編集／変更

139 指定間隔で線を切断する

関連キーワード 切断／切断間隔／部分消し

関連コマンド [編集]－「消去」

「消去」コマンドの部分消しでは始点・終点として同じ点を指示することで、その点で線・円・弧を切断できる。このとき「切断間隔」ボックスに数値を指定すると、指示点を中心に指定間隔で線を切断（部分消し）できる。

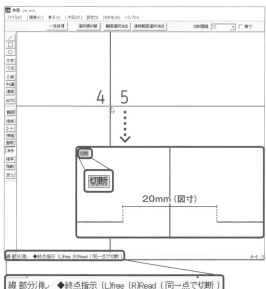

1 「消去」コマンド（メニューバー［編集］－「消去」）を選択する。

2 コントロールバー「切断間隔」ボックスに切断間隔（図は「20」）を入力する。

Point コントロールバー「節間消し」にチェックが付いていないことが前提である。「切断間隔」ボックスに切断間隔を図寸（☞ p.405）で入力し、部分消しの始点・終点として同じ点を指示することで、指示点を中心に指定間隔で部分消しする。「切断間隔」を実寸で指定するには、コントロールバーの「実寸」にチェックを付ける。

3 切断対象線を🖱（部分消し）。

4 部分消しの始点を🖱。

5 部分消しの終点として、4 と同じ点を🖱。

Point 3 の対象線の長さが、指定した切断間隔以下の場合、5 の指示で対象線が消去される。

編集／変更

140 | 円を2つに切断する

関連キーワード 円周 1/4 点／クロックメニュー（円周 1/4 点）／切断

関連コマンド ［編集］－「消去」／［設定］－「円周 1/4 点取得」

「消去」コマンドの部分消しでは始点・終点として同じ点を指示することで、その点で線・円・弧を切断できる。ここでは、始点・終点として円の上下の1/4位置を指示することで、円を左右2つに切断する。

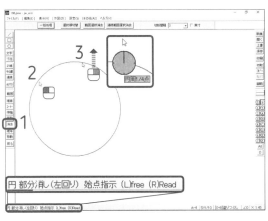

円 部分消し（左回り）始点指示（L）free（R）Read

3 に近い 1/4 位置に赤い〇が仮表示

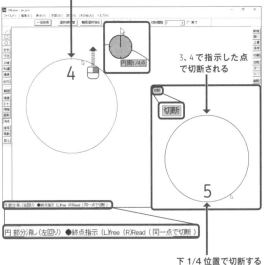

3、4で指示した点で切断される

円 部分消し（左回り）●終点指示（L）free（R）Read（同一点で切断）

下 1/4 位置で切断する

1 「消去」コマンド（メニューバー［編集］－「消去」）を選択する。

Point コントロールバー「節間消し」にチェックが付いていないこと、「切断間隔」ボックスは「0」であることが前提である。

2 切断対象の円を🖱（部分消し）。

3 部分消しの始点として円上部を🖱↑ AMO 時 円周 1/4 点。

Point 3 の操作により、🖱↑位置に近い円周上の 1/4 位置が点指示される。3 の代わりにメニューバー［設定］－「円周 1/4 点取得」を選択し、円の上部を🖱してもよい。

4 部分消しの終点として、3 と同じく円上部を🖱↑ AMO 時 円周 1/4 点。

Point 部分消しの始点・終点として同じ点を指示することで、2 で指示した円がその点で切断される。

5 再度、円を🖱（部分消し）し、3、4 と同様に円下部を🖱↑ AMO 時 円周 1/4 点 して、円の下 1/4 位置で切断する。

141 | 切断された線や同一線上の線を1本にする

関連キーワード 重複線／連結

関連コマンド ［編集］−「コーナー処理」

「コーナー」コマンドは指示した2本の線の角を作成するコマンドだが、切断された2本の線や同一線上の同一属性（線色・線種・レイヤ）の2本の線を1本に連結することもできる。

1 「コーナー」コマンド（メニューバー
  ［編集］−「コーナー処理」）を選
  択する。
2 1本目の線を🖱。
3 同一線上かつ同一属性の2本目
  の線を🖱。

Point 連結できるのは同一レイヤの
同一線色・線種の線に限る。また、
同一レイヤの同じ位置に同一線色・線
種で重ね書きされた線も、その線上で
🖱🖱することで1本の線になる。同一
円周上の弧どうしの連結はできない。

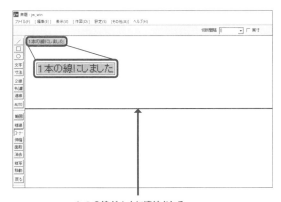

2、3の線が1本に連結される

編集／変更

142 ｜複数の切断線・重複線を 1本にする

関連キーワード 重複整理／重複線／重複文字／連結／連結整理

関連コマンド ［編集］－「データ整理」

「データ整理」コマンドは、重複して作図された同一属性（線色・線種・レイヤ）の線・円・弧・実点・文字・ソリッドを一括で1つに整理する。さらに切断された線も1本にできる。

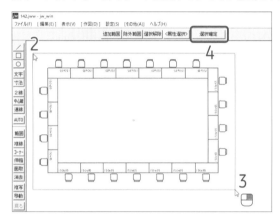

1 「整理」コマンド（メニューバー［編集］－「データ整理」）を選択する。

2 範囲選択の始点を🖱。

3 表示される選択範囲枠でデータ整理対象を囲み、終点を🖱（文字を含む）。

4 コントロールバー「選択確定」ボタンを🖱。

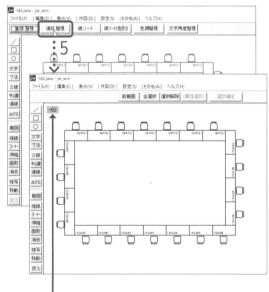

5 コントロールバー「連結整理」ボタンを🖱。

Point 「重複整理」「連結整理」は、同じレイヤに重複作図された同一線色・線種の線・円・弧・実点、同じレイヤに重複記入された同一文字種（サイズ）・フォント・色・記入内容の文字列を1つにする。同じレイヤに重複作図された同一内容の寸法図形とソリッドも1つにするが、同一内容でもブロックは1つにしない。さらに「連結整理」は、切断されている線や同一点で連続して作図された同一線上の線どうしも1本に連結する（弧は連結しない）。

データ整理後、左上に[－（マイナス数値）]で減った要素の数が表示される

編集／変更

143 | 線を指定の位置まで伸縮する

関連キーワード 点まで伸縮

関連コマンド [編集]－「伸縮」

線・弧の伸縮は、「伸縮」コマンドで行う。伸縮対象の線・弧を🖱️し、次に伸縮する位置（点）を指示する。

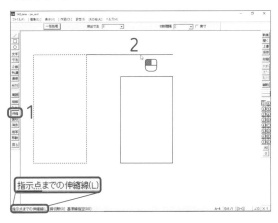

指示点までの伸縮線(L)

2 の🖱️位置に水色の○が仮表示される

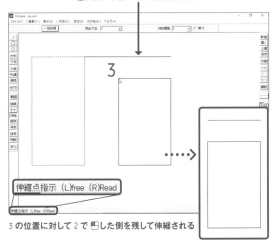

伸縮点指示 (L)free (R)Read

3 の位置に対して 2 で🖱️した側を残して伸縮される

1 「伸縮」コマンド（メニューバー［編集］－「伸縮」）を選択する。

2 伸縮の対象線・弧を🖱️。

Point 「伸縮」コマンドでは、伸縮対象の線・弧とその伸縮位置を指示することで線・弧を伸縮する。線・弧を縮める場合、2 の🖱️位置が重要である。次に指示する伸縮位置に対して、線・弧を残す側で🖱️すること。

3 伸縮する位置（伸縮点）を🖱️（または🖱️free）。

編集／変更

144 | 線を基準線まで伸縮する

関連キーワード 伸縮基準線／切断／線まで伸縮

関連コマンド ［編集］－「伸縮」

「伸縮」コマンドで伸縮の基準にする線を🖱🖱して基準線とし、その線まで伸縮対象の線・弧を🖱することで伸縮を行う。

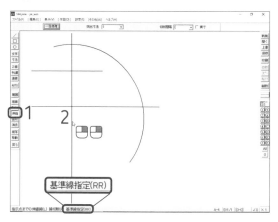

基準線指定(RR)

1 「伸縮」コマンド（メニューバー［編集］－「伸縮」）を選択する。

2 伸縮の基準線を🖱🖱。

Point 2で🖱と🖱の間にマウスを動かすと、🖱🖱（基準線指定）ではなく、🖱（切断）になり、切断個所に赤い○が仮表示される。マウスを動かさず🖱🖱するように注意する。誤って切断した場合は、「戻る」コマンドで切断を取り消す。

🖱🖱した線が基準線として選択色になる

基準線までの伸縮線(L)

基準線に対し、🖱した側が残るよう伸縮される

3 伸縮の対象線を🖱。

Point 基準線に交差した伸縮対象線・弧は、基準線に対して、残す側で🖱すること。

4 伸縮の対象線を🖱。

5 伸縮の対象線を🖱。

Point 基準線の選択色は、他のコマンドを選択すると元の色に戻る。別の線を基準線にするには、新しく基準線にする線を🖱🖱（基準線変更）する。

編集／変更

145 円・弧を基準線として伸縮する

関連キーワード 円・弧まで伸縮／伸縮基準線／伸縮指示位置優先

関連コマンド [編集]－「伸縮」

「伸縮」コマンドで円・弧を🖱🖱して伸縮の基準線とした場合、円・弧を🖱🖱した位置から両側 90°の範囲の円弧部分が基準線になる。

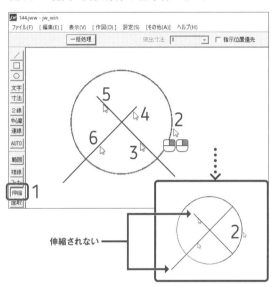

伸縮されない

1 「伸縮」コマンド（メニューバー［編集］－「伸縮」）を選択する。

2 伸縮の基準線として円・弧を🖱🖱。

3 基準線とした円の内側で伸縮線を🖱。

4 伸縮線を🖱。

5 伸縮線を🖱。

6 伸縮線を🖱。

Point 基準線に交差した伸縮対象線・弧は、基準線に対して、残す側で🖱すること。2で円・弧を🖱🖱した位置に近い交点まで伸縮するため、5、6はもう一方の交点まで伸縮されない。

Hint すべての線を円・弧まで伸縮

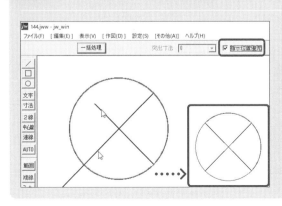

すべての線を円・弧まで伸縮するには、コントロールバー「指示位置優先」にチェックを付けたうえで、伸縮線を🖱する。

編集／変更

185

146 | 複数の線を基準線まで一括で伸縮する

関連キーワード 一括伸縮／線まで伸縮

関連コマンド **[編集]−「伸縮」**

「伸縮」コマンドの「一括処理」は、複数の直線を基準線まで一括で伸縮する。

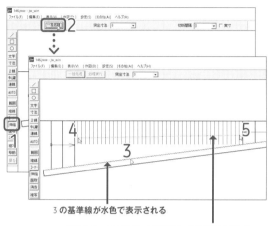

3の基準線が水色で表示される

始線からマウスポインタまで赤い点線が表示される

1 「伸縮」コマンド（メニューバー [編集]−「伸縮」）を選択する。

2 コントロールバー「一括処理」ボタンを🖱。

3 一括伸縮の基準線を🖱。

4 一括処理する始線を🖱。

5 表示される赤い点線に一括伸縮対象のすべての線が交差する位置で、一括処理の終線を🖱。

4、5の線と赤い点線に交差した線が一括伸縮対象として選択色になる

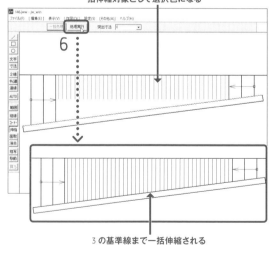

3の基準線まで一括伸縮される

Point 4の位置からマウスポインタまで表示される赤い点線に交差するすべての線が、一括伸縮の対象になる。この段階で線を🖱することで、一括伸縮対象への追加や除外ができる。

6 一括伸縮対象の線が選択色になったことを確認し、コントロールバー「処理実行」ボタンを🖱。

編集／変更

147 線の突出部分の長さを揃えて伸縮する

関連キーワード 突出寸法

関連コマンド [編集]-「伸縮」

「伸縮」コマンドで「突出寸法」を指定することで、基準線や伸縮点から指定した長さだけ線が突出する（または引っ込む）ように伸縮できる。

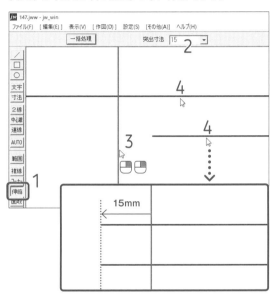

1 「伸縮」コマンド（メニューバー [編集]-「伸縮」）を選択する。

2 コントロールバー「突出寸法」ボックスに突出する寸法（図は「15」）を入力する。

3 伸縮の基準線を🖱🖱。

Point 「突出寸法」ボックスに伸縮点、伸縮基準線から突出する寸法を実寸法で指定することで、指示した伸縮点や伸縮基準線から指定寸法分、突出した状態に伸縮する。伸縮の基準線や対象線として円・弧を指示した場合、この指定は無効。

4 基準線に対して残す側で伸縮の対象線を🖱。

Hint 線を指定寸法引っ込める指定

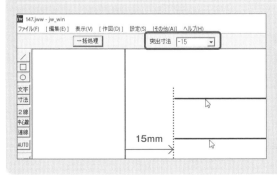

2で「突出寸法」ボックスに「-」（マイナス）値を入力すると、基準線（または伸縮点）から指定した寸法分はなれた位置までの伸縮になる。

編集／変更

148 | 線の端点を移動する

関連キーワード クロックメニュー（端点移動）／端点移動

関連コマンド [編集]－「伸縮」

「伸縮」コマンド選択時に、線を🖱✎ AM8時<端点移動>することで、線の🖱✎した側の端点を移動できる。

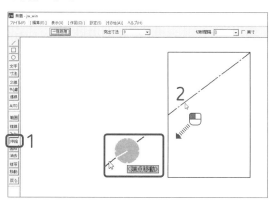

1 「伸縮」コマンド（メニューバー［編集］－「伸縮」）を選択する。

2 移動する端点側で線を🖱✎ AM 8時<端点移動>。

Point 2の操作の代わりに[Shift]キーを押したままスペースキーを押した後（作図ウィンドウ左上に<端点移動>が表示）、2の線を🖱してもよい。

2の位置に近い端点が移動対象になりマウスポインタまで仮表示される

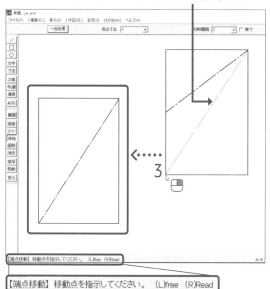

3 移動先の点を🖱（または🖱 free）。

【端点移動】移動点を指示してください。 (L)free (R)Read

149 | 2本の線・弧の角を作成する

関連キーワード 角／コーナー

関連コマンド [編集]-「コーナー処理」

「コーナー」コマンドでは、2本の線・弧を、その交点で連結して角を作る。

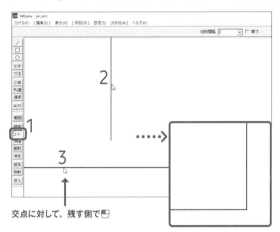

交点に対して、残す側で🖱

1 「コーナー」コマンド(メニューバー [編集]-「コーナー処理」)を選択する。

2 1つ目の線・弧を🖱。

3 2つ目の線・弧を🖱。

Point 2、3で指示する2本の線・弧の交点に対し、🖱した側を残して角(コーナー)を作る。2本の線・弧の交点に対し、線を残す側で🖱すること。

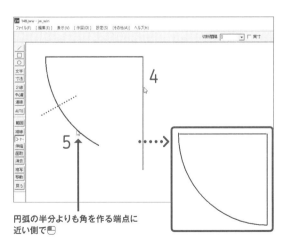

円弧の半分よりも角を作る端点に近い側で🖱

4 1つ目の線・弧を🖱。

5 2つ目の線・弧を🖱。

Point 線と円弧や円弧どうしの角も作成できる。図のように角を作る交点に円弧が達していない場合、円弧の指示は、円弧上の中点よりも角を作る端点に近い側で🖱する。

編集／変更

150 | 2本の線・弧の角を 丸く面取り（R面取り）する

関連キーワード R面取／丸面取／面取

関連コマンド ［編集］－「面取」

「面取」コマンドの「丸面」でR部分の半径寸法を指定し、角を構成する2本の線・弧を指示することで、角を丸く面取りできる。

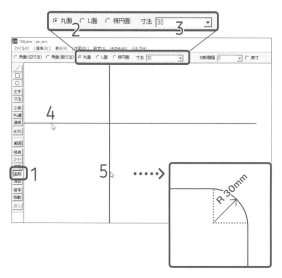

1 「面取」コマンド（メニューバー［編集］－「面取」）を選択する。

2 コントロールバー「丸面」を選択する。

3 コントロールバー「寸法」ボックスに、丸面の半径寸法（図は「30」）を入力する。

4 1つ目の線・弧を🖱。

5 2つ目の線・弧を🖱。

Point 2本の線・弧の交点に対して、線・弧を残す側で🖱する。通常、丸面の円弧は書込線で書込レイヤに作図されるが、4、5で🖱した2本の線が同一属性（線色・線種・レイヤ）の場合は、指示線と同じ線色・線種で同じレイヤに作図される。

Hint 凹面の丸面取り

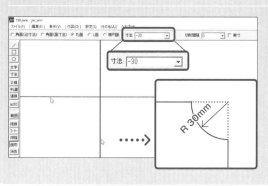

コントロールバー「寸法」ボックスに入力する半径寸法を「－（マイナス）値」で指定すると、図のように凹型で丸く面取りされる。

151 | 2本の線の角を直線で 面取り（C面取り）する

関連キーワード　C面取／角面取／面取

関連コマンド　[編集]－「面取」

「面取」コマンドの「角面（辺寸法）」でC面取寸法を指定し、角を構成する2本の線を指示することで、C面取りできる。

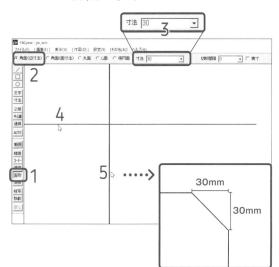

1　「面取」コマンド（メニューバー[編集]－「面取」）を選択する。

2　コントロールバー「角面（辺寸法）」を選択する。

3　コントロールバー「寸法」ボックスに寸法（図は「30」）を入力する。

4　1つ目の線を🖱。

5　2つ目の線を🖱。

Point　2本の線の交点に対して、線を残す側で🖱する。通常、面取りの線は書込線で書込レイヤに作図されるが、4、5で🖱した2本の線が同一属性（線色・線種・レイヤ）の場合は、指示線と同じ線色・線種で同じレイヤに作図される。

Hint　面の寸法を指定して面取り

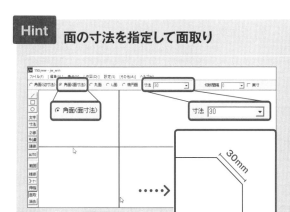

上記2で、コントロールバー「角面（面寸法）」を選択すると、コントロールバー「寸法」ボックスで指定した寸法を面の寸法として、図のように面取りされる。

編集／変更

152 | 元の線を残したまま面取りする

関連キーワード　書込線のみ読取り／書込レイヤのみ読取り／面取

関連コマンド　[編集]-「面取」

「面取」コマンドで角を構成する2本目の線を指示するときに、Ctrl キーや Shift キーを併用することで、元の線を残したまま面取りができる。

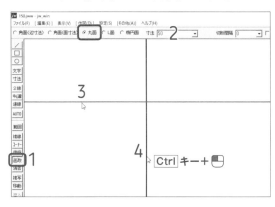

1　「面取」コマンド（メニューバー［編集］-「面取」）を選択する。

2　コントロールバーで面取りの種類を選択し、「寸法」ボックスに寸法を入力する。

3　1つ目の線を🖱。

4　Ctrl キー（または Shift キー）を押したまま2つ目の線を🖱。

Point　2本目の線指示時に Ctrl キーまたは Shift キーを押したまま線を🖱することで、元の線を残して面取りする。Ctrl キーまたは Shift キーを押したまま線を🖱することで、p.83「051 重複した線のうち目的の線を指示する」の機能が働く。そのため、指示する線が書込線とは異なる場合には Ctrl キーが、書込レイヤでない線の場合は Shift キーが利用できない（**図形がありません**とメッセージが表示される）。適宜、利用できるほうのキーを併用する。

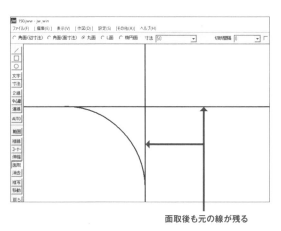

面取後も元の線が残る

153 | L字型に面取りする

関連キーワード L面取／面取

関連コマンド [編集]－「面取」

「面取」コマンドの「L面」では、指示した2本の線の角を、コントロールバー「寸法」ボックスで指示した2数の寸法でL字型に面取りする。

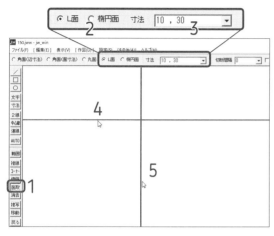

1 「面取」コマンド（メニューバー[編集]－「面取」）を選択する。

2 コントロールバー「L面」を選択する。

3 コントロールバー「寸法」ボックスに「,」で区切って2つの寸法（図は「10,30」）を入力する。

4 1つ目の線を🖰。

5 2つ目の線を🖰。

Point 4、5の線は、3で「寸法」ボックスに入力した順序で指示する。

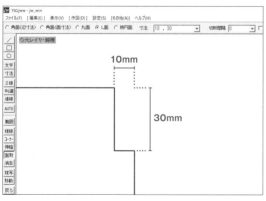

編集／変更

193

154 | 複数のコーナー処理や伸縮を一括で行う

関連キーワード 一括伸縮／一括連結／角／クロックメニュー（包絡）／コーナー／部分消し／包絡／連結

関連コマンド [編集]－「包絡処理」

「包絡」コマンドの包絡範囲枠で囲むことで、枠内の同一属性（線色・線種・レイヤ）の線どうしのコーナー処理や伸縮に相当する処理を一括で行い整形できる。線の端点が包絡範囲枠に入るか否かで包絡処理の結果は異なる。

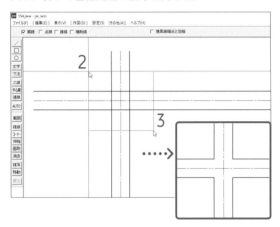

1 「包絡」コマンド（メニューバー［編集］－「包絡処理」）を選択する。

2 始点として包絡対象の左上で🖱。

3 包絡範囲枠で包絡対象を囲み、終点を🖱。

Point 同一レイヤの同一線色・線種の線どうしを包絡処理する。円・弧・文字および建具属性を持つ直線やブロック、曲線は包絡対象にならない。1、2の操作の代わりに、包絡範囲の始点位置から🖱→ AM3 時 包絡 し、表示される包絡範囲枠で包絡対象を囲むことでも包絡できる。

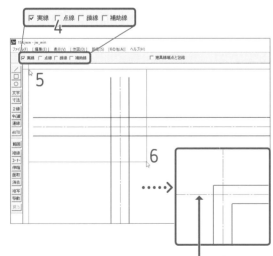

4 コントロールバーの「実線」のみにチェックが付いていることを確認する。

5 始点として包絡対象の左上で🖱。

6 包絡範囲枠で対象を囲み、終点を🖱。

Point コントロールバーでチェックが付いていない線種は包絡対象にならないため、図の一点鎖線は包絡されない。

包絡範囲枠内にその端点が入る実線どうしの角が作られる。コントロールバーでチェックが付いていない鎖線は包絡の対象にならない

編集／変更

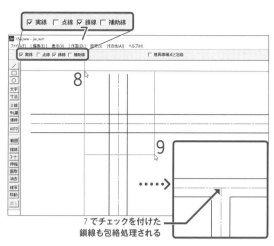

☑ 実線 ☐ 点線 ☑ 鎖線 ☐ 補助線

7 コントロールバーの「鎖線」に
チェックを付ける。

Point コントロールバーの「点線」と
「鎖線」にチェックを付けても、倍長
線種（☞ p.412）の点線と鎖線は包
絡対象にならない。

8 始点として包絡対象の左上で🖱。

9 包絡範囲枠で対象を囲み、終点
を🖱。

7 でチェックを付けた
鎖線も包絡処理される

Hint 包絡処理の例

包絡範囲枠での囲み方によって、部分消し、伸縮、コーナーに相当する処理を一括で行う。

■ 線間を部分消し　　　　　■ 両側をコーナー連結

■ 基準線までの一括伸縮　　■ 線の一括連結

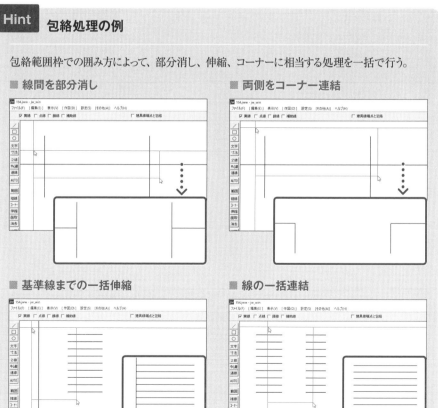

155 | 開口部を簡単に作図する

関連キーワード　**開口部／クロックメニュー（中間消去）／建具属性／中間消去／包絡**

関連コマンド　**[編集]－「包絡処理」**

「包絡」コマンドの「中間消去」を利用すると、1回の操作で平面図上の開口を開けることができる。

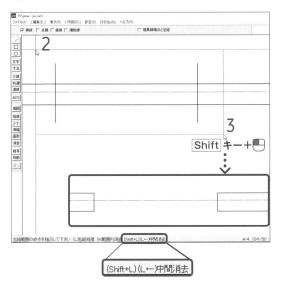

1　「包絡」コマンド（メニューバー[編集]－「包絡処理」）を選択する。

Point　「包絡」コマンドでは、包絡範囲枠で囲むことで枠内の同一属性（線色・線種・レイヤ）の線どうしを一括整形する。

2　始点として包絡対象の左上で🖱。

3　包絡範囲枠で開口部分を囲み、Shiftキーを押したまま終点を🖱。

Point　包絡範囲の終点をShiftキーを押したまま🖱することで、包絡処理したうえで、その中間の線を消去する。3の操作の代わりに終点位置から🖱← AM9時 中間消去 してもよい。

Hint　包絡対象にならない建具属性

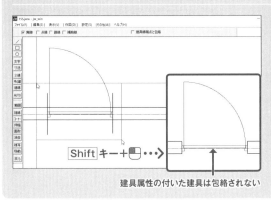

建具属性の付いた建具は包絡されない

メニューバー[作図]－「建具平面」を選択して作図した建具は、「建具属性」と呼ばれる属性を持つ。「建具属性」の付いた要素は、包絡処理の対象にならない。「建具平面」コマンドで作図した建具に限り、包絡範囲枠に入っても包絡処理されない。

編集／変更

156 | 建具平面の線と壁線を 包絡して開口部を作図する

関連キーワード 開口部／クロックメニュー（中間消去）／建具線端部と包絡／中間消去／包絡

関連コマンド [編集]－「包絡処理」

「包絡」コマンドのコントロールバー「建具線端点と包絡」にチェックを付けることで、建具属性を持った建具線の端点と壁線を包絡し、開口部を作図できる。

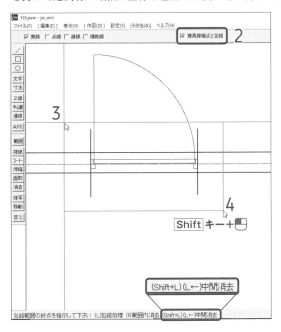

1 「包絡」コマンド（メニューバー [編集]－「包絡処理」）を選択する。

2 コントロールバー「建具線端点と包絡」にチェックを付ける。

Point 「包絡処理」コマンドでは、包絡範囲枠で囲むことで枠内の同一属性（線色・線種・レイヤ）の線どうしを一括整形する。コントロールバー「建具線端点と包絡」にチェックを付けることで、建具属性（☞前ページ Hint ）を持った建具線の端点と壁線を包絡処理する。

3 始点として包絡対象の左上で🖱。

4 包絡範囲枠で開口部分を囲み、Shift キーを押したまま終点を🖱。

Point 包絡範囲の終点を Shift キーを押したまま🖱することで、包絡処理したうえで、その中間の線を消去する。3の操作の代わりに終点位置から🖱← AM9時 中間消去 してもよい。

編集／変更

157 | 複写・移動する

関連キーワード マウスで移動・複写／元レイヤ・線種

関連コマンド ［編集］－「図形複写」「図形移動」

図面の要素を複写するには「複写」コマンド、移動するには「移動」コマンドで行う。結果が異なるだけで、「複写」コマンドと「移動」コマンドの操作手順は同じである。ここでは「複写」コマンドの例で説明する。

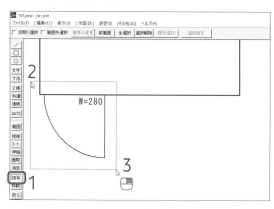

選択範囲枠に全体が入る要素が選択色になり、自動的に決められた複写の基準点位置に赤い○が表示される

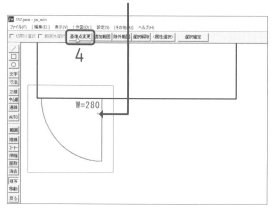

1 「複写」コマンド（メニューバー［編集］－「図形複写」）を選択する。

Point 移動する場合は、1で「移動」コマンド（メニューバー［編集］－「図形移動」）を選択する。

2 複写対象を範囲選択するための始点を🖱。

3 表示される選択範囲枠で複写対象要素を囲み、終点を🖱（文字を含む）。

Point 選択範囲枠内のすべての要素を選択するには、終点を🖱（文字を含む）する。選択範囲枠内に文字がない場合も🖱でかまわない。選択範囲枠内の文字要素を除外して選択するには、終点を🖱（文字を除く）。

4 複写の基準点を指示するため、コントロールバー「基準点変更」ボタンを🖱。

Point 基準点を変更する必要がない場合は、コントロールバー「選択確定」ボタンを🖱して6へ進む。

編集／変更

選択色の要素が複写要素として確定する

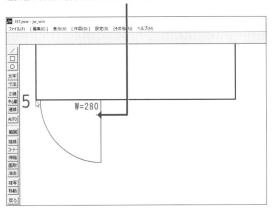

5　複写の基準点を🖱（または🖱 free）。

5 を基準点として複写要素がマウスポインタに仮表示される

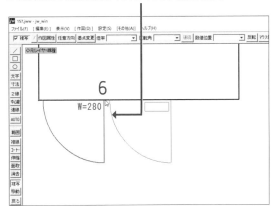

Point　画面左上に ◇元レイヤ・線種 と表示されるのは、複写元と同じレイヤに同じ線色・線種で複写されることを意味する。「作図属性設定」指示（☞ p.221）でレイヤや線色・線種を変更して複写することもできる。

6　複写先の点を🖱（または🖱 free）。

6 の🖱位置に複写され、マウスポインタには複写要素が仮表示される

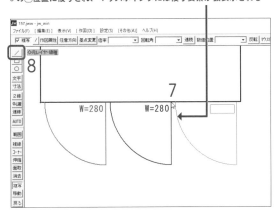

Point　他のコマンドを選択するまでは、次の複写先を指示することで、同じ複写要素（選択色の要素）を続けて複写できる。

7　次の複写先を🖱（または🖱 free）。

8　「／」コマンドを選択し、「複写」コマンドを終了する。

編集／変更

158 | 同方向・同距離に 連続複写する

関連キーワード 連続複写

関連コマンド ［編集］−「図形複写」

「複写」コマンドで複写後、コントロールバーの「連続」ボタンを🖱すると、🖱した回数分、直前の複写と同方向、同距離に連続複写できる。

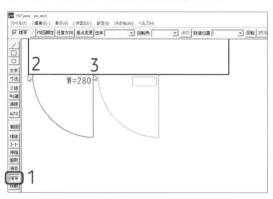

1 「複写」コマンド（メニューバー［編集］−「図形複写」）を選択する。

2 複写対象を範囲選択し、複写の基準点を指示する（☞ p.198 2〜5）。

3 複写先の点を🖱（または🖱free）。

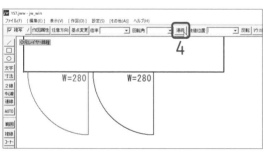

4 コントロールバー「連続」ボタンを🖱。

Point コントロールバー「連続」ボタンを🖱することで、🖱した回数分、同じ方向・同じ距離に続けて複写できる。また、「連続」ボタンを🖱すると、右ボタンをはなすまで同方向・同距離に複写し続ける。

3で複写した要素から同方向・同距離に連続複写される

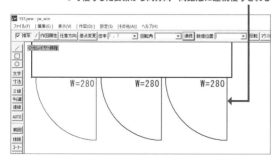

159 | 複写先・移動先を 数値で指定する

関連キーワード 数値指定で移動・複写

関連コマンド [編集]-「図形複写」「図形移動」

「複写」「移動」コマンドのコントロールバー「数値位置」ボックスに、複写・移動元からの「X方向の距離,Y方向の距離」を指定することで、指定した位置に複写・移動できる。ここでは「複写」コマンドの例で説明するが、「移動」コマンドでも操作は同じである。

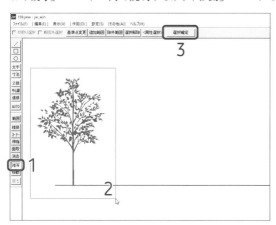

1 「複写」コマンド（メニューバー［編集］-「図形複写」）を選択する。

Point 移動する場合は、1で「移動」コマンド（メニューバー［編集］-「図形移動」）を選択する。

2 複写対象を範囲選択する（☞ p.198 2、3）。

3 コントロールバー「選択確定」ボタンを🖱。

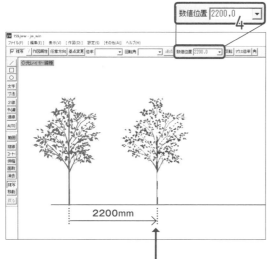

2200mm

複写元から右へ2200mmの位置に複写される

4 コントロールバー「数値位置」ボックスに「X方向の距離,Y方向の距離」（図は「2200,0」）を入力し、Enterキーを押して確定する。

Point 「数値位置」ボックスには、2で選択した要素の位置を「0」とした「X方向の距離,Y方向の距離」を入力する。選択要素から右と上はプラス数値、左と下は-（マイナス）数値で入力する。Enterキーで確定することで指定距離の位置に複写される。

編集／変更

160 │ 直前の複写要素からの距離を指定して連続複写する

関連キーワード 作図属性／数値指定で移動・複写／複写図形選択／連続複写

関連コマンド [編集]ー「図形複写」

「複写」コマンドで連続して距離を指定して複写するとき、はじめに複写対象として選択した要素からの距離を指定する。「作図属性」を指定することで、複写した要素からの距離を指定して連続複写できる。

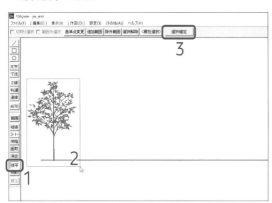

1 「複写」コマンド（メニューバー[編集]ー「図形複写」）を選択する。

2 複写対象を範囲選択する（☞ p.198 2、3）。

3 コントロールバー「選択確定」ボタンを🖰。

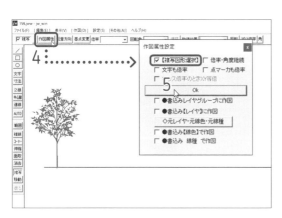

4 コントロールバー「作図属性」ボタンを🖰。

5 「作図属性設定」ダイアログで「【複写図形選択】」にチェックを付け、「Ok」ボタンを🖰。

Point 「【複写図形選択】」にチェックを付けることで、複写された要素が次の複写元になる。この設定は、Jw_cad を終了するまで有効である。

編集／変更

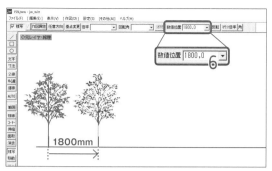

6 コントロールバー「数値位置」ボックスに「X方向の距離,Y方向の距離」（図は「1800,0」）を入力し、Enterキーを押して確定する。

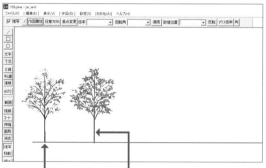

左端の樹木は元の色に戻る　　1800mm右に複写され、複写された樹木が次の複写元として選択色になる

Point 5で「【複写図形選択】」にチェックを付けたため、6の指示で複写された要素が次の複写元として選択色になり、3で選択確定した複写対象は元の色に戻る。この後のコントロールバーでの距離や回転角、倍率などの指定は、すべて現在選択色の要素を基準とする。

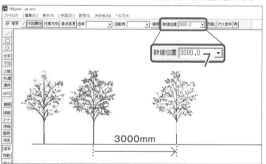

7 コントロールバー「数値位置」ボックスに次の距離（図は「3000,0」）を入力し、Enterキーを押して確定する。

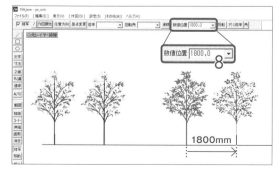

8 コントロールバー「数値位置」ボックスに次の距離（図は「1800,0」）を入力し、Enterキーを押して確定する。

編集／変更

161 | 上下・左右の位置を揃えて複写・移動する

関連キーワード 移動方向固定／複写方向固定

関連コマンド ［編集］－「図形複写」「図形移動」

「複写」「移動」コマンドで、複写・移動方向を X 方向または Y 方向に固定して複写・移動先を指示することで、複写・移動元の図と上下または左右の位置を揃えて複写・移動できる。ここでは「複写」コマンドの例で説明するが、「移動」コマンドでも操作は同じである。

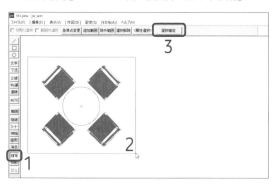

1 「複写」コマンド（メニューバー［編集］－「図形複写」）を選択する。

Point 移動する場合は、1で「移動」コマンド（メニューバー［編集］－「図形移動」）を選択する。

2 複写対象を範囲選択する（☞ p.198 2、3）。

3 コントロールバー「選択確定」ボタンを🖱。

Point 複写の基準点を指示する場合は、3でコントロールバー「基準点変更」ボタンを🖱して基準点を指示する（☞ p.198 4、5）。

4 コントロールバー「任意方向」ボタンを🖱し、「X 方向」にする。

Point コントロールバー「任意方向」ボタンを🖱することで、「X 方向」（水平方向固定）⇒「Y 方向」（垂直方向固定）⇒「XY 方向」（水平または垂直方向の距離が長いほうに固定）に変更される。

5 複写先を🖱。

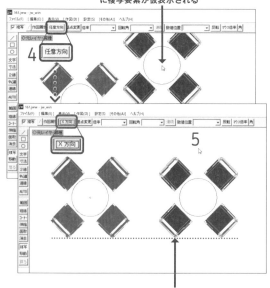

自動的に決められた基準点でマウスポインタに複写要素が仮表示される

複写要素の仮表示が動く方向が水平方向に固定される

162 | 図の一部を切り取って複写する

関連キーワード　切り取り複写

関連コマンド　［編集］－「図形複写」

「複写」コマンドのコントロールバー「切取り選択」にチェックを付けて範囲選択することで、選択範囲枠で対象を切り取って複写できる。「切取り選択」は「移動」コマンドでは使用できない。

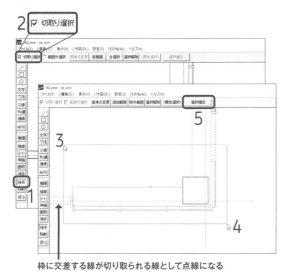

枠に交差する線が切り取られる線として点線になる

切り取られる　　　　　　　切り取られる

1 「複写」コマンド（メニューバー［編集］－「図形複写」）を選択する。

2 コントロールバー「切取り選択」にチェックを付ける。

3 切り取り範囲の始点を🖱️（または🖱️Read）。

4 選択範囲枠で切り取り対象を囲み、終点を🖱️（または🖱️Read）。

Point 「切取り選択」にチェックを付けると、範囲選択の始点・終点ともに「🖱️free/🖱️Read」となり、選択範囲枠内の文字を含める。選択範囲枠に全体が入る要素が複写対象として選択色になり、その一部が入る要素が切り取り対象として選択色の点線で表示される。切り取りの対象になるのは、線・円・弧で、文字・ソリッド（塗りつぶし）・寸法図形・ブロック・画像は対象にならない。

5 コントロールバー「選択確定」ボタンを🖱️。

6 複写先を🖱️。

編集／変更

163 | 基準線を軸にして 反転複写・移動する

関連キーワード 反転

関連コマンド [編集] ー「図形複写」「図形移動」

「複写」「移動」コマンドのコントロールバー「反転」を選択し、反転基準線を指示することで基準線を軸にして反転できる。ここでは「複写」コマンドの例で説明するが、「移動」コマンドでも操作は同じである。

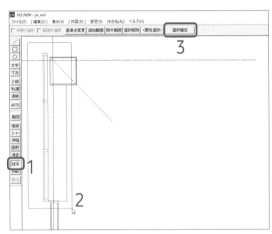

1 「複写」コマンド（メニューバー [編集] ー「図形複写」）を選択する。

Point 移動する場合は、1で「移動」コマンド（メニューバー [編集] ー「図形移動」）を選択する。

2 複写対象を範囲選択する（☞ p.198 2、3）。

3 コントロールバー「選択確定」ボタンを🖰。

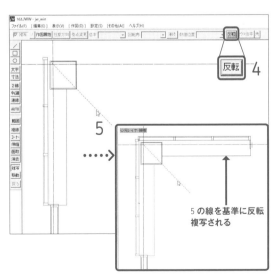

5の線を基準に反転複写される

4 コントロールバー「反転」ボタンを🖰。

5 反転の基準線を🖰。

編集／変更

164 | 左右・上下反転して移動・複写する

関連キーワード 左右反転／上下反転／反転

関連コマンド [編集] －「図形複写」「図形移動」

「複写」「移動」コマンドで左右反転、上下反転は、反転基準線がなくてもコントロールバー「倍率」ボックスで指定できる。ここでは「移動」コマンドの例で説明するが、「複写」コマンドでも操作は同じである。

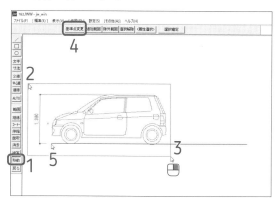

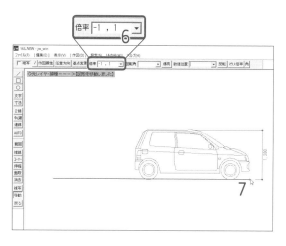

1 「移動」コマンド（メニューバー [編集] －「図形移動」）を選択する。

Point 複写する場合は1で「複写」コマンド（メニューバー [編集] －「図形複写」）を選択する。

2 移動対象の左上で🖱。

3 表示される選択範囲枠で移動対象を囲み、終点を🖱。

4 移動の基準点を指示するため、コントロールバー「基準点変更」ボタンを🖱。

5 移動の基準点を🖱（または🖱free）。

6 コントロールバー「倍率」ボックスの⏷を🖱し、リストから「-1,1」を選択する。

Point 「倍率」ボックスに、移動元の大きさを「1」とした倍率「X（横），Y（縦）」を入力することで、大きさを変更できる。ここでは、大きさは変更せずに左右を反転するため、横方向の倍率を「-1」（マイナス値は反転）、縦方向の倍率を「1」とする。上下反転する場合は「1,-1」を指定する。

7 仮表示の図が左右反転したことを確認し、移動先の点を🖱（または🖱free）。

編集／変更

207

165 | 円に沿って回転複写・移動する

関連キーワード 2点間の角度／回転／クロックメニュー（中心点・A点）

関連コマンド ［編集］－「図形複写」「図形移動」／［設定］－「角度取得」－「2点間角度」

「複写」「移動」コマンドで、複写・移動の基準点と複写・移動先を円の中心点とし、その中心点から見た複写・移動元と複写・移動先の角度をコントロールバー「回転角」に入力することで、回転複写・移動する。ここでは「複写」コマンドの例で説明するが、「移動」コマンドでも操作は同じである。

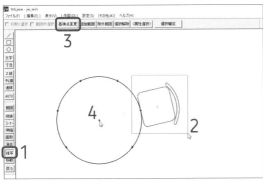

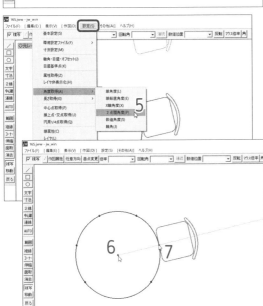

1 「複写」コマンド（メニューバー［編集］－「図形複写」）を選択する。

2 複写対象を範囲選択する（☞ p.198 2、3）。

3 コントロールバー「基準点変更」ボタンを🖰。

4 複写の基準点として円の中心点を🖰。

Point 円の中心に🖰できる点がない場合は、円にマウスポインタを合わせて🖰→ AM3時 中心点・A点 （☞ p.266）を利用する。

5 「2点角」コマンド（メニューバー［設定］－「角度取得」－「2点間角度」）を選択する。

6 角度測定の原点として円の中心点を🖰。

Point 「2点角」コマンドでは、原点と2点を指示することで、原点を中心とした2点の角度をコントロールバーの角度入力ボックスに取得する。6で円を🖰することでも円の中心点が原点になる。

7 基準点（角度測定の測り始めの点）を🖰。

編集／変更

208

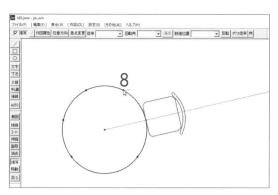

8 角度点（角度測定の測り終わりの
点）を🖰。

円の中心点を原点とした 7、8 の 2 点間の角度が取得される

回転角 51.42857

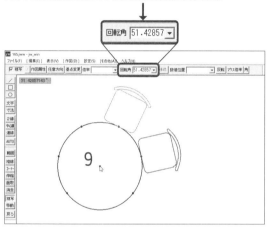

9 複写先の点として円の中心点を
🖰。

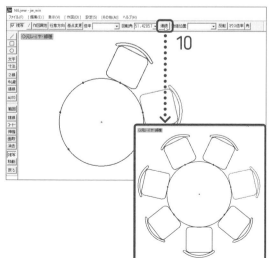

10 コントロールバー「連続」ボタンを
必要な回数（図は 5 回）🖰。

Point コントロールバー「連続」ボタ
ンを🖰することで、🖰した数だけ同じ
角度で回転複写する。

編集／変更

166 | 斜線と同じ角度で 回転移動・複写する

関連キーワード 180°回転／回転／数値入力ダイアログ／線の角度取得

関連コマンド ［編集］－「図形複写」「図形移動」／［設定］－「角度取得」－「線角度」

「移動」「複写」コマンドのコントロールバー「回転角」に、作図済みの斜線の角度を入力することで、斜線と同じ角度で回転移動・複写する。ここでは「移動」コマンドの例で説明するが、「複写」コマンドでも操作は同じである。

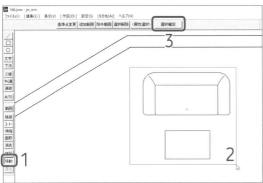

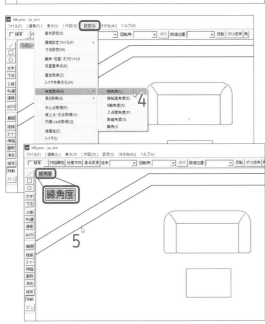

1 「移動」コマンド（メニューバー［編集］－「図形移動」）を選択する。

Point 複写する場合は、1で「複写」コマンド（メニューバー［編集］－「図形複写」）を選択する。

2 移動対象を範囲選択する（☞ p.207 2、3）。

3 コントロールバー「選択確定」ボタンを🖱。

Point 基準点を指示する場合は、3でコントロールバー「基準点変更」ボタンを🖱し、基準点を指示する。

4 「線角」コマンド（メニューバー［設定］－「角度取得」－「線角度」）を選択する。

Point 作図ウィンドウ左上に 線角度 と表示される。「線角」コマンドでは、次に🖱する線の角度をコントロールバーの角度入力（図は「回転角」）ボックスに取得する。

5 角度取得の基準線を🖱。

「回転角」ボックスに 5 の線の角度が取得される

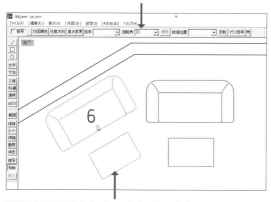

移動要素が「回転角」ボックスの角度に傾いて仮表示される

6 移動先を🖲（または🖲Read）。

? 回転したい向きと 180° 違う向きに
仮表示される ☞下の[Hint]

☞ p.93

Hint 回転角を 180°変更

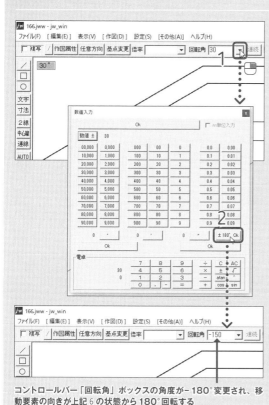

コントロールバー「回転角」ボックスの角度が− 180° 変更され、移動要素の向きが上記 6 の状態から 180° 回転する

上記 6 で移動先を指示する前に次
の操作を行うことで、仮表示の移
動要素の向きを 180°回転できる。

1 **コントロールバー「回転角」ボッ
クスの ▾ を🖲。**

Point 「数値入力」ボックスの ▾ を
🖲すると、「数値入力」ダイアログ
（☞ p.93）が開く。

2 「数値入力」ダイアログ「± 180°
Ok」ボタンを🖲。

編集／変更

211

167 マウス指示で 回転移動・複写する

関連キーワード 回転／マウスで回転

関連コマンド [編集]−「図形複写」「図形移動」

「移動」「複写」コマンドのコントロールバー「角」(マウス角) ボタンを🖱することで、マウス指示で移動・複写要素の仮表示を回転して移動・複写できる。ここでは「移動」コマンドの例で説明するが、「複写」コマンドでも操作は同じである。

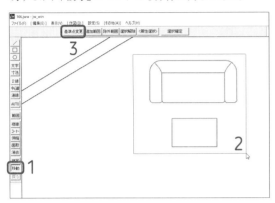

1 「移動」コマンド(メニューバー [編集]−「図形移動」)を選択する。

Point 複写する場合は、1で「複写」コマンド (メニューバー [編集]−「図形複写」) を選択する。

2 移動対象を範囲選択する (☞ p. 207 2、3)。

3 コントロールバー「基準点変更」ボタンを🖱。

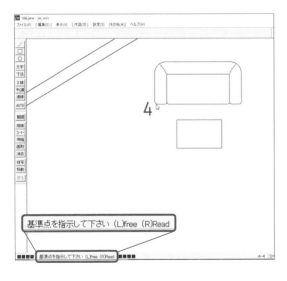

4 移動の基準点を🖱。

編集／変更

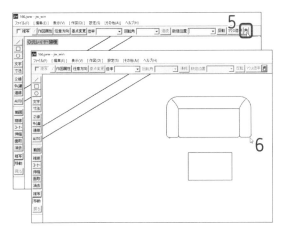

5 コントロールバー「角」ボタンを🖱。

6 角度基準点を🖱。

Point 4と6の点を結ぶ線が基準の0°になる。6の操作の代わりにコントロールバー「角」ボタンを🖱すると、基準角が水平（0°）になる。

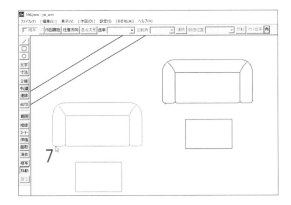

7 移動先を🖱。

4の基準点が7の点に合わせて回転の原点となり、マウスポインタに従い仮表示の移動要素が回転する

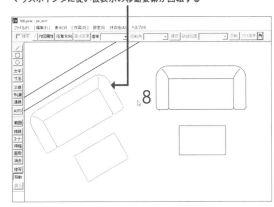

8 角度基準点を🖱（または🖱Read）。

編集／変更

168 斜めの図を回転して水平にする

関連キーワード 回転／角度取得／クロックメニュー（X軸（ー）角度）

関連コマンド ［編集］－「図形複写」「図形移動」

斜めの線から水平線までの角度を「回転角」ボックスに取得することで、斜めになっている図を回転移動・複写して水平にできる。ここでは「移動」コマンドの例で説明するが、「複写」コマンドでも操作は同じである。

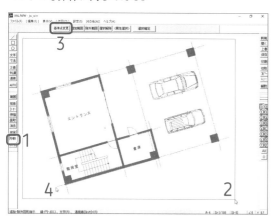

1 「移動」コマンド（メニューバー［編集］－「図形移動」）を選択する。

Point 複写する場合は、1で「複写」コマンド（メニューバー［編集］－「図形複写」）を選択する。

2 移動対象を範囲選択する（☞ p. 207 2、3）。

3 コントロールバー「基準点変更」ボタンを🖱。

4 移動の基準点を🖱。

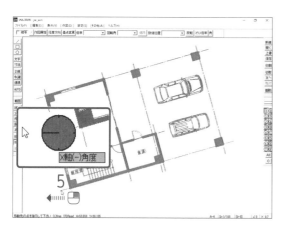

5 斜線の左端点を🖱← PM9時 X軸（ー）角度。

Point PMメニューの表示方法については p.403 を参照。🖱← PM9時 X軸（ー）角度 では、🖱←した点と次に指示する点を結んだ線から水平線までの角度を、コントロールバーの角度入力（図は「回転角」）ボックスに取得する。

編集／変更

6 斜線の右端点を🖱。

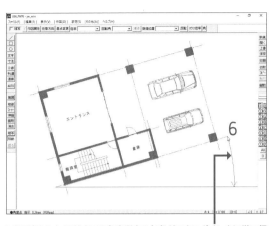

5 を原点とした X 軸までの角度測定の矢印がマウスポインタに従い仮表示される

5 を原点とした角度点 6 から X 軸までの角度がコントロールバー「回転角」ボックスに取得される

回転角 -15.72895： ▼

7 移動先を🖱（または🖱 Read）。

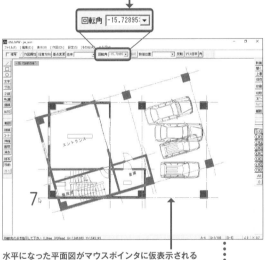

水平になった平面図がマウスポインタに仮表示される

編集／変更

169 | 倍率を指定して 図の大きさを変更する

関連キーワード 大きさ変更

関連コマンド [編集]－「図形複写」「図形移動」

「移動」「複写」コマンドのコントロールバー「倍率」ボックスに「横倍率,縦倍率」を指定することで、大きさを変更して移動・複写できる。ここでは「移動」コマンドの例で説明するが、「複写」コマンドでも操作は同じである。

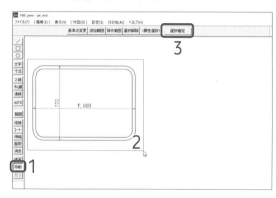

横幅が1.2倍の幅になり、寸法図形（☞ p.409）の寸法値も1.2倍の1,200に変更される

寸法値の文字サイズに変化はない

1 「移動」コマンド（メニューバー[編集]－「図形移動」）を選択する。

Point 複写する場合は、1で「複写」コマンド（メニューバー[編集]－「図形複写」）を選択する。

2 移動対象を範囲選択する（☞ p. 207 2、3）。

3 コントロールバー「選択確定」ボタンを🖰。

Point 基準点を指示する場合は、3でコントロールバー「基準点変更」ボタンを🖰して基準点を指示する。

4 コントロールバー「倍率」ボックスに「横倍率,縦倍率」（図は「1.2,1」）を入力する。

Point 「倍率」ボックスには、2で選択した図の大きさを「1」とした「横（X），縦（Y）」の倍率を入力する。横と縦の倍率が同じ場合は、1つの数値だけを入力すればよい。

5 移動先を🖰（または🖰Read）。

Point 図寸管理されている文字の大きさは変更されない。文字の大きさも同じ倍率で変更するには次ページを参照。

編集／変更

170 倍率を指定して図と文字の大きさを変更する

関連キーワード 大きさ変更／作図属性／文字も倍率

関連コマンド ［編集］－「図形複写」「図形移動」

「移動」「複写」コマンドのコントロールバー「倍率」ボックスに指定した倍率で文字の大きさも変更するには、「作図属性設定」ダイアログでの指定が必要である。ここでは「移動」コマンドの例で説明するが、「複写」コマンドでも操作は同じである。

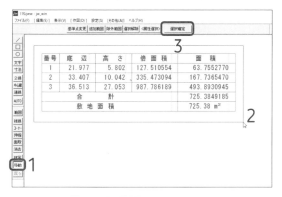

1 「移動」コマンド（メニューバー［編集］－「図形移動」）を選択する。

2 移動対象を範囲選択する（☞ p. 207 2、3）。

3 コントロールバー「選択確定」ボタンを🖰。

4 コントロールバー「倍率」ボックスに「横倍率 , 縦倍率」（図は「0.7」）を入力する。

Point 横と縦の倍率が同じ場合は、「倍率」ボックスに1つの数値だけを入力すればよい。

5 コントロールバー「作図属性」ボタンを🖰。

6 「作図属性設定」ダイアログの「文字も倍率」にチェックを付け、「Ok」ボタンを🖰。

7 移動先を🖰（または🖰Read）。

Point 「作図属性設定」ダイアログの「文字も倍率」にチェックを付けると、文字サイズも4で指定した倍率で変更される。サイズ変更された文字の文字種は「任意サイズ」になる。この指定は、Jw_cad を終了するまで有効。

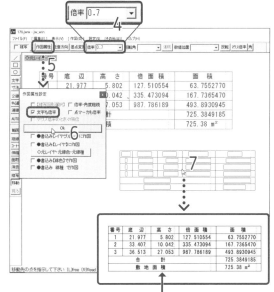

「倍率」ボックスの倍率で文字サイズも変更される

171 | 指定した範囲に収まるように大きさを変更する

関連キーワード 大きさ変更／マウスで大きさ変更／マウス倍率

関連コマンド ［編集］-「図形複写」「図形移動」

「移動」「複写」コマンドの「倍率」ボックスに「横倍率，縦倍率」を指定する代わりに、「マウス倍率」を利用して、移動・複写元の2点とそれに対応する移動・複写先の2点を指定することで大きさ変更できる。ここでは「移動」コマンドの例で説明するが、「複写」コマンドでも操作は同じである。

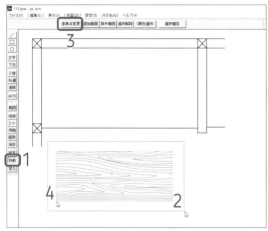

1 「移動」コマンド（メニューバー［編集］-「図形移動」）を選択する。

Point 複写する場合は、1で「複写」コマンド（メニューバー［編集］-「図形複写」）を選択する。

2 移動対象を範囲選択する（☞ p.207 2、3）。

3 コントロールバー「基準点変更」ボタンを🖱。

4 移動元の基準点を🖱。

Point 4が移動元の1点目になる。

5 コントロールバー「マウス倍率」ボタンを🖱。

6 移動元の基準点の対角位置を🖱。

Point 6が移動元の2点目になる。

7 移動先の点として、4で指示した基準点に対応する点を🖱。

8 マウス倍率の対角位置として、6で指示した対角位置に対応する点を🖱。

172 | 図の一部を伸縮して大きさを変更する

関連キーワード 一括伸縮／大きさ変更／伸縮

関連コマンド [その他] − 「パラメトリック変形」

「パラメトリック変形」コマンドで、伸縮対象線の片端点が選択範囲枠に入るように囲み、その移動距離を指定することで、図の一部を伸縮して幅や高さを変更できる。

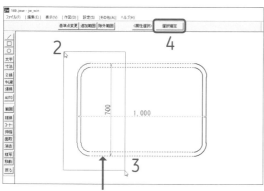

選択範囲枠に全体が入る要素が選択色になり、一方の端点が入る線が選択色の点線になる

1 「パラメ」コマンド（メニューバー [その他]−「パラメトリック変形」）を選択する。

2 範囲選択の始点を🖱。

3 選択範囲枠に伸縮対象線の片端点が入るように囲み、終点を🖱。

4 コントロールバー「選択確定」ボタンを🖱。

Point この後の指示で選択色の要素が移動し、それに伴い選択色の点線表示の線が伸び縮みする。

5 コントロールバー「数値位置」ボックスに移動距離（図は「−200,0」）を入力し、Enterキーを押す。

Point 「数値位置」ボックスには選択色の要素のXとYの移動距離を入力する。移動方向右と上は+(プラス)値、左と下は−(マイナス)値を入力する。ここでは左側へ200mm伸ばす（移動する）ため、「−200,0」を入力する。

6 コントロールバー「再選択」ボタンを🖱してパラメトリック変形を確定する。

寸法図形（ p.409）の寸法値も伸縮後の長さに変更される

編集／変更

219

173 | 図の一部を伸縮する

関連キーワード 一括伸縮／大きさ変更／伸縮

関連コマンド ［その他］－「パラメトリック変形」

「パラメトリック変形」コマンドで、伸縮対象線の片端点が選択範囲枠に入るように囲み、基準点とその移動先を指示することで、図の一部を伸縮できる。

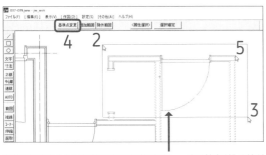

選択範囲枠に全体が入る要素が選択色になり、一方の端点が入る線が選択色の点線になる

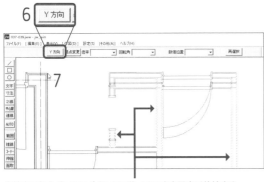

点線表示部分がマウスポインタに従ってY方向固定で伸縮する

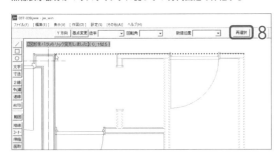

1 「パラメ」コマンド（メニューバー［その他］－「パラメトリック変形」）を選択する。

2 範囲選択の始点を🖐。

3 選択範囲枠に伸縮対象線の片端点が入るように囲み、終点を🖐。

4 コントロールバー「基準点変更」ボタンを🖐。

5 基準点を🖐。

Point この後の指示で選択色の要素が移動し、それに伴い点線表示の線が伸び縮みする。5は移動元の基準点である。

6 コントロールバー「XY方向」ボタン🖐し、「Y方向」にする。

Point コントロールバー「XY方向」ボタンを🖐すると、「Y方向」（縦方向固定）⇒「X方向」（横方向固定）⇒「任意方向」（固定なし）と伸縮・移動の固定方向が切り替わる。

7 移動先の点を🖐。

8 コントロールバー「再選択」ボタンを🖐してパラメトリック変形を確定する。

編集／変更

174 | 書込線色・線種に変更して複写・移動する

関連キーワード　書込線種で作図／書込線色・線種に変更／書込線色で作図／作図属性

関連コマンド　[編集]－「図形複写」「図形移動」

「複写」「移動」コマンドでは、通常、複写・移動元の図と同じレイヤに、同じ線色・線種で複写・移動する。「作図属性設定」ダイアログで指定することで、書込線色・線種に変更して複写・移動できる。ここでは「複写」コマンドの例で説明するが、「移動」コマンドでも操作は同じ。

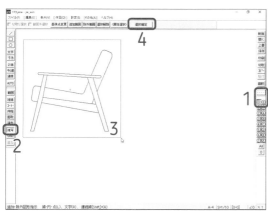

1　書込線色・線種を変更後の線色・線種（図は「線色6・点線2」）にする。

2　「複写」コマンド（メニューバー[編集]－「図形複写」）を選択する。

Point　移動する場合は、1で「移動」コマンド（メニューバー[編集]－「図形移動」）を選択する。

3　複写対象を範囲選択する（☞ p. 198 2、3）。

4　コントロールバー「選択確定」ボタンを🖰。

5　コントロールバー「作図属性」ボタンを🖰。

6　「作図属性設定」ダイアログの「●書込み【線色】で作図」と「●書込み 線種 で作図」にチェックを付け、「Ok」ボタンを🖰。

Point　線種のみを変更する場合は、「●書込み線種で作図」のみにチェックを付ける。この指定はJw_cadを終了するまで有効。

7　複写先を🖰（または🖰Read）。

Point　複写・移動要素がブロックなどの場合、6の指定は無効。

書込線色・線種で複写される →

175 | 異縮尺のレイヤグループに実寸法で複写・移動する

関連キーワード 異縮尺／書込レイヤグループに作図／書込レイヤに作図／コピー＆貼付／レイヤグループ

関連コマンド [編集]－「切り取り」「コピー」「貼り付け」「図形複写」「図形移動」

「複写」「移動」コマンドの「作図属性設定」ダイアログで「●書込みレイヤグループに作図」を指定することで、書込レイヤグループに複写・移動できる。ただし、複写・移動元と書込レイヤグループの縮尺が異なる場合、実寸法が変わってしまう。実寸法を保って書込レイヤグループに複写・移動するには、「コピー」（「切取」）＆「貼付」を利用する。

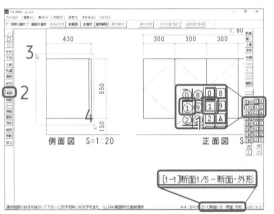

1 複写（移動）先のレイヤグループとレイヤを書込レイヤグループ、書込レイヤにする。

2 「範囲」コマンド（メニューバー［編集］－「範囲選択」）を選択する。

3 範囲選択の始点を🖱。

4 表示される選択範囲枠で対象要素を囲み、終点を🖱。

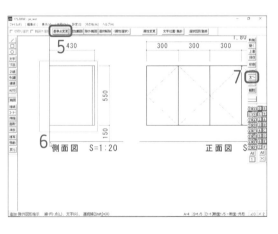

5 コントロールバー「基準点変更」ボタンを🖱。

6 基準点を🖱。

7 「コピー」コマンド（メニューバー［編集］－「コピー」）を選択する。

Point 移動する場合は、7で「切取」コマンド（メニューバー［編集］－「切り取り」）を選択する。

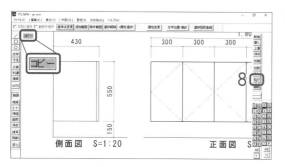

Point 作図ウィンドウ左上に コピー と表示され、選択要素がクリップボードにコピーされる。

8 「貼付」コマンド（メニューバー［編集］－「貼り付け」）を選択する。

書込レイヤグループの縮尺に準じた大きさで仮表示される

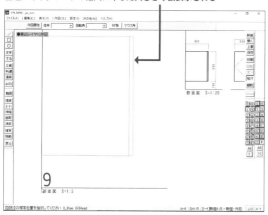

Point 作図ウィンドウ左上に表示される ●書込レイヤに作図 は、書込レイヤグループの書込レイヤに貼り付けられることを示す（元と同じレイヤ分けで貼り付け ☞ p.225 の 12 ～ 15）。

9 貼付先を🖲（または🖲 free）。

Point 貼付先を再度指示することで同じ要素を連続して貼り付けできる。「貼付」コマンドを終了するには「／」コマンドを選択する。

Hint **「複写」「移動」コマンドの「書込みレイヤグループに作図」との違い**

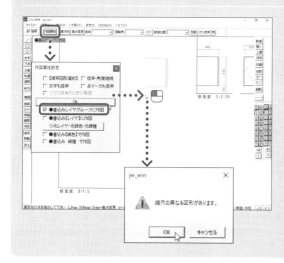

「複写」（または「移動」）コマンドの「作図属性設定」ダイアログで「●書込みレイヤグループに作図」を指示することでも、選択した要素を書込レイヤグループに複写（移動）できる。ただし、「複写」（「移動」）コマンドで異縮尺のレイヤグループに複写（移動）する場合、用紙に対する大きさ（図寸）を保って複写（移動）するため、正しい実寸法では複写（移動）されず、図の警告メッセージが表示される。

176 | 図面の一部を別の図面にコピーする

関連キーワード 異縮尺／コピー＆貼付／作図属性／複写／文字も倍率／元レイヤに作図

関連コマンド [編集]−「コピー」「貼り付け」

Jw_cad を 2 つ起動して、それぞれで別の図面を開き、「コピー」＆「貼付」を行うことで、一方の図面の一部（または全部）を他方の図面にコピーできる。

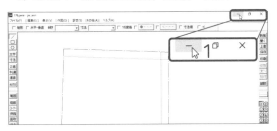

1 コピー先の図面を開き、必要に応じてコピー先の指示点を作成し、タイトルバー右上の─（最小化）を🖱して最小化する。

1 の図面を開いた Jw_cad が最小化される

2 Jw_cad をもう 1 つ起動する。

3 起動した Jw_cad で、「開く」コマンドを選択し、コピー元の図面を開く。

4 「範囲」コマンド（メニューバー［編集］−「範囲選択」）を選択する。

5 コピー範囲の始点を🖱。

6 表示される選択範囲枠で対象要素を囲み、終点を🖱。

7 コントロールバー「基準点変更」ボタンを🖱。

8 コピーの基準点を🖱。

編集／変更

224

9 「コピー」コマンド（メニューバー [編集]－「コピー」）を選択する。

Point 作図ウィンドウ左上に コピー と表示され、選択要素がクリップボードにコピーされる。

10 タスクバーの Jw_cad のアイコンを🖱し、表示されるリストからコピー先の図面を開いた Jw_cad を🖱。

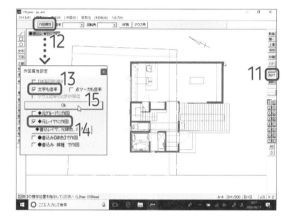

11 コピー先の図面を開いた Jw_cad で、「貼付」コマンド（メニューバー [編集]－「貼り付け」）を選択する。

12 コントロールバー「作図属性」ボタンを🖱。

13 「作図属性設定」ダイアログの「文字も倍率」にチェックを付ける。

14 「◆元レイヤに作図」にチェックを付ける。

15 「Ok」ボタンを🖱。

Point 「コピー」＆「貼付」では、コピー元図面の実寸法を保持して貼り付ける（2つの図面の縮尺が異なっても実寸法はそのまま）。このとき、文字のサイズは変わらない。図と同じ倍率で文字サイズも変更するには、13 の指定が必要。また、コピー元と同じレイヤ分けで貼り付けるには、14 の指定が必要。

16 貼り付け位置として、あらかじめ作成した点を🖱。

Point 貼付先を再度指示することで同じ要素を連続して貼り付けできる。「貼付」コマンドを終了するには「／」コマンドを選択する。

編集／変更

177 | 図面の縮尺を変更する

関連キーワード 書込レイヤグループの縮尺／縮尺変更／全レイヤグループ縮尺変更／文字サイズ変更

関連コマンド [設定]－「縮尺・読取」

図面の縮尺は、作図途中でも「縮尺・読取　設定」ダイアログで変更できる。そのとき「文字サイズ変更」の指定をすることで、縮尺変更に伴い文字のサイズも変更される。

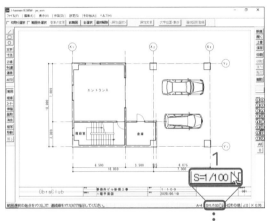

作図ウィンドウ中心を原点として縮尺が変更される

1 ステータスバー「縮尺」ボタン（メニューバー［設定］－「縮尺・読取」）を🖰。

2 「縮尺・読取　設定」ダイアログの「縮尺変更時」欄で、「実寸固定」を選択し、「文字サイズ変更」にチェックを付ける。

Point 「文字サイズ変更」にチェックを付けることで、縮尺変更に伴い図面上の文字のサイズも変更される。サイズ変更された文字の文字種は任意サイズになる。チェックを付けない場合、文字サイズは変更されない。

3 縮尺を変更（図は「1/200」）する。

Point 書込レイヤグループ以外のレイヤグループの縮尺も一括変更する場合は、「全レイヤグループの縮尺変更」にチェックを付ける。読取可能なレイヤグループの縮尺が一括変更される。

4 「OK」ボタンを🖰。

編集／変更

178 | 図面枠の大きさはそのままに縮尺を変更する

関連キーワード　書込レイヤグループの縮尺／縮尺変更／全レイヤグループ縮尺変更

関連コマンド　[設定]－「縮尺・読取」

例えば、A4 用紙に S=1/1 で作図した図面枠の大きさはそのままに縮尺を S=1/100 に変更するといった場合には、「図寸固定」を指定する。

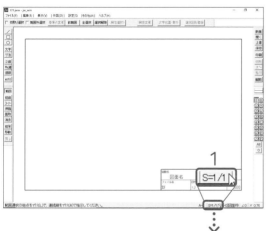

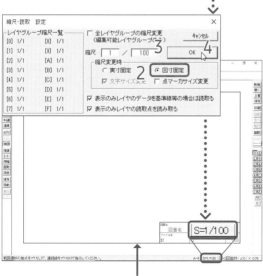

縮尺は変更されるが、作図済み要素の用紙に対する大きさは変わらない

1 ステータスバー「縮尺」ボタン（メニューバー [設定]－「縮尺・読取」）を🖱。

2 「縮尺・読取　設定」ダイアログの「縮尺変更時」欄で、「図寸固定」を選択する。

Point 「図寸固定」を選択することで、作図済みの図は縮尺変更に連動せず、用紙に対する大きさ・長さを保ったまま縮尺だけが変更される。

3 縮尺を変更（図は「1/100」）する。

Point 書込レイヤグループ以外のレイヤグループの縮尺も一括変更する場合は、「全レイヤグループの縮尺変更」にチェックを付ける。読取可能なレイヤグループの縮尺が一括変更される。

4 「OK」ボタンを🖱。

編集／変更

179 | 線・円・弧の線色・線種を変更する

関連キーワード 書込線色・線種に変更／書込レイヤに変更／線色・線種変更

関連コマンド [編集]−「属性変更」

「属性変更」コマンドでは、🖱️した線・円・弧の線色・線種を書込線色・線種に、レイヤを書込レイヤに変更する。

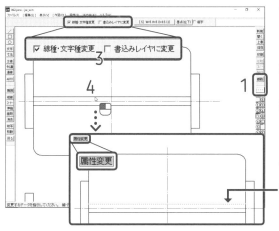

1 「線属性」コマンドを🖱️し、書込線の線色・線種を変更後の線色・線種にする。

2 「属変」コマンド（メニューバー[編集]−「属性変更」）を選択する。

3 ここではレイヤは変更しないため、コントロールバー「書込みレイヤに変更」のチェックを外す。

4 変更対象の線・円・弧を🖱️。

ーー 書込線と同じ線色・線種になる

Hint 線・円・弧の一部分の線色・線種を変更

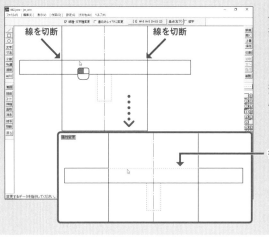

上記の手順では、線・円・弧の一部分だけ線色・線種を変更することはできない。あらかじめ、「消去」コマンドで切断（☞ p.180）をして変更部分を別個の線・弧にしたうえで、上記の手順で変更する。

ーー 書込線と同じ線色・線種になる

180 | 複数の要素の線色・線種を 一括変更する

関連キーワード 線種一括変更／線色一括変更

関連コマンド ［編集］－「範囲選択」

「範囲」コマンドで、変更対象を選択し、「属性変更」で線色や線種を変更する。ここでは線色を一括変更する例で説明するが、線種を変更する場合もほぼ同じ手順で行える。

1 「範囲」コマンド（メニューバー［編集］－「範囲選択」）を選択する。

2 範囲選択の始点を🖱。

3 表示される選択範囲枠で、線色を変更する対象を囲み、終点を🖱。

4 コントロールバー「属性変更」ボタンを🖱。

5 属性変更のダイアログの「指定【線色】に変更」を🖱。

6 「線属性」ダイアログで変更後の線色を選択し、「Ok」ボタンを🖱。

Point 線種を変更する場合は、5で「指定　線種に変更」を選択し、6で変更後の線種を指定する。両方を変更する場合は、6の後、「指定　線種に変更」を選択し、変更後の線種を指定する。

7 属性変更のダイアログの「OK」ボタンを🖱。

Point ブロック（☞ p.410）や寸法図形（☞ p.409）の線色は変更されない。ブロック解除（☞ p.359）、寸法図形解除（☞ p.319）したうえで、1～7の操作を行う。バージョン8.22e以降では寸法図形解除は不要。

編集／変更

181 | 特定の線色・線種のみを別の線色や線種に変更する

関連キーワード 指定線種選択／指定線色選択

関連コマンド [編集]-「範囲選択」

「属性選択」を利用して、「範囲」コマンドで選択した要素の中から特定の線色や線種の要素のみを選択したうえで、線色や線種を変更できる。ここでは特定の線色の要素を選択する例で説明するが、特定の線種を選択することもほぼ同じ手順で行える。

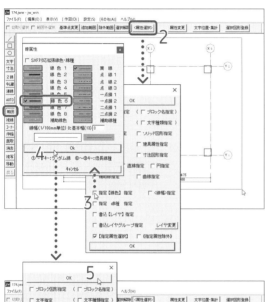

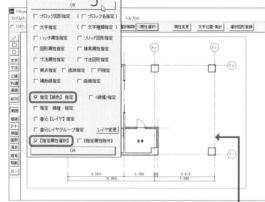

4で指定した線色の要素のみが選択色になり、
他の要素は元の色に戻る

1 前ページの1～3の操作を行う。

2 コントロールバー「＜属性選択＞」ボタンを🖱。

3 属性選択のダイアログの「指定【線色】指定」を🖱。

4 「線属性」ダイアログで、選択対象とする線色（図は「線色6」）を選択し、「Ok」ボタンを🖱。

Point 線種を指定する場合は、3で「指定 線種 指定」を🖱し、4で選択対象の線種を指定する。線色に加えて線種も指定する場合は、4の後、「指定 線種指定」を選択し、選択対象の線種を指定する。その場合、指定線色かつ指定線種の要素のみが選択される。

5 属性選択のダイアログの「【指定属性選択】」にチェックが付いていることを確認し、「OK」」ボタンを🖱。

Point 5で「《指定属性除外》」にチェックを付けた場合は、3、4で指定した条件に合う要素が1の選択要素から除外される。

6 前ページの4～7の操作を行う。

182 | 標準線色の個別線幅の線を
基本幅に一括変更する

関連キーワード 基本幅／個別線幅／線幅

関連コマンド [編集]−「範囲選択」

標準線色の個別線幅（☞ p.404）を印刷線幅指定が反映される基本幅に変更するには、「範囲」
コマンドの「属性変更」で線幅変更を行う。

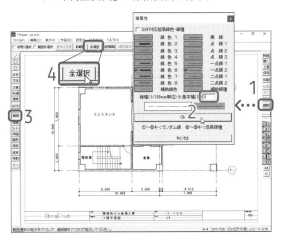

1 「線属性」コマンド（メニューバー
  [設定]−「線属性」）を選択する。

2 「線属性」ダイアログの「線幅」ボッ
  クス（☞ p.404）を「0」にし、
  「Ok」ボタンを🖰。

3 「範囲」コマンド（メニューバー[編
  集]−「範囲選択」）を選択する。

4 コントロールバー「全選択」ボタン
  を🖰。

編集可能なすべての要素が選択色になる

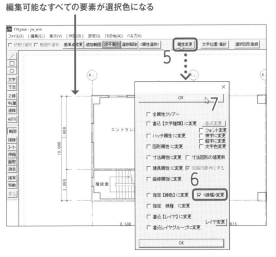

5 すべての要素が選択されたことを
  確認し、コントロールバー「属性
  変更」ボタンを🖰。

6 属性変更のダイアログの「〈線幅〉
  変更」にチェックを付ける。

7 「OK」ボタンを🖰。

Point ブロックや寸法図形要素の線
幅は変更されない。それらを変更す
るには、ブロック解除（☞ p.359）、
寸法図形解除（☞ p.319）したうえで、
1〜7 の操作を行う。

編集／変更

231

183 | ユーザー定義線種を 標準線種に変更する

関連キーワード SXF 対応拡張線種／線種一括変更／ユーザー定義線種

関連コマンド 【編集】-「範囲選択」

他の図面ファイルにコピーすると表示されないなどの不都合が生じる SXF 対応拡張線色・線種のユーザー定義線種は、「範囲」コマンドの「属性変更」で標準線種に変更できる。

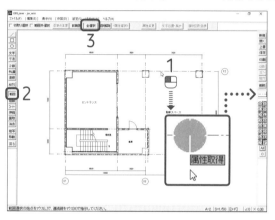

編集可能なすべての要素が選択色になる

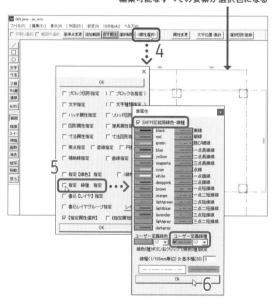

1 変更対象のユーザー定義線種を属性取得（☞ p.95）して書込線にする。

2 「範囲」コマンド（メニューバー［編集］-「範囲選択」）を選択する。

3 コントロールバー「全選択」ボタンを🖲。

4 コントロールバー「<属性選択>」ボタンを🖲。

5 属性選択のダイアログで「指定線種　指定」を🖲。

6 「線属性」ダイアログの「SXF 対応拡張線色・線種」にチェックを付け、1で属性取得した線の線種「ユーザー定義線種」が選択（凹表示）されていることを確認して「Ok」ボタンを🖲。

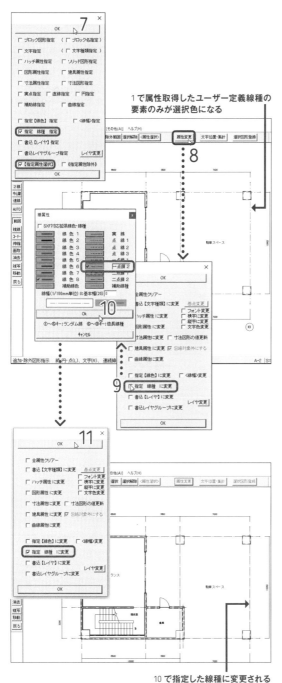

1で属性取得したユーザー定義線種の
要素のみが選択色になる

10で指定した線種に変更される

7 属性選択のダイアログで「指定 線種 指定」と「【指定属性選択】」にチェックが付いていることを確認し、「OK」ボタンを🖱。

8 コントロールバー「属性変更」ボタンを🖱。

9 属性変更のダイアログで「指定 線種 に変更」を🖱。

10 「線属性」ダイアログで変更後の線種（図は「一点鎖2」）を選択し、「Ok」ボタンを🖱。

11 属性変更のダイアログで、「指定 線種 に変更」にチェックが付いていることを確認し、「OK」ボタンを🖱。

Point 1で属性取得したユーザー定義線種が、10で指定した線種に一括変更される。ただし、ブロック（☞ p.410）に含まれるユーザー定義線種の線種は変更されない。それらを変更するには、ブロック解除（☞ p.359）したうえで、1～11の操作を行う。

編集／変更

233

184 | 曲線属性を解除する

関連キーワード DXF ／ SXF ／曲線属性解除／グループ解除／全属性クリアー／バージョン 8.22

関連コマンド ［編集］－「範囲選択」

DXF・SXF ファイルを開いた図面では、長方形の 4 本に曲線属性（☞ p.411）が付いてひとまとまりの要素になっている場合がある。それらを 4 本の線分として扱うためには、曲線属性を解除する。また、バージョン 8.22 から追加された「グループ化」（☞ p.402）を指定して作図した寸法や線記号のグループ解除も、以下の手順で行える。

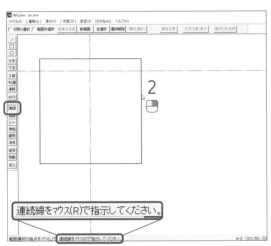

1 「範囲」コマンド（メニューバー［編集］－「範囲選択」）を選択する。

2 曲線属性の解除対象を🖱（連続線）。

Point 線を🖱（連続線）すると、その線に連続したすべての線が選択される。また、ひとまとまりの要素として扱われる曲線属性の付いた要素、グループ化された要素やブロック図形なども🖱で選択される。

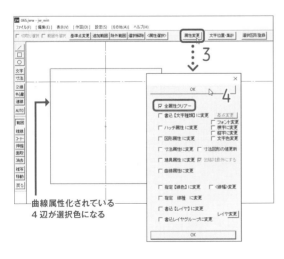

曲線属性化されている
4 辺が選択色になる

3 コントロールバー「属性変更」ボタンを🖱。

4 属性変更のダイアログの「全属性クリアー」にチェックを付け、「OK」ボタンを🖱。

Point 2 で選択した要素の曲線属性が解除され、4 本の線分に分解される。選択した要素がハッチ属性や図形属性など他の属性を持つ場合、4 の指示により、それらの属性も解除される。

編集／変更

185 | 曲線属性を付ける

関連キーワード 曲線属性付加

関連コマンド ［編集］−「範囲選択」

選択した複数の要素に曲線属性（☞ p.411）を付けることで、それらの要素をひとまとまりの要素として扱うことができる。

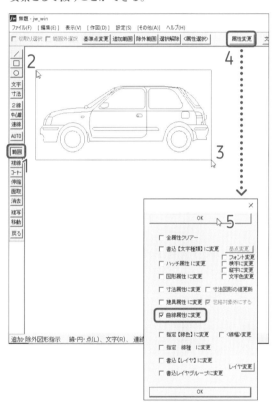

1 「範囲」コマンド（メニューバー［編集］−「範囲選択」）を選択する。

2 範囲選択の始点を🖱。

3 表示される選択範囲枠で曲線属性を付ける要素を囲み、終点を🖱。

Point 対象が連続した線でなくても、あるいは文字要素を含んでいても、曲線属性を付けてひとまとまりの要素として扱うことができる。

4 コントロールバー「属性変更」ボタンを🖱。

5 「曲線属性に変更」にチェックを付け、「OK」ボタンを🖱。

編集／変更

235

186 | 閉じた範囲に ハッチングを作図する

関連キーワード 中抜きハッチング／ハッチング／ハッチング格子状／ハッチング種類／ハッチング範囲・範囲解除

関連コマンド [作図]−「ハッチ」

ハッチングは、「ハッチ」コマンドで作図範囲（ハッチング範囲）とハッチングの種類などを指定して作図する。閉じた連続線に囲まれた内部にハッチングを作図する例で説明する。

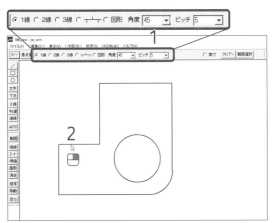

1 「ハッチ」コマンド（メニューバー
　[作図]−「ハッチ」）を選択し、コ
　ントロールバーでハッチング種類・
　角度・ピッチ（図は「1 線」、角度
　「45」、ピッチ「5」）を指定する。

Point ピッチは図寸 mm（☞ p.405）
で指定する。コントロールバー「実寸」
にチェックを付けると実寸指定になる。

2 ハッチングの作図範囲（ハッチン
　グ範囲）として閉じた連続線を🖑。

Hint ハッチングの種類と指定

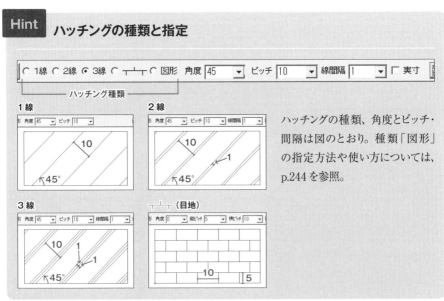

ハッチングの種類、角度とピッチ・
間隔は図のとおり。種類「図形」
の指定方法や使い方については、
p.244 を参照。

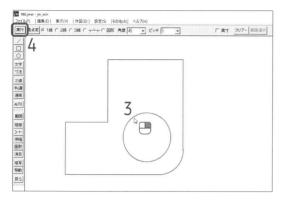

Point 🖱した線に連続するすべての線が選択色になり、それらに囲まれた内部がハッチングの作図範囲になる。

3 中抜きする範囲の外形線（図は円）を🖱。

Point ハッチングを中抜きして作図する場合は、ハッチング範囲として中抜きする範囲も指定する。

4 コントロールバー「実行」ボタンを🖱。

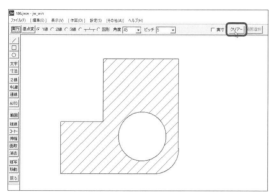

Point 書込線で1で指定のハッチングが作図される。ハッチング作図後もハッチング範囲は選択色のままで、さらにハッチングを追加作図できる。他の範囲をハッチングするには、コントロールバー「クリアー」ボタンを🖱し、ハッチング範囲を解除したうえで、新しいハッチング範囲を指定する。

Hint 格子状のハッチング

上記1〜4でハッチングを作図した後、コントロールバー「角度」ボックスの数値を90°変更（図は「-45」）し、「実行」ボタンを🖱する。同じハッチング範囲に90°傾いた角度のハッチングが追加作図され、格子状になる。

187 | 閉じていない範囲に ハッチングを作図する

関連キーワード ハッチング2線／ハッチング範囲／ハッチング範囲解除

関連コマンド ［作図］－「ハッチ」

ハッチングを作図する範囲の外形線が閉じていない場合は、その外形線を1本ずつ指示して
ハッチング範囲を指定する。

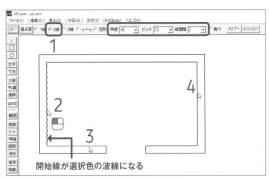

開始線が選択色の波線になる

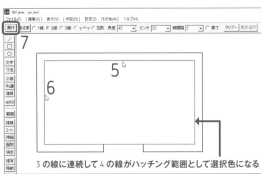

3の線に連続して4の線がハッチング範囲として選択色になる

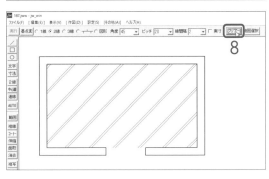

1 「ハッチ」コマンド（メニューバー
　［作図］－「ハッチ」）を選択し、コ
　ントロールバーでハッチングの種
　類・角度・ピッチ（図は「2線」、
　角度「45」、ピッチ「20」、線間隔
　「2」）を指定する。

2 ハッチングを作図する範囲の開始
　線を🖱。

3 開始線につながる次の線を🖱。

4 次の線を🖱。

Point 4で、3の延長上の線を🖱する
と**計算できません**と表示され、次の線
として選択されない。4では、3の線の
延長上で交差する線を指示する。

5 次の線を🖱。

6 開始線を🖱し、ハッチング範囲を
　確定する。

7 コントロールバー「実行」ボタンを
　🖱。

8 コントロールバー「クリアー」ボタ
　ンを🖱してハッチング範囲を解除
　する。

188 | 円の半分に ハッチングを作図する

関連キーワード ハッチング1線／ハッチング範囲

関連コマンド [作図]－「ハッチ」

線により区切られた円の半分（または一部分）にハッチングを作図するには、ハッチング範囲の外形線を🖱する順序やその位置の指示にコツがある。

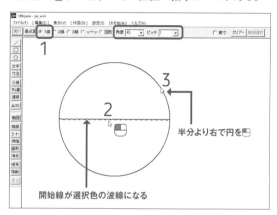

開始線が選択色の波線になる

半分より右で円を🖱

5

4

半分より左で開始線を🖱

1 「ハッチ」コマンド（メニューバー [作図]－「ハッチ」）を選択し、コントロールバーでハッチングの種類・角度・ピッチ（図は種類「1線」、角度「45」、ピッチ「1」）を指定する。

2 ハッチングを作図する範囲の開始線として、円を区切る線を🖱。

3 開始線につながる次の線として、ハッチングを作図する側で円を🖱。

Point 円の🖱位置に注意。2の線に対してハッチングを作図する側で🖱することと併せて、ハッチング範囲を左回りで指示する前提で円の半分より右側で🖱する。

4 開始線を🖱し、ハッチング範囲（図は上半分）を確定する。

Point 開始線の🖱位置に注意。3で円を半分より右側で🖱した場合、4では線の半分よりも左側で🖱すること。

5 コントロールバー「実行」ボタンを🖱。

189 | 複数のハッチング範囲を 一括選択する

関連キーワード ハッチング3線／ハッチング範囲

関連コマンド [作図]−「ハッチ」

すべてのハッチング範囲の外形線が閉じている場合は、選択範囲枠で囲むことで一括選択できる。

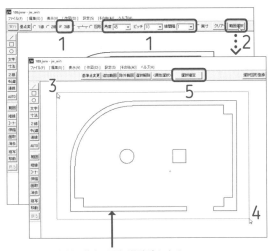

選択範囲枠内の要素が選択色になる

選択した外形線内にハッチングが作図される

1 「ハッチ」コマンド（メニューバー [作図]−「ハッチ」）を選択し、コントロールバーでハッチングの種類・角度・ピッチ（図は種類「3線」、角度「45」、ピッチ「10」、線間隔「1」）を指定する。

2 コントロールバー「範囲選択」ボタンを🖰。

3 範囲選択の始点を🖰。

4 ハッチング範囲とする外形線を囲み、選択範囲の終点を🖰。

5 ハッチング範囲が選択色になったことを確認し、コントロールバー「選択確定」ボタンを🖰。

Point ハッチング範囲とする閉じた外形線のみが選択されていることを確認する。それ以外の要素が選択されている場合は除外（☞ p.86 ～ 87）したうえで 5 を行う。

6 コントロールバー「実行」ボタンを🖰。

190 | ハッチングを 実寸法で作図する

関連キーワード ハッチング馬目地／ハッチング実寸

関連コマンド [作図] － 「ハッチ」

「ハッチ」コマンドのコントロールバー「実寸」にチェックを付けることで、ハッチングのピッチ・間隔を実寸法で指定できる。ここでは馬目地を実寸法で作図する。馬目地はコントロールバー「┬┴┬」（目地）を選択する。

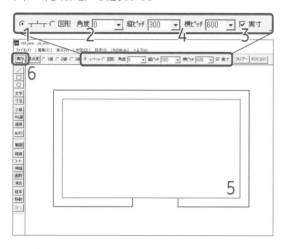

1 「ハッチ」コマンド（メニューバー[作図] － 「ハッチ」）を選択し、コントロールバーでハッチングの種類「┬┴┬」を選択する。

2 コントロールバー「角度」ボックスの角度（図は「0」）を指定する。

3 コントロールバー「実寸」にチェックを付ける。

4 「縦ピッチ」（図は「300」）、「横ピッチ」（図は「600」）を実寸法で入力する。

5 ハッチング範囲を指定する（☞ p.236 2、3 / p.238 2 ～ 6）。

6 コントロールバー「実行」ボタンを🖱。

191 | ハッチングの基準点を指定する

関連キーワード　ハッチング基準点

関連コマンド　[作図] －「ハッチ」

「ハッチ」コマンドのコントロールバー「基点変」で、ハッチングの基準点（ハッチング線が必ず通る点）を指定できる。

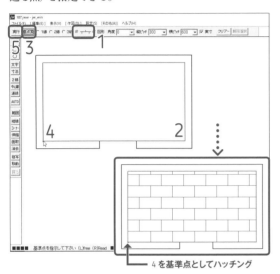

1　「ハッチ」コマンド（メニューバー[作図] －「ハッチ」）を選択し、コントロールバーでハッチングの種類・角度・ピッチを指定する。

2　ハッチング範囲を指定する（☞ p.236 2、3 / p.238 2〜6）。

3　コントロールバー「基点変」ボタンを🖰。

4　ハッチングの基準点を🖰。

5　コントロールバー「実行」ボタンを🖰。

└─ 4 を基準点としてハッチング

Hint　基準点指示の注意

基準点から右上方向にハッチングを作図する前提であるため、上記の例で右上角を基準点とすると左図のように作図される。右上角を基準点にするときは、コントロールバー「角度」ボックスに現在の角度に180°を足した数値を入力すると、右図のように作図される。

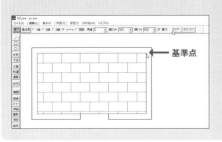

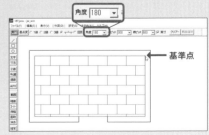

192 | 中央が点線の 3線ハッチングを作図する

関連キーワード ハッチング1線／ハッチング2線／ハッチング3線

関連コマンド [作図]－「ハッチ」

「ハッチ」コマンドのハッチ種類「3線」では、中央の線種だけを変えて作図することはできない。点線で1本線のハッチングを作図した後、続けて実線で2本線のハッチングを作図する。

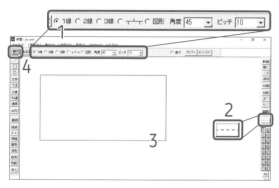

1 「ハッチ」コマンド（メニューバー [作図]－「ハッチ」）を選択し、コントロールバーでハッチングの種類「1線」を選択し、角度・ピッチ（図は角度「45」、ピッチ「10」）を指定する。

2 書込線の線種を点線（図は「点線2」）にする。

3 ハッチングを作図する範囲を指定する（☞ p.236 2、3 / p.238 2 〜6）。

4 コントロールバー「実行」ボタンを 🖱。

5 コントロールバーでハッチングの種類「2線」を選択する。

6 コントロールバー「角度」「ピッチ」はそのままで、「線間隔」ボックスの数値（図は「3」）を指定する。

7 書込線の線種を実線にする。

8 コントロールバー「実行」ボタンを 🖱。

点線で1線のハッチングが作図される

実線で2線のハッチングが同位置に作図されるため、結果として中央が点線の3線ハッチになる

1.5
1.5

193 | 網掛けハッチングを作図する

関連キーワード 網掛け／選択図形登録／ハッチング図形

関連コマンド [作図] − 「ハッチ」

「ハッチ」コマンドのハッチング種類「図形」では、あらかじめ「選択図形登録」した図形を、指定範囲に指定角度とピッチでハッチング作図する。この機能を利用して、実点や小さな円を指定範囲にハッチング作図することで、網掛けのような表現となる。

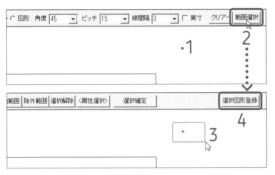

1 網掛けに使用する実点（☞ p.405）を任意の位置に作図する。

2 「ハッチ」コマンド（メニューバー[作図] − 「ハッチ」）を選択し、コントロールバー「範囲選択」ボタンを🖱。

3 実点を範囲選択する。

4 コントロールバー「選択図形登録」ボタンを🖱。

Point 作図ウィンドウ左上に《**図形登録**》と表示され、3 で範囲選択した実点が選択図形として登録される。

5 ハッチング範囲を指定する（☞ p.236／238／240）。

6 コントロールバーのハッチ種類「図形」を選択し、角度、縦ピッチ、横ピッチ（図は角度「0」、縦ピッチ「3」、横ピッチ「3」）を指定する。

7 「実行」ボタンを🖱。

Point ハッチング種類「図形」では、登録選択図形を切断できないため、指定したハッチング範囲からはみ出す場合がある。

4 で登録した実点が、6 で指定の角度・ピッチでハッチングとして作図される

244

194 | ハッチングのみを一括選択する

関連キーワード 全選択／ハッチ属性／ハッチングのみ選択

関連コマンド [編集]−「範囲選択」

「ハッチ」コマンドで作図したハッチングは「ハッチ属性」を持つ。これを利用することで、ハッチングだけを消したい、他のレイヤに変更したい場合などに図面全体からハッチングのみを容易に選択できる。

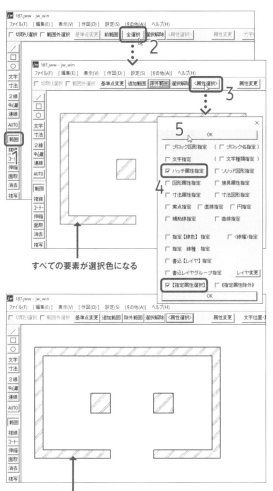

すべての要素が選択色になる

ハッチングのみが選択色になる

1 「範囲」コマンド（メニューバー [編集]−「範囲選択」）を選択する。

2 コントロールバー「全選択」ボタンを🖱し、図面全体を選択する。

3 コントロールバー「〈属性選択〉」ボタンを🖱。

4 属性選択のダイアログで、「ハッチ属性指定」にチェックを付ける。

5 「ハッチ属性指定」と「【指定属性選択】」にチェックが付いていることを確認し、「OK」ボタンを🖱。

Point 2で選択した要素の中から、ハッチング（ハッチ属性を持つ要素）のみが選択され選択色になり、他の要素は除外されて元の色に戻る。この状態で「消去」コマンドを選択すれば、選択されているハッチングが消去される。上記2〜5の操作は「範囲」コマンドに限らず、「消去」コマンドの「範囲選択消去」や「移動」「複写」コマンドなど、範囲選択時に共通して利用できる。

195 | 印刷時のみハッチングする

関連キーワード 網掛け／印刷時のみハッチング／書込レイヤ／仮点／実点／ハッチング／レイヤ名

関連コマンド [ファイル]－「印刷」／[作図]－「点」／[設定]－「レイヤ」

レイヤ名の指定で、そのレイヤに作図されている外形線（閉じた連続線）の内部を印刷時にハッチングして印刷できる。図面のファイルサイズをコンパクトに抑えたい場合などに利用する。

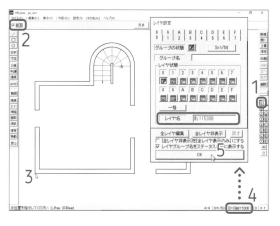

▼印刷プレビュー（☞ p.371）

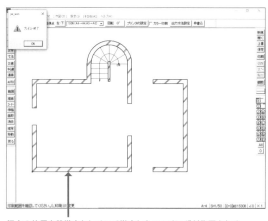

仮点の位置を基準点として 5 で指定したハッチングが作図される

1 ハッチング範囲を示す外形線のみを作図したレイヤを書込レイヤにする。

Point ハッチング範囲を示す外形線以外の要素が作図されていると、正しくハッチングされないので注意。

2 「点」コマンド（メニューバー[作図]－「点」）を選択し、コントロールバー「仮点」にチェックを付ける。

3 ハッチングの基準点を🖱。

Point 3 で仮点を作図した位置を基準点として、印刷時のみハッチングを作図する。基準点を指示する必要がない場合は 2、3 の操作は不要。

4 「書込レイヤ」ボタン（メニューバー[設定]－「レイヤ」）を🖱。

5 「レイヤ設定」ダイアログの「レイヤ名」ボックスに印刷時のみハッチングを指定するレイヤ名（図は「#j115308」）を入力し、「OK」ボタンを🖱。

Point 半角文字で「#」に続けてハッチ種類、線色、線種、線間を記入する（☞次ページ）。レイヤ名の設定は「レイヤ一覧」ウィンドウで行ってもよい。

レイヤ名の記入ルール

▓ 1線・2線・3線およびその格子状のハッチング

半角「#」に続けて、ハッチ種類、線色、線種、線間隔、角度、ピッチを数値で記入する。

①ハッチ種類 ▶ h：1線　i：2線　j：3線

②線色 ▶ 1〜8、a〜f

　a〜fは線色1〜8の線の格子状ハッチングを示す。

③線種 ▶ 1（実線）〜8

④2線、3線の線間隔 ▶ 1〜9、a〜f

　0.1mm 単位で指定。

　1（0.1mm）〜9（0.9mm）、a（1mm）〜f（1.5mm）。

　①でh（1線）を指定した場合は0を記入する。

⑤角度 ▶ 1〜9、a〜f

　15° 単位で指定。

　0、1（15°）、2（30°）、3（45°）………

　a（150°）、b（165°）………

⑥ピッチ ▶ 01〜99

　mm 単位で指定。

　01（1mm）〜99（99mm）

▼記入例

3線、線色1、実線、3線間の間隔
0.5mm、角度45°、ピッチ8mm

▼記入例

1線、線色3の格子状、実線、角度0°、
ピッチ3mm

▓ 実点による網掛けハッチング

半角「#t」に続けて、点色や角度、ピッチを数値で記入する。

①実点色番号（線色）▶ 1〜8、a〜f

　2色の実点を交互に作図する場合はa（線色1）〜f（線色6）を指定する。

②交互に作図する実点の色番号（線色）▶ 1〜8

　交互に違う色番号の実点を作図する場合（①にa〜fを記入）にその色番号を指定する。①で1〜8を指定した場合は「1」を記入する。

③ダミー ▶ 0を記入する

④角度 ▶ 1〜9、a〜f

　15° 単位で指定。

　0、1（15°）、2（30°）、3（45°）………

　a（150°）、b（165°）………

⑤ピッチ ▶ 0.1〜9.9

　mm単位で指定。

▼記入例

実点1、角度45°（15×3）、
ピッチ15mm

247

196 | 多角形を塗りつぶす

関連キーワード　色の設定パレット／曲線属性化／ソリッド／ソリッド色

関連コマンド　［作図］－「多角形」ソリッド図形／［作図］－「矩形」

Jw_cad の塗りつぶし部を「ソリッド」と呼ぶ。「多角形」コマンドの「任意」のコントロールバー「ソリッド図形」にチェックを付けることで「ソリッド」コマンドになる。ここでは、外周点を指示してその内部を塗りつぶす方法を説明する。

1 「多角形」コマンド（メニューバー ［作図］－「多角形」）を選択する。

2 コントロールバー「任意」ボタンを 🖱。

3 コントロールバー「ソリッド図形」 にチェックを付ける。

Point 3のチェックを付けることで塗りつぶしを行う「ソリッド」コマンドになる。独自にユーザーバーを設定（🗐 p.34）することで、ツールバーに「ソリッド」コマンドを配置できる。

4 コントロールバー「任意色」に チェックを付ける。

5 「任意■」ボタンを🖱。

6 「色の設定」パレットで、塗りつぶす色（ソリッド色）を🖱で選択して「OK」ボタンを🖱。

Point 4の「任意色」にチェックを付けない場合は、書込線色で塗りつぶされる。任意色で塗りつぶしたソリッドは、「印刷」コマンドのコントロールバー「カラー印刷」にチェックを付けない場合も塗りつぶした色（カラー）で印刷される。

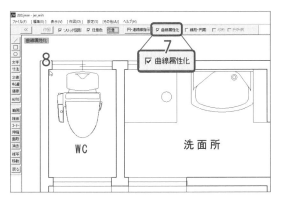

7 コントロールバー「曲線属性化」にチェックを付ける。

Point 塗りつぶし（ソリッド）は、指定範囲を三角形や四角形に分割して塗りつぶす。7のチェックを付けることで、1回の操作で塗りつぶしたソリッドに曲線属性（☞ p.411）が付き、ひとまとまりの要素として扱える。

8 始点として角を🖱。

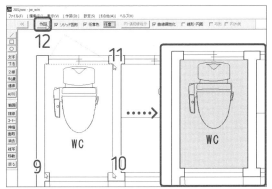

9 中間点として、次の角を🖱。
10 終点として、次の角を🖱。
11 終点として、その次の角を🖱。
12 コントロールバー「作図」ボタンを🖱。

? 塗りつぶし（ソリッド）に重なる線や文字がソリッドに隠れて表示されない ☞ p.386

Hint 長方形の塗りつぶし

「任意色」のチェックと「任意■」の色は「ソリッド」コマンドの設定と連動している

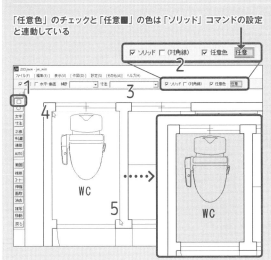

塗りつぶす範囲が長方形であれば、「□」コマンドで塗りつぶせる。

1 「□」コマンドを選択する。
2 コントロールバー「ソリッド」にチェックを付け、適宜「任意色」にもチェックを付けてソリッド色を指定する。
3 コントロールバー「寸法」ボックスを空白または「(無指定)」にする。
4 始点として左上角を🖱。
5 終点として右下角を🖱。

197 | 閉じた範囲を塗りつぶす

関連キーワード 曲線属性化／ソリッド

関連コマンド [作図]−「多角形」ソリッド図形

Jw_cad の塗りつぶしを「ソリッド」と呼ぶ。「多角形」コマンドの「任意」のコントロールバー「ソリッド図形」にチェックを付けることで「ソリッド」コマンドになる。ここでは、閉じた連続線に囲まれた内部を塗りつぶす方法を説明する。

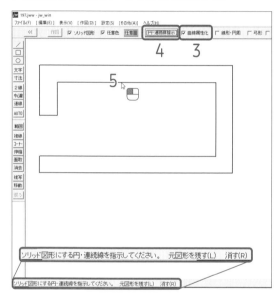

1 「ソリッド」コマンドを選択する（☞ p.248 1 ～ 3）。

2 塗りつぶす色を指定する（☞ p. 248 4 ～ 6）。

3 コントロールバー「曲線属性化」にチェックを付ける。

Point 塗りつぶし（ソリッド）は、指定範囲を三角形や四角形に分割して塗りつぶす。3 のチェックを付けることで、1 回の操作で塗りつぶしたソリッドに曲線属性（☞ p.411）が付き、ひとまとまりの要素として扱える。

4 コントロールバー「円・連続線指示」ボタンを🖱。

Point コントロールバー「円・連続線指示」ボタンを🖱すると、塗りつぶし範囲の外形線指示に切り替わる。

5 塗りつぶす範囲の外形線を🖱。

Point 5 で🖱した場合は、塗りつぶすと同時に外形線が消去される。連続する線に他の線が交差している個所がある場合や、凹面の弧がある場合は正しく塗りつぶされない（☞ p.390）。

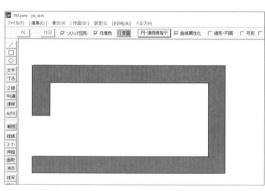

198 | 円の半分を塗りつぶす

関連キーワード　ソリッド円／ソリッド円外側／ソリッド弓形

関連コマンド　[作図] − 「多角形」ソリッド図形

円の半分を塗りつぶすには、あらかじめ円を2つの半円に分けておく必要がある。

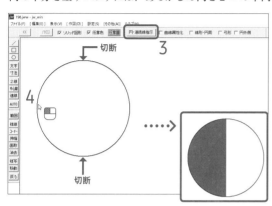

1 「消去」コマンドで、円を図の2
カ所で切断（☞ p.180 1〜5）
する。

2 「ソリッド」コマンドを選択し、ソ
リッド色を指定する（☞ p.248
1〜6）。

3 コントロールバー「円・連続線指
示」ボタンを🖰。

4 塗りつぶす側で円弧を🖰。

Hint 円・連続線指示での円弧の塗りつぶし

円弧を🖰すると、扇形に（円
弧の両端点それぞれを中心
点と結んだ内部を）塗りつぶ
す。

コントロールバー「弓形」に
チェックを付けて円弧を🖰す
ると、弓形に（円弧の両端点
を結んだ内部を）塗りつぶす。

コントロールバー「円外側」
にチェックを付けて円弧を🖰
すると、円弧の外側（外接
線と円弧に囲まれた範囲）
を塗りつぶす。

199 | 中抜きして塗りつぶす

塗りつぶしを行う「ソリッド」コマンドでは、基本的に中を抜いて塗りつぶすことはできない。外形を塗りつぶした後、レイヤを変更して中抜き部分を白で塗りつぶすことで表現する。

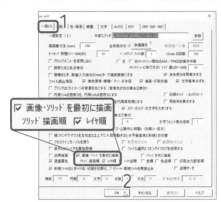

1 「基設」コマンド（メニューバー［設定］－「基本設定」）を選択し、「一般（1）」タブを🖱。

2 「画像・ソリッドを最初に描画」にチェックを付け、ソリッド描画順「レイヤ順」にチェックを付けて「OK」ボタンを🖱。

Point 2の指定により、重ねて作図したソリッドは、レイヤ順（後ろのレイヤのソリッドが手前）に表示される。

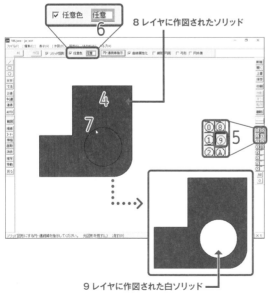

8レイヤに作図されたソリッド

9レイヤに作図された白ソリッド

3 「ソリッド」コマンドを選択し、塗りつぶし色を指定する（☞ p.248 1〜6）。

4 書込レイヤ（図は「8」レイヤ）を確認し外形を塗りつぶす（☞ p.250 3〜5）。

5 外形のソリッドより後ろのレイヤ（図は「9」レイヤ）を🖱し、書込レイヤにする。

6 コントロールバー「任意■」ボタンを🖱し、ソリッド色を白にする。

7 中抜き範囲を塗りつぶす。

200 ドーナツ状に塗りつぶす

関連キーワード 円環ソリッド／中抜きソリッド

関連コマンド [作図] -「多角形」ソリッド図形

「ソリッド」コマンドのコントロールバー「円・連続線指示」ボタンを🖑することで、「円環ソリッド」になる。円環ソリッドでは、円・弧と中抜きする円・弧半径を指定することで、ドーナツ状に塗りつぶすことができる。

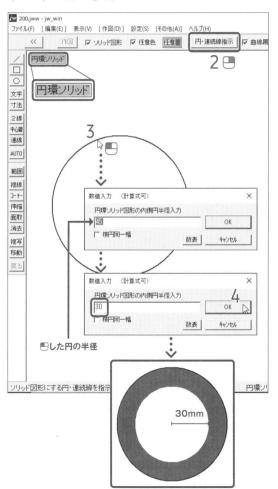

🖑した円の半径

30mm

1 「ソリッド」コマンドを選択し、ソリッド色を指定する（☞ p.248 1〜6）。

2 コントロールバー「円・連続線指示」ボタンを🖑。

Point 「円・連続線指示」ボタンを🖑すると円・弧をドーナツ状に塗りつぶす円環ソリッドになり、作図ウィンドウ左上に 円環ソリッド と表示される。

3 円環ソリッド対象の円・弧を🖑。

Point 3の円・弧の半径が入力された「数値入力」ダイアログが開くので、それよりも小さい数値（中抜きする部分の円・弧の半径）を入力する。

4 「数値入力」ボックスに中抜き部分の円・弧の半径（図は「30」）を入力し、「OK」ボタンを🖑。

201 | 内側の円・弧半径を取得してドーナツ状に塗りつぶす

関連キーワード 円環ソリッド／クロックメニュー（全属性取得）／中抜きソリッド

関連コマンド [作図]－「多角形」ソリッド図形

あらかじめドーナツ状に塗りつぶす円・弧の白抜き部分の円・弧が作図されている場合には、その半径を属性取得で入力できる。

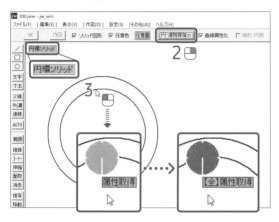

1 「ソリッド」コマンドを選択し、ソリッド色を指定する（☞ p.248 1～6）。

2 コントロールバー「円・連続線指示」ボタンを🖰。

3 内側（白抜き部分）の円・弧を🖰↓ PM6 時【全】属性取得。

Point 円・弧を🖰↓で属性取得が表示された状態で（左ボタンを押したまま）🖰して（右ボタンはすぐはなす）、PM6 時【全】属性取得が表示されたら左ボタンをはなす。3 の要素が属性取得され、作図ウィンドウ左上にその半径が表示される。

4 円環ソリッド対象の外側の円・弧を🖰。

5 内側の円・弧（3 で【全】属性取得）の半径が入力された「数値入力」ボックスが開くので「OK」ボタンを🖰。

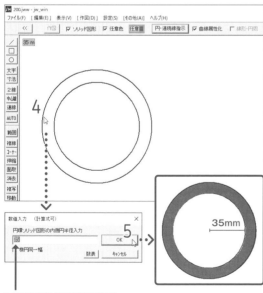

3 の円の半径が入力されている

202 | 任意のソリッド色 (塗りつぶす色)を作成する

関連キーワード 色の設定パレット／ソリッド任意色作成

関連コマンド [作図]－「多角形」ソリッド図形

「ソリッド」コマンドのコントロールバー「任意■」ボタンを🖱して開く「色の設定」パレットで、ソリッド色を作成できる。

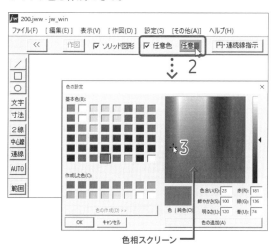

色相スクリーン

1 「ソリッド」コマンドを選択する (☞ p.248 1～3)。

2 コントロールバー「任意色」にチェックを付け、 コントロールバー「任意■」ボタンを🖱。

3 「色の設定」パレットの「色相スクリーン」を🖱し、色調を選択する。

明度スライダー

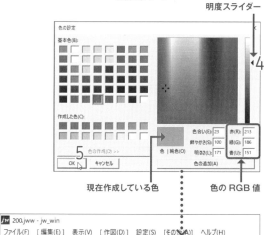

現在作成している色　　色の RGB 値

4 明度スライダー上を🖱し、色の明度を調整する。

Point 3、4の操作を繰り返して「色｜純色」を調整することで、独自の色を作成する。作成した色のRGB値は「赤(R)」「緑(G)」「青(B)」ボックスに表示され、これらの数値を変更することでも色を調整できる。

5 「OK」ボタンを🖱。

Point 作成した色は他の図面ファイルを開くか、Jw_cad を終了するまで、「色の設定」パレットに残る。

255

203

塗りつぶし色（ソリッド色）を作図済みの塗りつぶし（ソリッド）と同色にする

関連キーワード ソリッド色取得

関連コマンド ［作図］－「多角形」ソリッド図形

「ソリッド」コマンドで、作図済みのソリッド色をコントロールバー「任意■」（塗りつぶす色）に色取得できる。

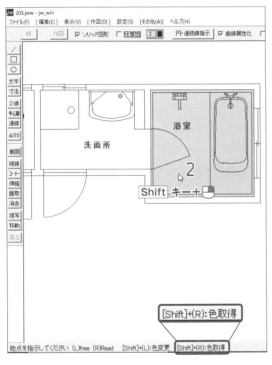

1 「ソリッド」コマンドを選択する（☞ p.248 1〜3）。

2 ステータスバーの操作メッセージが「始点を指示してください…［Shift］＋（R）：色取得」と表示されていることを確認し、Shift キーを押したまま図面上のソリッドを🖰。

Point 操作メッセージが異なる場合は、コントロールバー「円・連続線指示」ボタンを🖰して切り替える。

コントロールバー「任意■」（塗りつぶし色）が2のソリッドの色になる

204 | 印刷時のみ塗りつぶす

関連キーワード	印刷時のみソリッド／ソリッド任意色値／レイヤ名
関連コマンド	[ファイル]ー「印刷」／[設定]ー「レイヤ」

レイヤ名の指定で、そのレイヤに作図されている外形線（閉じた連続線）内部を印刷時に塗りつぶして印刷できる。「ソリッド」コマンドでの塗りつぶしが困難な形状を塗りつぶす場合や、図面のファイルサイズをコンパクトに抑えたい場合に利用する。

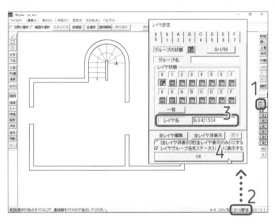

1 塗りつぶし範囲の外形線のみを作図したレイヤを書込レイヤにする。

2 「書込レイヤ」ボタン（メニューバー[設定]ー「レイヤ」）を🖱。

3 「レイヤ設定」ダイアログの「レイヤ名」ボックスに印刷時のみ塗りつぶしを指定するレイヤ名（図は「#c8421504」）を入力する。

Point 任意色で塗りつぶすには、半角文字で「#c」に続けて任意色値（0 〜 16777215）を入力する。任意色値の取得方法については、次ページを参照。レイヤ名の設定は「レイヤ一覧」ウィンドウで行ってもよい。

c8421504

任意色（黒：0 〜白：16777215）

4 「OK」ボタンを🖱。

▼印刷プレビュー（☞ p.371）

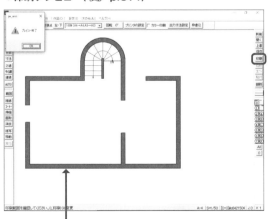

3 でレイヤ名設定したレイヤに作図された外形線内部が、指定色で塗りつぶされて印刷される

205 | 作図済みの塗りつぶし（ソリッド）の任意色値を取得する

関連キーワード 属性取得／ソリッド色／ソリッド任意色値／レイヤ名

作図済みのソリッドの任意色値は、Tabキーを4回押すことによる「属性取得」で、作図ウィンドウ左上に表示されるとともに Windows のクリップボードにコピーされる。

1 Tabキーを4回押す。

❓ Tabキーを押すと 図形がありません と表示される 🖙 p.391

2 作図ウィンドウ左上に 属性取得＋ と表示されることを確認し、作図済みのソリッドを🖱。

Point 1、2の操作で、2のソリッドが作図されているレイヤが書込レイヤになり、作図ウィンドウ左上に🖱したソリッドの任意色値が表示される。任意色値は Windows のクリップボードにもコピーされる。

Hint 取得した任意色値を「レイヤ名」ボックスに貼り付け

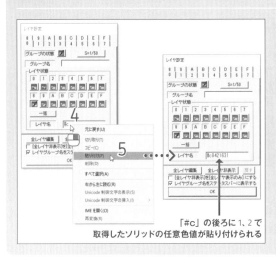

「#c」の後ろに1、2で取得したソリッドの任意色値が貼り付けられる

上記操作に続けて、以下 3 〜 5 の操作を行うことで、取得した任意色値をレイヤ名ボックスに貼り付けできる。

3 「レイヤ設定」ダイアログを開く（🖙 p.257 1、2）。

4 「レイヤ名」ボックスに「#c」を入力し、その後ろを🖱。

5 表示されるショートカットメニューの「貼り付け」を🖱。

206 | 作図済みの塗りつぶし(ソリッド)の色を変更する

関連キーワード ソリッド色変更

関連コマンド [作図]－「多角形」ソリッド図形

「ソリッド」コマンドでは、作図済みのソリッドの色を、コントロールバー「任意■」で指定のソリッド色に変更できる。

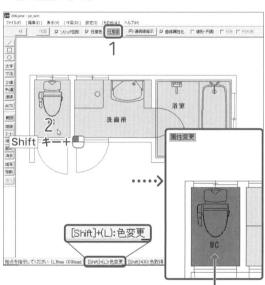

したソリッドが1で指定した色に変更され、作図ウィンドウ左上に 属性変更 のメッセージが表示される

1 「ソリッド」コマンドを選択し、ソリッド色を変更後の色にする(☞ p.248 1～6)。

2 色変更対象のソリッドを Shift キーを押したまま🖱。

Point ソリッド色の変更によって、ソリッドに重なる線・文字要素が隠れる場合は、ズーム操作を行い、画面を再表示する。

Point 塗りつぶし時にコントロールバー「曲線属性化」にチェックを付けずに塗りつぶしたソリッドの場合、図のように🖱した部分の三角形のみが色変更される。そのような場合は、次ページの方法で色変更する。

259

207 作図済みの塗りつぶし（ソリッド）の色を一括変更する

関連キーワード ソリッド色一括変更／ソリッドのみ選択

関連コマンド ［編集］－「範囲選択」

複数のソリッドの色変更は、「範囲」コマンドで変更対象のソリッドを含む図を範囲選択した後、ソリッドのみを変更対象として「属性変更」を行う。

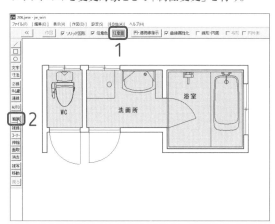

1 「ソリッド」コマンドを選択し、ソリッド色を変更後の色にする（☞ 248 1～6）。
2 「範囲」コマンド（メニューバー［編集］－「範囲選択」）を選択する。

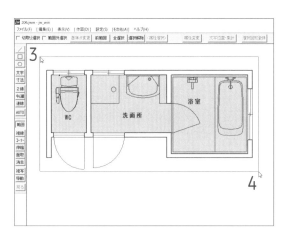

3 変更対象のソリッドの左上で🖱。
4 表示される選択範囲枠で変更対象のソリッドを囲み、終点を🖱（文字を除く）。

Point この時点でソリッド以外の要素が選択されても問題ない。

選択範囲枠内の文字以外の要素が選択色になる

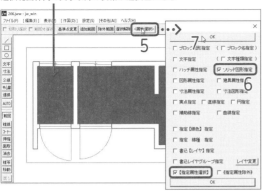

5 コントロールバー「〈属性選択〉」ボタンを🖑。

6 属性選択のダイアログで「ソリッド図形指定」にチェックを付ける。

7 「【指定属性選択】」にチェックが付いていることを確認し、「OK」ボタンを🖑。

Point ソリッド要素のみが選択される。8で「消去」コマンドを選択するとソリッドのみを消去する。

ソリッド要素のみが対象として選択色に、他の要素は対象から除外されて元の表示色に戻る

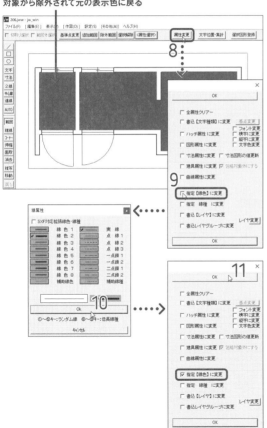

8 コントロールバー「属性変更」ボタンを🖑。

9 属性変更のダイアログで、「指定【線色】に変更」を🖑。

10 「線属性」ダイアログの「Ok」ボタンを🖑。

Point 「線属性」ダイアログでは、通常は変更後の線色を指定する。ここでは変更対象にソリッド以外の要素を含んでいないため、どの線色が選択されていても結果に影響はない。

11 「指定【線色】に変更」にチェックが付いていることを確認し、「OK」ボタンを🖑。

208 | 記入済みの文字の サイズ・文字種を確認する

文字

関連キーワード 文字サイズ確認／文字種確認

関連コマンド [設定] - 「属性取得」

図面に記入されている文字のサイズや文字種は、「文字」コマンド以外のコマンド選択時でも以下の手順で確認できる。

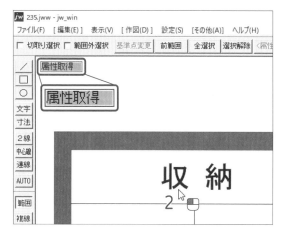

1 Tab キーを 3 回押し、画面左上に 属性取得 が表示されたことを確認する。

Point 1の操作の代わりに「属取」コマンド（メニューバー[設定] - 「属性取得」）を 3 回選択してもよい。

? Tab キーを押すと 図形がありません と表示される ☞ p.391

2 確認対象の文字を🖱。

作図ウィンドウ左上に 2 で🖱した文字の記入内容、角度、文字種、幅 (W=)、高さ (H=)、間隔 (D=)、色 No. が表示される

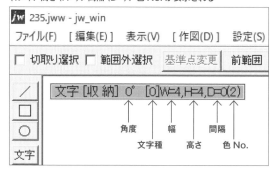

Point 2 で寸法図形（☞ p.409）の寸法値を🖱した場合、 寸法図形です に続けて寸法線の長さが表示され、寸法値の文字種は確認できない。寸法図形の寸法値の文字種は、「文字」コマンド選択時に「属性取得」することで確認する（☞ p.265）。

209 | 文字を記入する

関連キーワード 書込文字種／フォント／文字サイズ／文字種／文字列

関連コマンド [作図]－「文字」

「文字」コマンドで文字種（文字サイズ）などを指定し、文字を入力した後、位置を指示して記入する。

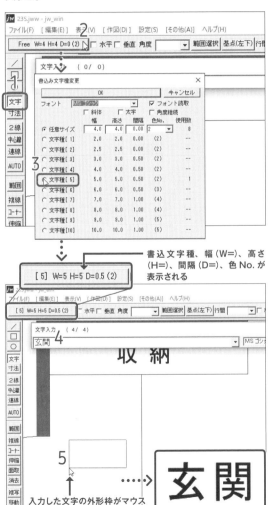

書込文字種、幅（W=）、高さ（H=）、間隔（D=）、色 No. が表示される

[5] W=5 H=5 D=0.5 (2)

入力した文字の外形枠がマウスポインタに表示される

1 「文字」コマンド（メニューバー [作図]－「文字」）を選択する。

2 コントロールバー「書込文字種」ボタンを🖯。

3 「書込み文字種変更」ダイアログで、書込文字種（図は文字種 5）を🖯で選択する。

Point 3 で、これから記入する文字のサイズ（文字種）を選択する。文字種 [1] － [10] にないサイズの文字を記入するには、「任意サイズ」を指定する（☞ p.264）文字のフォントや斜体、太字の指定もこのダイアログで行う。

4 「文字入力」ボックスに記入文字（図は「玄関」）を入力する。

Point マウスポインタに入力した文字の外形枠が表示される。外形枠に対するマウスポインタの位置を「基点」と呼び、コントロールバー「基点」ボタンで変更できる（☞ p.266）。

5 文字の記入位置を🖯（または🖯 Read）。

Point 記入した 1 行の文字は文字を扱うときの最小単位で、「文字列」と呼ぶ。

263

210 文字種 1 ～ 10 にない サイズの文字を記入する

関連キーワード　書込文字種／補助線色／文字サイズ／文字種（任意サイズ）

関連コマンド　[作図] －「文字」

書込文字種として「任意サイズ」を選択し、その幅・高さを指定することで、文字種 1 ～ 10 にないサイズの文字を記入できる。ここでは、100mm 角の文字を指定する例で説明する。

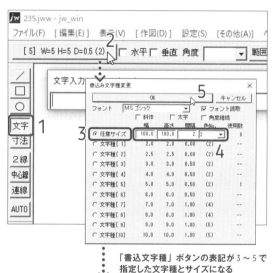

「書込文字種」ボタンの表記が 3 ～ 5 で
指定した文字種とサイズになる

1 「文字」コマンド（メニューバー [作図] －「文字」）を選択する。

2 コントロールバー「書込文字種」ボタンを🖰。

3 「書込み文字種変更」ダイアログの「任意サイズ」を🖰。

4 「任意サイズ」の「幅」「高さ」ボックスの数値を「100」に変更し、必要に応じて「間隔」ボックスの数値（図は「2」）、「色 No.」ボックスの数値（図は「2」）を変更する。

5 「OK」ボタンを🖰。

Point 文字サイズは、図寸 mm（☞ p.405）で指定する。「色 No.」は画面上の表示色とカラー印刷時の色の区別で、文字の太さには関係ない。色 No. を「9」（補助線色）にすると印刷されない文字になる。

6 「文字入力」ボックスに記入文字（図は「洋室」）を入力する。

7 記入位置を🖰。

211 | 記入済みの文字と 同じ文字種で記入する

関連キーワード 書込文字種／文字種

関連コマンド ［作図］－「文字」／［設定］－「属性取得」

「文字」コマンドを選択して、記入済みの文字を「属性取得」することで、その文字種が書込文字種になる。

書込文字種が 3 の文字と同じ文字種になる

1 「文字」コマンド（メニューバー［作図］－「文字」）を選択する。

2 「属取」コマンド（メニューバー［設定］－「属性取得」）を選択する。

3 属性取得の対象として記入済みの文字を🖱。

4 「文字入力」ボックスに記入文字（図は「ホール」）を入力する。

5 文字の記入位置を🖱。

212 | 円の中心に文字を記入する

関連キーワード 円・弧の中心／クロックメニュー（中心点・A 点）／文字基点設定／文字の基点

関連コマンド [作図]－「文字」 ／ [設定]－「中心点取得」

円の中心に文字を記入するには、文字の基点を「中中」にし、文字の記入位置として円の中心を指示する。円の中心に🖱（Read）できる点がなくても、🖱→（右ドラッグ）によるクロックメニュー（☞ p.403）の AM3 時 中心点・A 点 で、円の中心点を点指示できる。

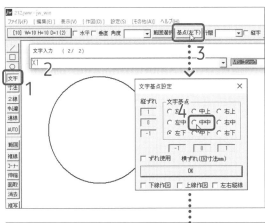

1 「文字」コマンド（メニューバー [作図]－「文字」）を選択する。

2 「文字入力」ボックスに記入文字（図は「X1」）を入力する。

3 コントロールバー「基点」ボタンを🖱。

4 「文字基点設定」ダイアログの「中中」を🖱。

Point 文字外形枠に対するマウスポインタの位置を基点と呼び、以下の9 カ所に変更できる。

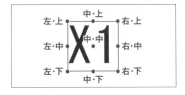

5 文字の記入位置として、円にマウスポインタを合わせて🖱→ AM3 時 中心点・A 点。

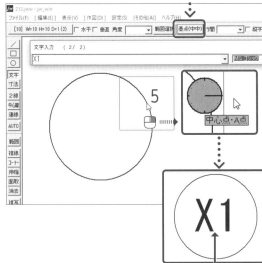

文字の基点「中中」を 5 の円の中心点に合わせて文字が記入される

Point 円・弧にマウスポインタを合わせて🖱→し、クロックメニュー AM3 時 中心点・A 点 が表示されたらボタンをはなすことで、🖱→した円・弧の中心点を点指示できる。5 の操作の代わりに、メニューバー [設定]－「中心点取得」を選択して、円を🖱してもよい。

213 | 長方形の中心に 文字を記入する

関連キーワード クロックメニュー（中心点・A点）／長方形の中心

関連コマンド ［作図］－「文字」／［設定］－「中心点取得」

長方形の中心に文字を記入するには、文字の基点を「中中」にし、文字の記入位置として長方形の2つの対角の中心点を指示する。

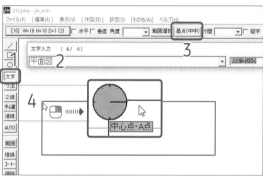

4と5で指示した2点間の中心に文字の基点「中中」を合わせて記入される

1 「文字」コマンド（メニューバー［作図］－「文字」）を選択する。

2 「文字入力」ボックスに記入文字（図は「平面図」）を入力する。

3 コントロールバー「基点」ボタンを🖱し、基点を「中中」にする（☞前ページ3、4）。

4 文字の記入位置として、長方形の左上角にマウスポインタを合わせて🖱→ AM3時 中心点・A点 。

Point 図面上の点にマウスポインタを合わせて🖱→ AM3時 中心点・A点 し、次に2点目を🖱することで、2点間の中心点を指示できる。4の操作の代わりに、メニューバー［設定］－「中心点取得」を選択して、長方形の角を🖱してもよい。この機能は、「文字」コマンドに限らず、他のコマンドの点指示時にも共通して利用できる。

5 点Bとして、右下角🖱。

267

214 | 枠付きの文字を記入する

文字

関連キーワード 文字基点設定／枠付き文字

関連コマンド [作図]－「文字」

文字の記入時の「文字基点設定」ダイアログでの指定で、書込線色・線種の枠が付いた文字を記入できる。

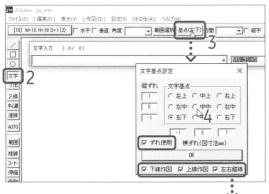

枠付きを示す表示 → □(中中)

枠付きを示す仮表示

縦ずれ 1mm

縦ずれ− 1mm

横ずれ− 1mm　横ずれ 1mm

文字とともに書込線色・線種の枠が作図される

1 書込線をこれから作図する文字枠の線色・線種にする。

2 「文字」コマンド（メニューバー [作図]－「文字」）を選択する。

3 コントロールバー「基点」ボタンを🖱。

4 「文字基点設定」ダイアログの「下線作図」「上線作図」「左右縦線」と「ずれ使用」にチェックを付け、文字の基点（図は「中中」）を🖱。

Point 「文字基点設定」ダイアログの「下線作図」「上線作図」「左右縦線」のチェックを付けることで、記入する文字の周りに書込線色・線種で枠（下線と上線と左右の線4本）を作図する。枠の大きさは、「ずれ使用」にチェックを付け、「縦ずれ」「横ずれ」ボックスの数値を変更することで調整できる。

5 「文字入力」ボックスに記入文字（図は「正面図」）を入力する。

6 文字の記入位置を🖱（または🖱 Read）。

Point 作図された枠は、文字とは別個の4本の線分要素である。

215 斜線に沿って文字を記入する

関連キーワード 線の角度取得／文字の角度

関連コマンド [作図]－「文字」／[設定]－「角度取得」－「線角度」

「文字」コマンドのコントロールバー「角度」ボックスに斜線の角度を入力することで、斜線に沿って文字を記入できる。斜線の角度が不明な場合は、「角度取得」を利用して、「角度」ボックスに斜線の角度を取得する。

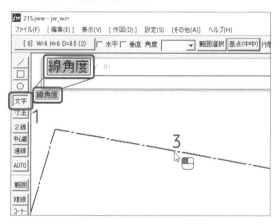

1 「文字」コマンド（メニューバー [作図]－「文字」）を選択する。

2 「線角」コマンド（メニューバー [設定]－「角度取得」－「線角度」）を選択する。

Point 「線角度」では、次に🖱した線の角度をコントロールバー「角度」ボックスに取得する。「文字」コマンドに限らず、コントロールバーに角度を入力するボックスがあるコマンドで共通して利用できる。

3で🖱した線の角度が取得される

3 斜線を🖱。

4 「文字入力」ボックスに記入文字（図は「隣地境界線」）を入力する。

5 文字の記入位置🖱（または🖱 Read）。

3の斜線と同じ角度で、文字が記入される

216 | 縦書きで文字を記入する

関連キーワード 縦書き文字／文字の基点

関連コマンド [作図]-「文字」

「文字」コマンドのコントロールバー「垂直」と「縦字」にチェックを付けることで、縦書きで文字を記入できる。

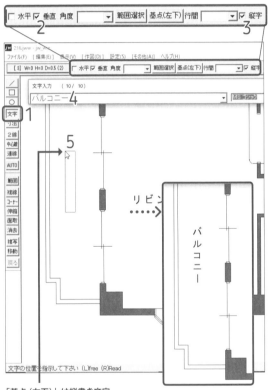

「基点（左下）」は縦書き文字の左上に相当する

1 「文字」コマンド（メニューバー[作図]-「文字」）を選択する。

2 コントロールバー「垂直」にチェックを付ける。

3 コントロールバー「縦字」にチェックを付ける。

4 「文字入力」ボックスに記入文字（図はバルコニー）を入力する。

Point 縦書きの文字を記入する場合、文字は必ず全角で入力する。半角文字を入力した場合、記入した文字が重なり読めない。またバルコニーの「ー」（音引き）は、－（ハイフン）ではなく、ほキーの「ー」（音引き）を入力する。

5 文字の記入位置を🖱。

Point 「縦字」「垂直」にチェックを付けた場合の文字の基点は下図のようになる。

217 | 計算式を入力して 計算結果を記入する

関連キーワード　計算結果記入／計算式入力／文字入力／バージョン 8.22d

関連コマンド　[作図]-「文字」／[設定]-「基本設定」

「文字」コマンドの「文字入力」ボックスに計算式を入力し、[Ctrl]キーを押したまま記入位置を🖱（または🖱Read）することで、入力した計算式の計算結果を記入できる。

1 「文字」コマンド（メニューバー[作図]-「文字」）を選択する。

2 「文字入力」ボックスに計算式を入力する。

3 [Ctrl]キーを押したまま、記入位置を🖱（または🖱Read）。

Point 計算式に続けて「=」を入力すると、計算式とその答えを記入できる。四則演算ほかの入力記号については表を参照。「数値入力」ボックスに計算式を入力する場合（☞ p.92）と異なり、括弧（　）、掛ける×、割る÷も、そのままの記号で入力してよい。計算式を全角文字で記入すると計算結果は全角、計算式を半角で記入すると計算結果は半角で記入される。

▼計算記号

四則演算	＋　－　×または＊　÷または／
アークタンジェント	// 数値
cos	c 角度（度）
sin	s 角度（度）
π（3.141593）	π
$\sqrt{}$	$\sqrt{}$
べき乗	^　（上付文字 ^u も有効） 例：3^2 または 3^u2 ⇒「9」

Hint　バージョン 8.22d 以降で必要な設定

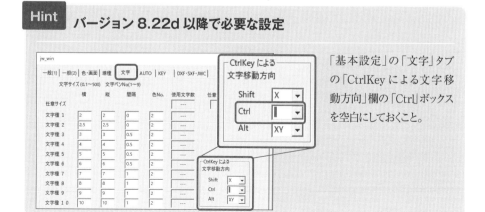

「基本設定」の「文字」タブの「CtrlKey による文字移動方向」欄の「Ctrl」ボックスを空白にしておくこと。

218 | m³や㋐などの 特殊文字を記入する

関連キーワード 上付き文字／下付き文字／特殊文字／丸付き文字／文字入力

関連コマンド [作図]－「文字」

「m³」の「3」のような上付き文字や、「㋐」などの丸付き文字は、Jw_cad独自の入力方法で記入する。そのため図面ファイルを他のCADに渡した場合には、これらの表現は無効である。

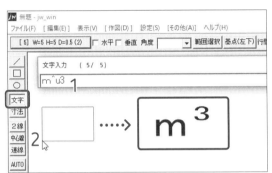

■ 上付き文字

1 「文字」コマンドの「文字入力」ボックスに「m^u3」を入力する。

Point 「^」は「^」キーを押す。「^」は半角文字で、「u」は半角の小文字で入力する。「^u」に続けて文字(1文字)を入力することで、「^u」の後ろの文字を上付き表示にする。

2 文字の記入位置を🖱。

Hint その他の特殊文字

以下の赤い文字(^とアルファベット)は半角文字で入力する。

^d 下付き文字
「^d」に続けて入力した1文字を下付きにする。

^o 中央重ね文字
○や□に続けて「^o」と1文字を入力すると、○や□中央に「^o」後の文字を重ねて1文字のように表示する。

^w 半角2文字の中央重ね文字
○や□に続けて「^w」と半角2文字を入力すると、○や□中央に「^w」後の2文字を重ねて1文字のように表示する。

^b ^B ^n 重ね文字
「^b」「^B」「^n」に続けて入力した1文字を、前の文字に重ねて表示する(^bと^Bと^nでは重なる割合が異なる)。

^c 中付き文字
「^c」に続けて入力した1文字を中付きにする。

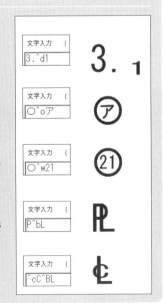

219 | 文字を均等割付・均等縮小する

関連キーワード 均等割付・均等縮小／文字入力

関連コマンド ［作図］－「文字」

決められた枠内に文字を均等割付する指定はないが、指定の文字数の範囲内に均等に割り付けたり均等に縮小して収めることができる。

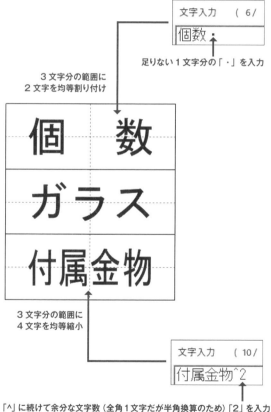

文字入力 　(6/

個数・

足りない1文字分の「・」を入力

3文字分の範囲に
2文字を均等割り付け

3文字分の範囲に
4文字を均等縮小

文字入力 　(10/

付属金物^2

「^」に続けて余分な文字数（全角1文字だが半角換算のため）「2」を入力

■ 均等割付

入力する文字の末尾に足りない文字の数だけ「・」（ め キーの中点の全角文字)を入力することで、均等割付になる。

Point 均等割付せずに文字の末尾に「・」を記入する場合は、「・」後ろにスペースを入力する。

■ 均等縮小

文字の末尾に半角文字で「^」（アクセントと余分な文字数を半角換算（全角1文字は半角2文字と換算）で入力することで「^」の後ろに指定した文字数分、幅を縮めて表示される。指定できる文字の最大は「9」（半角で9文字）。

文字

220 | 複数行の文字を連続して記入する

関連キーワード 複数行の文字／文字の行間

関連コマンド ［作図］−「文字」

「文字」コマンドのコントロールバー「行間」ボックスに行間を入力することで、複数行の文字を連続して記入できる。

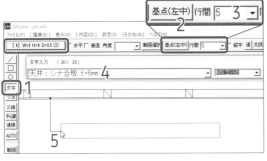

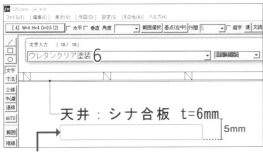

1 行目の文字が記入され、5mm 下に次の文字枠が表示される

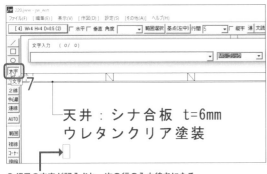

2 行目の文字が記入され、次の行の入力待ちになる

1 「文字」コマンド（メニューバー［作図］−「文字」）を選択する。

2 書込文字種（☞ p.263）と基点（☞ p.266）を指定する。

3 コントロールバー「行間」ボックスに文字の行間（図は「5」）を図寸（mm）で入力する。

4 「文字入力」ボックスに 1 行目の文字を入力する。

5 1 行目の文字の記入位置を🖱（または🖱 free）。

6 「文字入力」ボックスに 2 行目の文字を入力し、Enter キーを押して確定する。

Point 続けて「文字入力」ボックスに文字を入力し、Enter キーを押して確定することで、3 行目の文字を記入できる。3 行目以降の文字を記入しない場合は、「文字」コマンド（または他のコマンド）を🖱し、連続行入力を終了する。

7 連続行入力を終了するため、「文字」コマンドを🖱。

221 記入済みの文字を書き換える

関連キーワード 文字基点設定／文字の基点／文字変更

関連コマンド [作図]－「文字」

文字を書き換えるには、「文字」コマンドで書き換え対象の文字を🖰する。書き換えの前後で文字数が異なる場合は、書き換え時の文字の基点に注意が必要である。

1 「文字」コマンド（メニューバー [作図]－「文字」）を選択する。

2 書き換え対象の文字を🖰（移動・変更）。

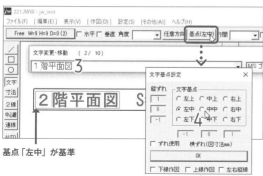
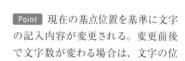

基点「左中」が基準

3 「文字変更・移動」ボックスの文字を書き換える。

Point 現在の基点位置を基準に文字の記入内容が変更される。変更前後で文字数が変わる場合は、文字の位置がずれないよう、この段階で文字の基点を確認・変更する。

4 必要に応じてコントロールバー「基点」ボタンを🖰し、「文字基点設定」ダイアログで基点（図は「中中」）を指定する。

Point この段階で Enter キーを押すことで、文字の変更が確定する。また、図面上の別の位置を🖰（または🖰Read）することで、記入内容の変更と移動が同時に行える。

5 Enter キーを押す。

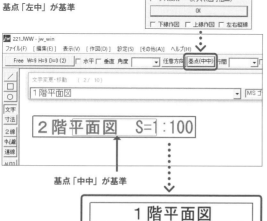

基点「中中」が基準

222 | 特定の文字を一括置換する

関連キーワード NOTEPAD／メモ帳／文字置換／文字変更

関連コマンド ［作図］－「文字」

Jw_cad 自体には文字の置換機能はないが、テキストエディタを利用することで、特定の文字を他の文字に一括して置き換えできる。ここでは図面内の文字「リビング・ダイニング」を「LD」に置き換える例で説明する。

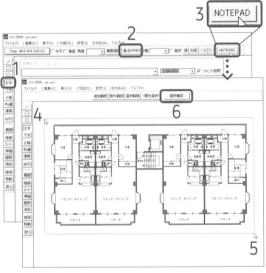

1 「文字」コマンド（メニューバー［作図］－「文字」）を選択する。

2 コントロールバー「基点」を確認し、適宜変更する。

Point 文字内容の変更は、現在の基点設定で行われる。書き換え後に文字の位置が大きくずれないような基点を指定する。

3 コントロールバー「NOTEPAD」ボタンを🖲。

Point 「基本設定」の「一般 (1)」タブの「外部エディタ」で指定しているテキストエディタ名がボタンに表示される。

4 範囲選択の始点を🖲。

5 選択範囲枠で対象を囲み、終点を🖲。

6 コントロールバー「選択確定」ボタンを🖲。

7 選択された文字が羅列するメモ帳（NOTEPAD）が開くので、メモ帳のメニューバー［編集］－「置換」を選択する。

選択された文字が羅列するメモ帳（NOTEPAD）が開く

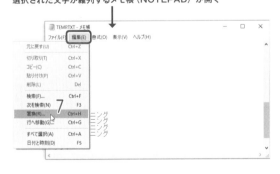

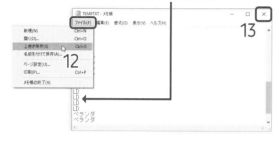

NOTEPAD 上の「リビング・ダイニング」がすべて「LD」に置き換えられる

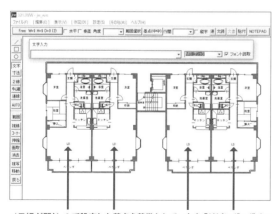

メモ帳が閉じ、2 で設定した基点を基準として、文字「リビング・ダイニング」すべてが「LD」に変更される

8 「置換」ダイアログの「検索する文字列」ボックスに、置き換え前の文字（図は「リビング・ダイニング」）を入力する。

Point 半角／全角 キーを押して、日本語入力の無効⇔有効を切り替える。記入済みの文字が全角で記入されている場合は全角文字で、半角で記入されている場合は半角文字で入力すること。全角、半角が異なると別の文字として認識され、置き換えされない。

9 「置換後の文字列」ボックスに置き換え後の文字（図は「LD」）を入力する。

10 「すべて置換」ボタンを🖰。

11 「置換」ダイアログ右上✕を🖰して閉じる。

12 メニューバー［ファイル］－「上書き保存」を選択する。

13 メモ帳のタイトルバーの右上✕を🖰して閉じる。

223 | 文字列の位置を
隣の文字列に揃える

関連キーワード 移動／移動方向固定／文字位置整列／文字の移動／文字の基点／文字列

関連コマンド [作図]－「文字」

「文字」コマンドの「文字入力」ボックスに入力せずに記入済みの文字列を🖱することで、文字列の移動になる。移動方向を固定して文字列を移動することで、隣の文字列に揃えられる。

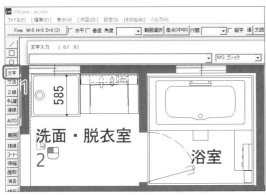

1 「文字」コマンド（メニューバー [作図]－「文字」）を選択する。

2 移動する文字（図は「洗面・脱衣室」）を🖱（移動・変更）。

Point 「文字入力」ボックスに入力せず、記入済みの文字を🖱することで文字の移動・変更（書き換え）、🖱することで文字の複写になる。

3 コントロールバーの「基点」を確認し、左下でない場合は、「基点」ボタンを🖱して左下にする。

Point コントロールバー「基点」ボタンを🖱すると、基点は（左下）になる。

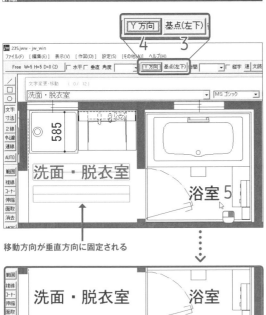

移動方向が垂直方向に固定される

4 コントロールバー「任意方向」ボタンを2回🖱し、「Y方向」にする。

Point コントロールバー「任意方向」ボタンを🖱することで、移動の方向を「X方向」（水平方向に固定）⇒「Y方向」（垂直方向に固定）⇒「XY方向」（水平または垂直に固定）に切り替えできる。

5 移動先として、隣の文字（図は「浴室」）の右下を🖱。

Point 記入済みの文字列の左下と右下は、🖱で読み取りできる。

224 | 複数行の文字列の位置を揃える

関連キーワード 文字位置整列／文字基点設定／文字の基点／文字列

関連コマンド [編集]−「範囲選択」

「範囲」コマンドの「文字位置・集計」で、複数行の文字列を先頭・中央・末尾のいずれかで揃えることができる。ここでは、中央で揃える例で説明する。

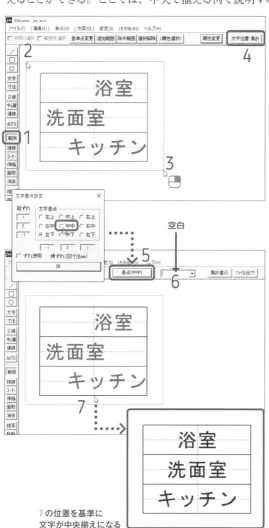

1 「範囲」コマンド（メニューバー[編集]−「範囲選択」）を選択する。

2 範囲選択の始点を🖱。

3 表示される選択範囲枠で揃える文字全体を囲み、終点を🖱（文字を含む）。

Point 選択範囲枠内の文字を選択するには終点を🖱する。選択範囲枠内の文字以外の要素も選択されるが、問題ない。

4 コントロールバー「文字位置・集計」ボタンを🖱。

5 コントロールバー「基点」ボタンを🖱し、文字の基点を「中中」にする。

Point ここでは、複数の文字列を中央で揃えるため、文字の基点を「中中」にする。

6 コントロールバー「行間」ボックスが空白であることを確認する。空白でない場合は、▼ボタンを🖱し、リストから「（無指定）」を選択する。

7 文字列の位置を揃える基準点として、文字列の中心を合わせる位置を🖱。

7の位置を基準に文字が中央揃えになる

225 複数の数値を小数点位置で揃える

関連キーワード 数値位置整列／文字位置整列

関連コマンド [編集]－「範囲選択」

「範囲」コマンドの「文字位置・集計」で、複数行の文字列を先頭・中央・末尾のいずれかで揃えられる（☞ p.279）が、文字列が数値の場合はその小数点位置で揃えることもできる。

1 「範囲」コマンド（メニューバー［編集］－「範囲選択」）を選択する。

2 範囲選択の始点を🖲。

3 整列対象の文字（数値）を選択範囲枠で囲み、終点を🖲（文字を含む）。

4 コントロールバー「文字位置・集計」ボタンを🖲。

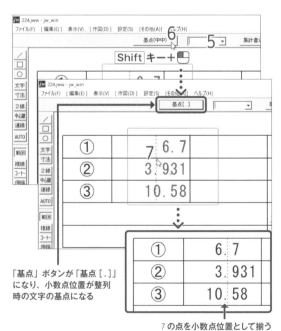

「基点」ボタンが「基点［.］」になり、小数点位置が整列時の文字の基点になる

7の点を小数点位置として揃う

5 コントロールバー「行間」ボックスを空白または「（無指定）」にする。

6 コントロールバー「基点」ボタンを、Shiftキーを押したまま🖲。

7 文字列を揃える基準点として、小数点を合わせる位置（図は補助線と横の罫線との交点）を🖲。

226 | 2つの文字列を 1つに連結する

関連キーワード 文字の切断／文字の連結／文字列

関連コマンド [作図]－「文字」

「文字」コマンドの「連」では、別個の文字列を1つに連結できる。

3で🖱️した文字列の後ろに4の文字列が連結される

1 「文字」コマンド（メニューバー [作図]－「文字」）を選択する。

2 コントロールバー「連」ボタンを🖱️。

Point 「連」では、文字例を🖱️することで文字列を連結し、文字列を🖱️することでその位置で文字列を2つに切断する。

3 連結元の文字列の連結する側を🖱️。

4 連結対象の文字列を🖱️（移動）。

Point 4で文字列を🖱️（複写）すると、4の文字列は残したまま、3の文字列の後ろに4の文字列を連結する。

227 | 文字種1〜10のサイズを 設定する

関連キーワード　**使用文字数／補助線色／文字サイズ設定／文字サイズ変更／文字種**

関連コマンド　**[設定]-「基本設定」**

あらかじめ用意されている文字種1〜10の設定サイズは、「基本設定」で変更できる。

1 「基設」コマンド（メニューバー [設定] -「基本設定」）を選択する。

2 「jw_win」ダイアログの「文字」タブを🖱。

Point　「文字」タブでは、文字種1〜10の文字種ごとにサイズ（横・縦・間隔）を図寸mm（☞ p.405）で指定する。色No.は画面上の表示色およびカラー印刷時の印刷色の別で、文字の太さには影響しない。線色1〜9（9は印刷されない補助線色）を指定する。

開いている図面で使用している文字種ごとの文字列の数

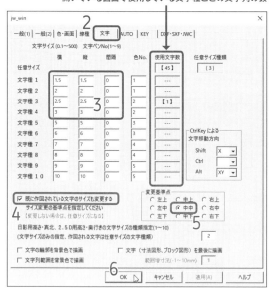

3 サイズ設定を変更する文字種（図は文字種1〜4）の「横」「縦」「間隔」ボックスの数値を書き換える。

4 開いている図面の文字のサイズも変更する場合は、「既に作図されている文字のサイズも変更する」にチェックを付ける。

Point　4のチェックを付けると、開いている図面で使用している文字種3の文字サイズも3で指定した大きさに変更される。チェックを付けない場合、図面上の文字種3のサイズは変更されず、その文字種が任意サイズになる。

5 文字サイズの「変更基準点」を「中中」にする。

6 「OK」ボタンを🖱。

282

228 | 記入済みの文字のサイズを変更する

関連キーワード　フォント変更／文字サイズ変更／文字種変更

関連コマンド　[編集]−「属性変更」

記入済みの文字のサイズは「属性変更」コマンドで個別に変更できる。

1　「属変」コマンド（メニューバー[編集]−「属性変更」）を選択する。

2　コントロールバー「書込文字種」ボタンを🖰。

3　「書込み文字種変更」ダイアログで変更後の文字種（図は「文字種[2]」）を🖰。

Point　「属性変更」コマンドは、指示した文字の文字種、フォント、斜体、太字などの指定を、「書込み文字種変更」ダイアログでの指定に変更する。

4　必要に応じて、コントロールバー「基点」ボタンを🖰し、「文字基点設定」ダイアログで、文字サイズ変更の基点（図は「中中」）を指定する。

Point　基点を原点としてサイズ変更される。ここでは、サイズ変更後も文字の中心位置がずれないように「中中」を指定した。

5　文字のレイヤが変更されないよう、コントロールバー「書込みレイヤに変更」のチェックを外す。

6　大きさ変更する文字を🖰。

Point　「属性変更」コマンドでは、文字を🖰で指示する。ただし、寸法図形（☞ p.409）の寸法値のサイズは変更できない。

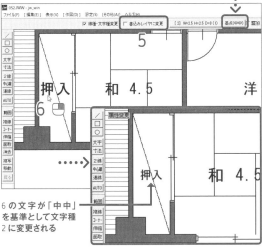

6 の文字が「中中」を基準として文字種2 に変更される

229 複数の文字のサイズを一括変更する

関連キーワード 寸法値のサイズ一括変更／文字基点設定／文字サイズ一括変更／文字種変更

関連コマンド ［編集］−「範囲選択」

「範囲」コマンドの「属性変更」で、複数の文字のサイズ（文字種）を一括変更できる。

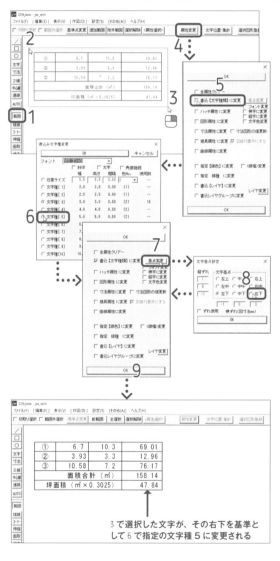

1 「範囲」コマンド（メニューバー［編集］−「範囲選択」）を選択する。

2 範囲選択の始点を🖱。

3 表示される選択範囲枠でサイズ変更する文字全体を囲み、終点を🖱（文字を含む）。

Point 選択範囲枠内の文字を選択するため、終点を🖱する。選択範囲枠内の文字以外の要素も選択されるが、問題ない。

4 コントロールバー「属性変更」ボタンを🖱。

5 属性変更のダイアログの「書込【文字種類】に変更」を🖱。

6 「書込み文字種変更」ダイアログで、変更後の文字種（図は「文字種 [5]」）を🖱。

7 属性変更のダイアログの「基点変更」ボタンを🖱。

8 「文字基点設定」ダイアログの「右下」を🖱。

Point ここではサイズ変更する文字の右下の位置がずれないよう、文字のサイズ変更の基点を「右下」に指定した。

9 属性変更のダイアログの「OK」ボタンを🖱。

Point 寸法図形（☞ p.409）の寸法値のサイズも変更される。

3 で選択した文字が、その右下を基準として 6 で指定の文字種 5 に変更される

230 | 特定の文字種のみを選択する

関連キーワード 指定文字種選択／文字種／文字種類で選択

関連コマンド ［編集］－「範囲選択」

範囲選択のとき、特定の文字種の文字のみを指定して選択できる。前ページの4の操作前に本ページの3～6を行うことで、指定した文字種のみを選択して文字サイズを変更できる。

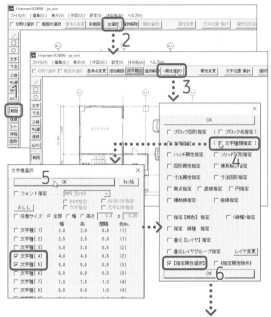

1 「範囲」コマンド（メニューバー［編集］－「範囲選択」）を選択する。

2 コントロールバー「全選択」ボタンを🖱。

Point 2の指示で読取可能なすべての要素を選択する。2の操作の代わりに選択範囲枠で囲むことで選択（☞前ページ2、3）してもよい。

3 コントロールバー「＜属性選択＞」ボタンを🖱。

4 属性選択のダイアログで「文字種類指定」を🖱。

5 「文字種選択」ダイアログで選択する文字種（図は「文字種 [4]」と「文字種 [5]」にチェックを付け、「OK」ボタンを🖱。

6 属性選択のダイアログの「文字種類指定」と「【指定属性選択】」にチェックが付いていることを確認し、「OK」ボタンを🖱。

Point 「【指定属性選択】」にチェックが付いた状態では、属性選択のダイアログでチェックを付けた条件に合う要素のみを選択する。「文字指定」「文字種類指定」では、寸法図形（☞p.409）の寸法値やブロック（☞p.410）内の文字は選択されない。

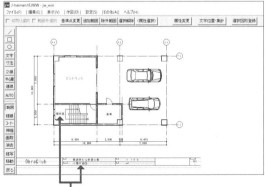

6で指定した文字種のみが選択色になる

285

231 | 記入済みの文字のフォントを変更する

関連キーワード　フォント変更

関連コマンド　[作図]-「文字」

「文字入力」ダイアログの「フォント」ボックスで変更後のフォントを指定し、記入されている文字を移動・変更指示することで、その文字のフォントを変更できる。

1 「文字」コマンド（メニューバー［作図］-「文字」）を選択する。

2 「文字入力」ダイアログの「フォント」ボックスの▼を🖢し、リストから変更後のフォント（図は「MS明朝」）を選択する。

3 「文字入力」ダイアログの「フォント読取」のチェックを外す。

Point 3のチェックを外すと、文字の移動・変更・複写時、対象とした文字のフォントを読み取らず、現在の「フォント」ボックスのフォントで移動・変更・複写を行う。

4 フォントを変更する文字を🖢（移動・変更）。

5 Enterキーを押す。

Point ここでは、文字の内容や位置は変更せずに、フォントだけを変更するため、「文字変更・移動」ボックスの内容を変更せずに、Enterキー（元の位置）を押す。ただし、寸法図形（☞ p.409）の寸法値のフォントは変更できない。

[Enter]で元の位置

現在の「フォント」ボックスのフォントに変更される

232 | 記入済みの文字のフォントを 一括で変更する

関連キーワード フォント一括変更

関連コマンド ［編集］－「範囲選択」

文字

「範囲」コマンドの「属性変更」で複数の文字のフォントを一括変更できる。

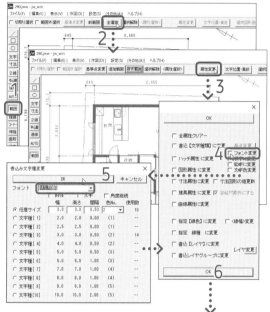

寸法図形の寸法値も含め、5 で指定の文字フォントに変更される

1 「範囲」コマンド（メニューバー［編集］－「範囲選択」）を選択する。

2 コントロールバー「全選択」ボタンを🖱し、図面全体を選択する。

Point 一部の文字のフォントを変更する場合は、2 で変更対象の文字を範囲選択する（🖙 p.284 2、3）。この段階で文字以外の要素が選択されても問題ない。

3 コントロールバー「属性変更」ボタンを🖱。

4 属性変更のダイアログの「フォント変更」を🖱。

5 「書込み文字種変更」ダイアログの「フォント」ボックスの▼を🖱し、リストから変更後の文字フォント（図は「MS 明朝」）を選択して「OK」ボタンを🖱。

Point リストにはパソコンに入っている日本語の TrueType フォントが表示される。ただし、記入済みの文字の幅が変化する可能性がある「MS P 明朝」など、フォント名に「P」が付くプロポーショナルフォントは選択しないこと。

6 属性変更のダイアログの「OK」ボタンを🖱。

Point 寸法図形（🖙 p.409）の寸法値のフォントも変更される。

233 │ 記入済みの文字の色を 一括で変更する

関連キーワード 文字種（任意サイズ）／文字色一括変更

関連コマンド ［編集］－「範囲選択」

文字色（色 No.）は、画面上の表示色とカラー印刷時の印刷色の別である。「範囲」コマンドの「属性変更」で複数の文字の色を一括変更できる。

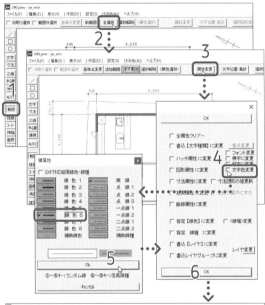

1 「範囲」コマンド（メニューバー［編集］－「範囲選択」）を選択する。

2 コントロールバー「全選択」ボタンを⬤し、図面全体を選択する。

Point 図面の一部の文字色を変更する場合は、2 で変更対象の文字を範囲選択する（☞ p.284 2、3）。この段階で文字以外の要素が選択されても問題ない。

3 コントロールバー「属性変更」ボタンを⬤。

4 属性変更のダイアログで「文字色変更」を⬤。

5 「線属性」ダイアログで、変更後の色 No.（図は「線色 6」）を選択し、「Ok」ボタンを⬤。

6 属性変更のダイアログの「OK」ボタンを⬤。

Point 選択した文字の色 No. が「6」になり、画面上の表示色も「線色 6」の色になる。ただし、寸法図形（☞ p.409）の寸法値やブロック（☞ p.410）内の文字色は変更されない。この方法で文字種 1 〜 10 の文字要素の色 No. を変更すると、それらの文字種は「任意サイズ」に変更される。

文字色が色 No.6（線色 6）に変更される

寸法図形の寸法値の色は変わらない

234

すべての文字の向きを水平にする

関連キーワード 文字の角度一括変更

関連コマンド [編集]－「データ整理」

図面全体を 90°回転すると、記入されている文字の向きも 90°回転する。「データ整理」コマンドで、それらの文字の向きをまとめて水平にできる。

1 「整理」コマンド（メニューバー [編集]－「データ整理」）を選択する。

2 範囲選択の始点を🖱。

3 表示される選択範囲枠ですべての文字を囲み、終点を🖱（文字を含む）。

Point 選択範囲枠内の文字以外の要素が選択されても問題ない。

4 コントロールバー「選択確定」ボタンを🖱。

選択したすべての文字の向きが、各文字の「中中」を基準に、軸角の角度である水平（0°）になる

5 ステータスバー「軸角」ボタンが「∠0」になっていることを確認する。

Point 「文字角度整理」は、文字の角度を現在の「軸角」の角度に変更する。ステータスバー「軸角」ボタンが「∠0」になっていない場合は、p.109 Hint を参照し、「軸角」ボタンを「∠0」にする。

6 コントロールバー「文字角度整理」ボタンを🖱。

235 | 文字の背景を白抜きにする

関連キーワード 文字背景白抜き

関連コマンド [設定]－「基本設定」

文字に重なるハッチングや塗りつぶし（ソリッド）を部分的に消すことなく、文字の背景を白抜きにして表示・印刷できる。

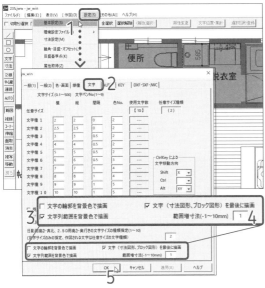

1 「基設」コマンド（メニューバー［設定］－「基本設定」）を選択する。

2 「jw_win」ダイアログの「文字」タブを🖱。

3 「文字列範囲を背景色で描画」にチェックを付ける。

4 必要に応じて「範囲増寸法」ボックスの数値を変更する。

Point 「範囲増寸法」ボックスの数値（-1～10mm）で白抜きの範囲の大きさを調整する。数値が大きいほど白抜きの範囲が大きくなる。

5 「OK」ボタンを🖱。

Point 以上で、すべての文字列の背景が白抜き表示される。ただし、寸法図形の寸法値の背景は白抜きされない。寸法値の背景を白抜きするには、寸法図形を解除（☞ p.318）して寸法値を文字要素にする必要がある。3、4の指定は図面ファイルに保存される。

すべての文字の背景が白抜きになるため、ハッチング、塗りつぶし（ソリッド）に限らず、文字に重なる線は途切れて表示・印刷される

236 | 文字枠や文字の空白記号を画面に表示する

関連キーワード 文字スペース表示／文字枠／枠付き文字

関連コマンド [設定]－「画面倍率・文字表示」

文字表示設定により、作図ウィンドウ上の文字を文字列ごとに枠付きで表示（印刷はされない）することができる。1文字列の範囲を把握するときなどに利用する。

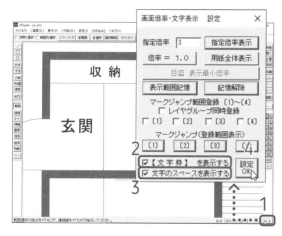

1 ステータスバー「表示倍率」ボタン（またはメニューバー [設定]－「画面倍率・文字表示」）を🖲。

2 「画面倍率・文字表示　設定」ダイアログの「【文字枠】を表示する」にチェックを付ける。

3 「文字のスペースを表示する」にチェックを付ける。

Point 2のチェックにより文字列に外形枠が表示される。3でチェックを付けることで、文字のスペース（空白）にスペースを示す記号「→」が表示される。これらは確認のために画面上表示されるだけで印刷はされない。

4 「設定OK」ボタンを🖲。

Point これらの設定は2、3のチェックを外すまで有効で、図面ファイルには保存されない。

スペースを示す記号が表示される

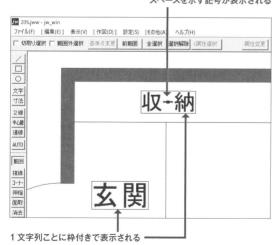

1文字列ことに枠付きで表示される

237 | 寸法を記入する

関連キーワード 寸法記入／寸法線端部実点／寸法補助線

関連コマンド [作図]－「寸法」／[設定]－「寸法設定」

寸法は「寸法」コマンドのコントロールバーで記入角度、寸法補助線（Jw_cad では「引出線」と呼ぶ）のタイプ、端部形状などを指定し、記入位置と2点を指示することで記入する。寸法線の線色や寸法値のサイズは「寸法設定」ダイアログでの設定（☞ p.406）で記入される。

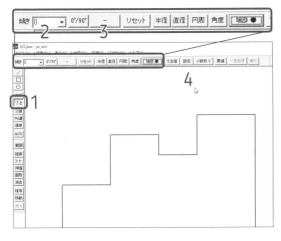

4 の位置に寸法線の記入位置を示すガイドライン（赤点線）が2 の角度で表示される

1 「寸法」コマンド（メニューバー[作図]－「寸法」）を選択する。

2 コントロールバー「傾き」ボックスに寸法線角度（図は「0°」）を指定し、端部形状ボタン（図は「端部●」）を確認する。

3 コントロールバーの引出線タイプボタンを「－」に切り替える。

Point 引出線タイプボタンを🖱で「＝」⇒「＝ (1)」⇒「＝ (2)」⇒「－」に切り替わる。引出線タイプ「－」では、はじめに寸法線の記入位置を指示する。

4 寸法線の記入位置を🖱（または🖱Read）。

5 寸法の始点（測り始めの点）を🖱。

Point 「寸法」コマンドでは図面上の2点（測り始めの点と測り終わりの点）を指示することで、その間隔を寸法として記入する。寸法の始点・終点として点のない位置を指示することはできない。寸法の始点、終点指示は、🖱、🖱のいずれでも近くの点を読み取る。

6 寸法の終点（測り終わりの点）を🖱。

5、6 間の寸法がガイドライン上に記入される

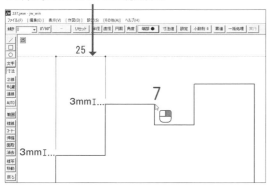

直前の終点 6 から㊀した 7 までの寸法がガイドライン上に記入される

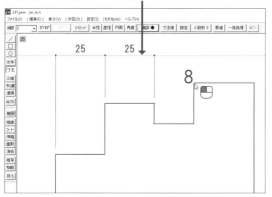

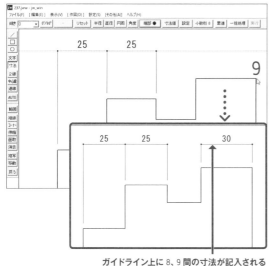

ガイドライン上に 8、9 間の寸法が記入される
（7、8 間の寸法は記入されない）

Point 3 で指定した引出線タイプ「−」
は、寸法の始点・終点から「寸法設定」
ダイアログの「指示点からの引出線位
置 指定［−］」欄で指定した間隔（図
は 3mm）を空けて寸法補助線（引出
線）を記入する。

7 連続入力の終点として次の点を㊀。

Point 寸法の始点と終点を指示した
後の指示は、㊀と㊀では違う働きをす
る。直前に記入した寸法の終点から
次に指示する点までの寸法を記入する
には、次の点を㊀で指示する。

8 寸法の始点として次の点を㊀（始点指示）。

Point 直前に記入した寸法の終点か
ら連続して寸法を記入しない場合は、
次の点を㊀することで寸法の始点とす
る。

9 終点として次の点を㊀。

Point 他の位置に寸法を記入するに
は、コントロールバー「リセット」ボタ
ンを㊀し、現在の寸法位置指定を解
除する。

238 | 寸法を一括で記入する

関連キーワード 寸法記入（一括）

関連コマンド ［作図］－「寸法」

- -

「寸法」コマンドのコントロールバー「一括処理」では、複数の線間の寸法を一括記入できる。

1 「寸法」コマンド（メニューバー［作図］－「寸法」）を選択し、コントロールバーで傾き、端部形状、引出線タイプ（図は「－」）を指定する。

2 寸法線の作図位置を🖱（または🖱Read）。

3 コントロールバー「一括処理」ボタンを🖱。

4 からマウスポインタまで赤い点線が仮表示される

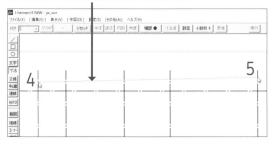

4 一括処理の始線として、左端の線を🖱。

5 一括処理の終線として、右端の線を🖱。

Point 5の終線指示時、赤い点線に交差する線がすべて寸法一括処理の対象として選択色になる。この段階で線を🖱すると、対象から除外または追加できる。

6 コントロールバー「実行」ボタンを🖱。

赤い点線に交差した線が対象として選択色になる

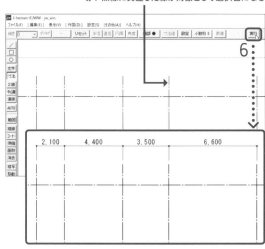

選択色の線間の寸法が
一括で記入される

寸法／測定

239 | 寸法補助線の長さを揃えて寸法を記入する

関連キーワード 寸法記入／寸法補助線

関連コマンド [作図]−「寸法」

「寸法」コマンドの引出線タイプ「=」では、寸法補助線（引出線）の始点位置と寸法線の記入位置を指示して寸法を記入する。寸法の始点・終点の位置に関わらず、寸法補助線が同じ長さになる。

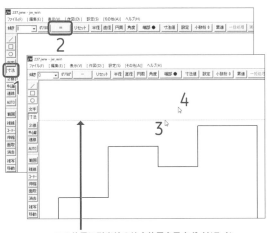

3 の位置に引出線の始点位置を示すガイドライン
（赤い点線）が表示される

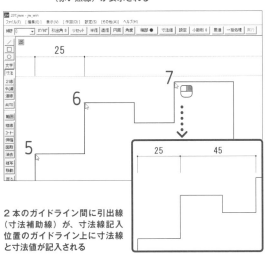

２本のガイドライン間に引出線
（寸法補助線）が、寸法線記入
位置のガイドライン上に寸法線
と寸法値が記入される

1 「寸法」コマンド（メニューバー
　[作図]−「寸法」）を選択し、コン
　トロールバーで傾き、端部形状を
　指定する。

2 コントロールバーの引出線タイプ
　を「=」にする。

Point 引出線タイプボタンを🖱で「=」
⇒「=（1）」⇒「=（2）」⇒「−」に切
り替わる。引出線タイプ「=」では、
最初に引出線（寸法補助線）の始点と
寸法線の記入位置を指示する。

3 引出線の始点を🖱（または🖱
　Read）。

4 寸法線の記入位置を🖱（または
　🖱Read）。

5 寸法の始点を🖱。

Point 寸法の始点、終点指示は、🖱、
🖱のいずれでも既存の点を読み取る。

6 寸法の終点を🖱。

Point 寸法の始点と終点を指示した
後の指示は、🖱と🖱では違う働きをす
る（☞ p.293）。

7 連続入力の終点として次の点を
　🖱。

寸法・測定

240 | 寸法補助線を常に同じ長さで記入する

関連キーワード 寸法記入／寸法補助線

関連コマンド [作図]－「寸法」／[設定]－「寸法設定」

「寸法」コマンドの引出線タイプを「＝(1)」や「＝(2)」にすることで、基準点から「寸法設定」ダイアログで指定した間隔で寸法補助線 (引出線) の始点位置と寸法線位置を指定できる。

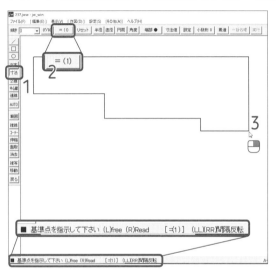

3 の基準点から図寸 5mm 下に引出線始点のガイドライン、図寸 10mm 下に寸法線位置のガイドラインが表示され、マウスポインタを動かすと確定する

1 「寸法」コマンド (メニューバー [作図]－「寸法」) を選択し、コントロールバーで傾き、端部形状を指定する。

2 引出線タイプボタンを何度か🖲して「＝(1)」に切り替える。

3 基準点を🖲。

Point 引出線タイプ「＝(1)」は基準点を指示することで、「寸法設定」ダイアログ (☞ p.406) で指定した位置に引出線始点のガイドラインと寸法線位置のガイドラインを表示する。

引出線位置・寸法線位置 指定 [=(1)] [=(2)]			
指定 1 引出線位置	5	寸法線位置	10
指定 2 引出線位置	0	寸法線位置	5

引出線タイプ「＝(1)」の基準点から引出線始点、寸法線位置までの間隔は、「寸法設定」ダイアログ「引出線位置・寸法線位置 指定…」欄の「指定 1」ボックスに図寸で指定する。

4 寸法の始点、終点を指示して寸法を記入する (☞ p.295)。

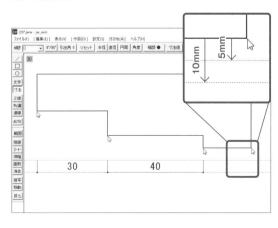

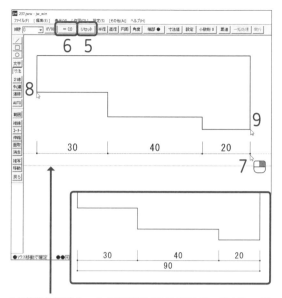

5 コントロールバー「リセット」ボタンを🖱。

6 コントロールバー引出線タイプ「=(1)」ボタンを🖱し、「=(2)」に切り替える。

7 基準点を🖱。

Point 引出線タイプ「=(2)」の基準点から引出線始点、寸法線位置までの間隔は、「寸法設定」ダイアログ（☞ p.406）の「引出線位置・寸法線位置指定…」欄の「指定2」ボックスに図寸で指定する。

引出線位置・寸法線位置 指定 [=(1)] [=(2)]			
指定1 引出線位置	5	寸法線位置	10
指定2 引出線位置	0	寸法線位置	5

8 寸法の始点を🖱。

9 寸法の終点を🖱。

7の基準点（図寸0mm）に引出線始点のガイドライン、図寸5mm下に寸法線位置のガイドラインが表示され、マウスポインタを動かすと確定する

寸法／測定

Hint 「=(1)」「=(2)」でガイドラインを反対側に表示

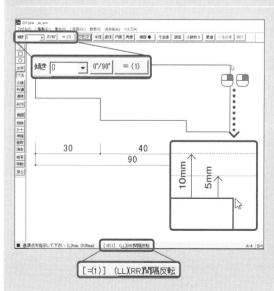

「傾き」ボックスが「0」の場合、「=(1)」「=(2)」の引出線始点位置、寸法位置を示すガイドラインは、🖱した基準点の下側に表示される。「傾き」ボックスが「90」の場合は、右側に表示される。これらを上側や左側に表示する場合は、基準点を🖱🖱（間隔反転）する。

[=(1)] (LL)(RR)間隔反転

297

241 │ 垂直方向に寸法を記入する／ 寸法線の端部を矢印にする

関連キーワード 寸法記入（垂直）／寸法線端部矢印

関連コマンド [作図]-「寸法」／[設定]-「寸法設定」

ここでは、端部が矢印の寸法を垂直方向に記入する例で説明する。

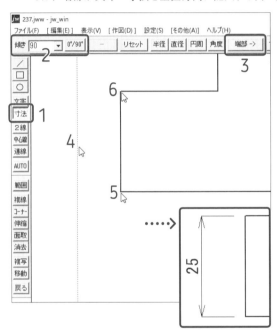

1 「寸法」コマンド（メニューバー [作図]-「寸法」）を選択し、コントロールバー引出線タイプを指定する。

2 コントロールバー「0°/90°」ボタンを🖱し、「傾き」を「90」にする。

Point コントロールバー「0°/90°」ボタンを🖱で「傾き」ボックスの数値が「0」（水平）⇔「90」（垂直）に切り替わる。

3 コントロールバー端部形状ボタンを「端部->」にする。

Point 端部形状ボタンを🖱で「端部●」（実点）⇒「端部->」（矢印）⇒「端部-<」（矢印外）に切り替わる。

4 寸法線の記入位置を🖱。

5 寸法の始点を🖱。

6 寸法の終点を🖱。

Hint 矢印サイズの調整と塗りつぶされた矢印

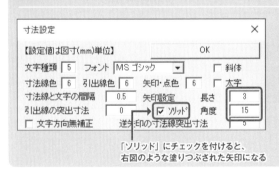

「ソリッド」にチェックを付けると、右図のような塗りつぶされた矢印になる

寸法線端部の矢印サイズは、「寸法設定」ダイアログ（☞ p.406）の「矢印設定」の「長さ（図寸mm）」と「角度」の数値で指定する。

242 | 寸法線端部の矢印を外側に記入する

関連キーワード　寸法記入／寸法線端部矢印

関連コマンド　[作図]－「寸法」

寸法線端部の矢印を寸法補助線（引出線）の外側に記入するには、「寸法」コマンドのコントロールバー端部形状ボタンで「端部－<」を指定する。

外側に寸法線の延長線と矢印が記入

1 「寸法」コマンド（メニューバー[作図]－「寸法」）を選択し、コントロールバーで傾きと引出線タイプを指定する（図は「－」）。

2 コントロールバー端部形状ボタンを「端部－<」にする。

Point　端部形状ボタンを🖱️で「端部●」（実点）⇒「端部－>」（矢印）⇒「端部－<」（矢印外）に切り替わる。

3 寸法線の記入位置を🖱️。

4 寸法の始点を🖱️。

5 寸法の終点を🖱️。

寸法／測定

Hint 始点⇒終点の指示順に注意

2 終点　1 始点

外側に矢印のみ記入される

上記の4、5のように、左から右（または下から上）の順に、始点⇒終点を指示すると、外側に寸法線の延長線と端部矢印が記入される。図のように、右から左（または上から下）の順に1始点⇒2終点を指示すると、外側に寸法線の延長線は記入せずに端部矢印のみが記入される。

243 | 斜線と平行に寸法を記入する

関連キーワード 寸法記入（斜め）／線の角度取得

関連コマンド [作図]−「寸法」／[設定]−「角度取得」−「線角度」

「寸法」コマンドのコントロールバー「傾き」ボックスに角度を入力することで、指定角度に傾いた寸法を記入できる。寸法を記入する対象線の角度がわからない場合は、「角度取得」を利用する。

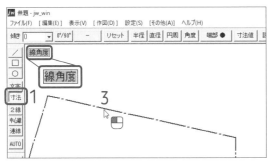

していた線の角度が取得される

斜線と平行にガイドラインが表示される

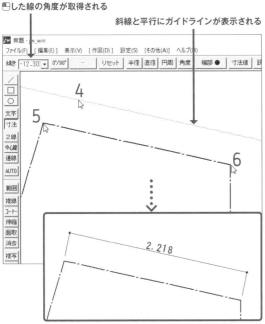

1 「寸法」コマンド（メニューバー[作図]−「寸法」）を選択し、コントロールバーで端部形状、引出線タイプ（図は「端部●」「−」）を指定する。

2 「線角」コマンド（メニューバー[設定]−「角度取得」−「線角度」）を選択する。

3 線角度取得の対象となる斜線を○。

Point 「線角度」では、○した線の角度をコントロールバー「傾き」ボックスに取得する。

4 寸法線の記入位置を○（または○Read）。

5 寸法の始点を○。

6 寸法の終点を○。

244 | 寸法補助線（引出線）なしの寸法を記入する

関連キーワード 寸法記入／寸法補助線なし

関連コマンド ［作図］－「寸法」

「寸法」コマンドで、コントロールバー引出線タイプを「−」にし、寸法の始点・終点をガイドライン上で指示することで、寸法補助線なしの寸法が記入できる。

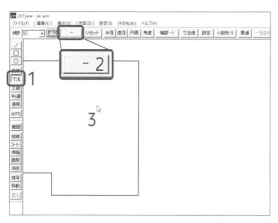

1 「寸法」コマンド（メニューバー［作図］－「寸法」）を選択し、コントロールバーで傾きと端部形状を指定する。

2 コントロールバーの引出線タイプボタンを「−」にする。

Point 引出線タイプボタンを🖰で「＝」⇒「＝(1)」⇒「＝(2)」⇒「−」に切り替わる。引出線タイプ「−」では、はじめに寸法線の記入位置を指示する。

3 の位置にガイドラインが表示される

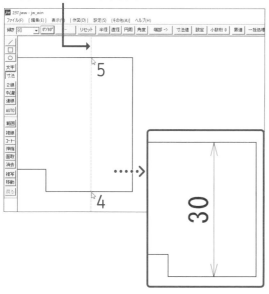

3 寸法線の記入位置を🖰（または🖰Read）。

4 寸法の始点として、ガイドラインとの交点を🖰。

5 寸法の終点として、ガイドラインとの交点を🖰。

Point ガイドラインとの交点は読み取りできる。寸法の始点・終点は必ず、ガイドライン上（ガイドラインとの交点）を指示すること。ガイドラインから離れた位置を指示すると、その位置からガイドラインまでの寸法補助線（引出線）が記入される。

寸法／測定

245 | 「／」コマンドで寸法を記入する

関連キーワード 鉛直線／クロックメニュー（鉛直・円周点）／寸法入り直線／寸法記入／矢印付き直線

関連コマンド [作図]−「線」

「／」コマンドのコントロールバーで「寸法値」や端部実点・矢印を指定することで、線の作図と同時にその線の長さを示す寸法値や、端部に実点・矢印を記入できる。ここでは作図済みの点と斜線の間隔を寸法記入する例で説明する。

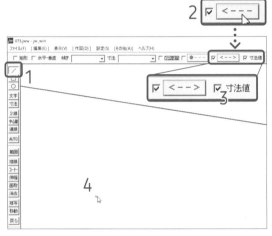

1 「／」コマンド(メニューバー[作図]−「線」)を選択する。

2 コントロールバー「<−−−」にチェックを付け、「<−−−」ボタンを2回🖱して「<−−>」にする。

Point 「<−−>」は、両端点に矢印の付いた線を作図する。

3 コントロールバー「寸法値」にチェックを付ける。

Point 「寸法値」にチェックを付けると、寸法値付きの線が作図される。

4 始点（図は点）を🖱（または🖱free）。

5 終点として斜線を🖱↑ AMO時 鉛直・円周点。

Point 4の点から5の斜線に鉛直な線が、寸法値と両端に矢印付きで作図される。寸法値は始点⇒終点に対し、左側に記入される。寸法値のサイズと両端の矢印の長さ・角度および寸法図形（☞ p.409）の指定は、「寸法設定」ダイアログの指定（☞ p.406）に準ずる。

寸法／測定

246 | 寸法値のみを記入する

関連キーワード 寸法値のみ記入

関連コマンド [作図] – 「寸法」

「寸法」コマンドの「寸法値」で、寸法を記入する2点を指示することで、寸法線や寸法補助
線をかかずに、2点間の寸法値だけを記入できる。

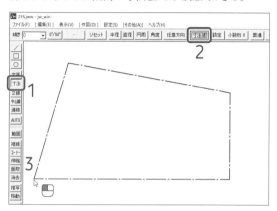

1 「寸法」コマンド（メニューバー［作図］–「寸法」）を選択する。

2 コントロールバー「寸法値」ボタンを🖱。

Point 「寸法値」では、2点間の寸法値の記入や寸法値の移動・変更を行う。2点間の寸法値を記入するには、1点目を🖱で指示する。

3 寸法の始点を🖱。

4 寸法の終点を🖱。

Point 「寸法値」では、始点⇒終点に対し、左側に2点間（3、4）の寸法値を記入する。次の点を🖱（連続入力の終点）することで、4から次の点までの寸法値が記入される。

5 寸法の次の終点を🖱（連続入力の終点）。

寸法／測定

303

247 | 寸法補助線（引出線）を 30°/45°傾けて記入する

関連キーワード　アイソメ図寸法／寸法記入（30°/45°）／寸法補助線角度

関連コマンド　[作図]－「寸法」

アイソメ図などへの寸法記入では、寸法線の角度に合わせて寸法補助線（引出線）の角度も傾ける必要がある。寸法補助線（引出線）の角度は、引出線タイプを「＝」としてコントロールバー「引出角0」ボタンで切り替える。

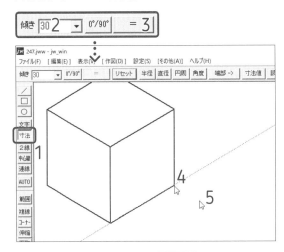

1　「寸法」コマンド（メニューバー [作図]－「寸法」）を選択する。

2　コントロールバー「傾き」ボックスに寸法線の傾き「30」を入力する。

3　コントロールバー引出線タイプボタンを「＝」にする。

Point　引出線タイプボタンを🖱で「＝」⇒「＝(1)」⇒「＝(2)」⇒「－」に切り替わる。

4　引出線の始点位置を🖱。

Point　アイソメ図に寸法記入する場合は、寸法線の始点・終点とする点位置と引出線の始点位置を同じにする。

5　寸法線の記入位置を🖱。

6　コントロールバー「引出角0」ボタンを🖱し、「－30°」にする。

Point　6では、引出線の角度を指定する。「引出角0」ボタンを🖱で、「－30°」⇒「－45°」⇒「45°」⇒「30°」に切り替わる。🖱で、その逆の順序に切り替わる。

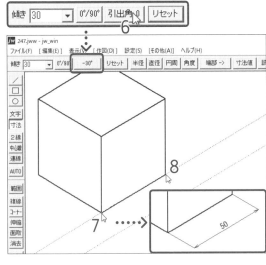

7　寸法の始点を🖱。

8　寸法の終点を🖱。

248 | 円・弧の直径・半径寸法を記入する

関連キーワード 円・弧の直径寸法／円・弧の半径寸法

関連コマンド [作図]－「寸法」／ [設定]－「寸法設定」

「寸法」コマンドのコントロールバー「半径」で半径寸法を、「直径」で直径寸法を記入する。

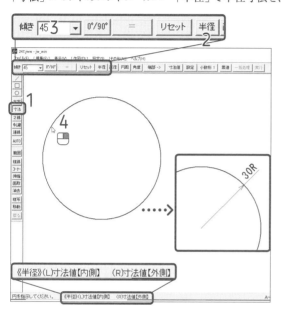

1 「寸法」コマンド（メニューバー [作図]－「寸法」）を選択する。

2 コントロールバー「半径」ボタンを🖱。

Point 直径寸法は「直径」ボタンを🖱。その場合も以降の操作は同じ。

3 コントロールバー「傾き」ボックスに半径寸法を記入する角度（図は「45」）を入力する。

4 半径寸法を記入する円・弧を🖱（寸法値【外側】）。

Point 4で🖱すると円・弧の内側に、🖱すると円・弧の外側に、半径寸法が記入される。

寸法／測定

Hint R、φの指定と寸法線端部形状

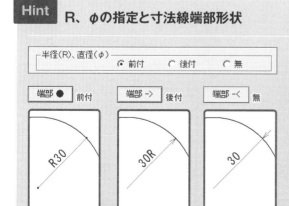

半径の「R」、直径の「φ」は、「寸法設定」ダイアログ（☞ p.406）の「半径 (R)、直径 (φ)」欄で「前付」「後付」「無」のいずれかを指定する。また、端部形状指定により、記入される寸法の端部形状が図のように異なる。

図は、それぞれ「半径 (R)、直径 (φ)」欄の3種類の設定と寸法端部の指定で、円を🖱して半径寸法を内側に記入した例

249 | 円周寸法を記入する

関連キーワード 円周寸法

関連コマンド [作図] -「寸法」

円周上の2点間の寸法は、「寸法」コマンドのコントロールバー「円周」で記入する。

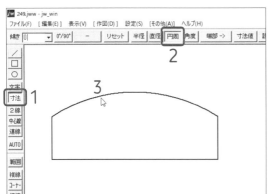

1 「寸法」コマンド（メニューバー [作図] -「寸法」）を選択し、コントロールバーで引出線タイプと端部形状（図は「-」・「端部->」）を指定する。

2 コントロールバー「円周」ボタンを🖐。

3 円周寸法記入対象の円・弧を🖐。

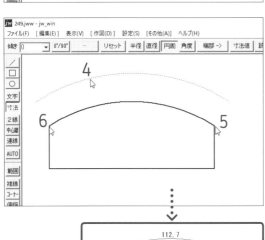

4 寸法線の記入位置を🖐（または🖐Read）。

5 寸法の始点を🖐。

6 寸法の終点を🖐。

Point 寸法を記入する2点（始点と終点）は、左回りで指示する。

112.7

5、6間の円周寸法が4のガイドライン上に記入される

250 | 2点間の角度寸法を記入する

関連キーワード **角度寸法／角度単位／度分秒**

関連コマンド **[作図]－「寸法」／[設定]－「寸法設定」**

角度寸法は、「寸法」コマンドのコントロールバー「角度」で原点と始点、終点を指示することで記入する。

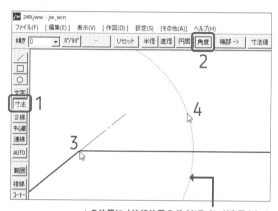

4 の位置に寸法線位置のガイドラインが表示される

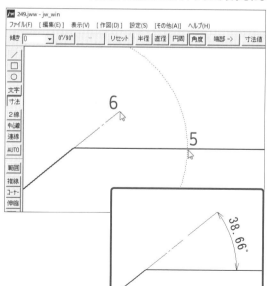

3 を原点とした 5、6 間の角度が 4 のガイドライン上に記入される

1 「寸法」コマンド（メニューバー[作図]－「寸法」）を選択し、コントロールバーで引出線タイプと端部形状（図は「－」・「端部－>」）を指定する。

2 コントロールバー「角度」ボタンを🖰。

3 角度測定の原点を🖰。

4 寸法線の記入位置を🖰（または🖰Read）。

Point 引出線タイプを「=」にした場合は、4 で寸法補助線（引出線）の始点と寸法線位置を指示する。

5 角度測定の始点として、対象線とガイドラインの交点を🖰。

6 角度測定の終点を🖰。

Point 始点、終点は左回りで指定すること。角度の単位は、「寸法設定」ダイアログ（☞ p.406）の「角度単位」欄で、「度（°）」または「度分秒」を指定する。

寸法／測定

251 | 2本の線の角度寸法を記入する

関連キーワード 角度寸法／角度単位／度分秒

関連コマンド [作図]－「寸法」／[設定]－「寸法設定」

2本の線の角度寸法は、「寸法」コマンドのコントロールバー「角度」で1本目の線を🖰🖰したうえで、2本目の線と寸法記入位置を指示して記入する。

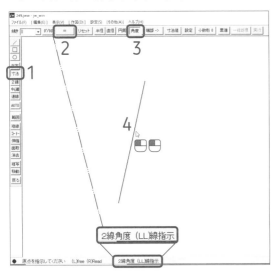

1 「寸法」コマンド（メニューバー[作図]－「寸法」）を選択する。

2 コントロールバーの引出線タイプを「＝」にする。

Point 引出線タイプボタンを🖰で「＝」⇒「＝(1)」⇒「＝(2)」⇒「－」に切り替わる。ここでは寸法補助線を記入しないため、「＝」を選択する。

3 コントロールバー「角度」ボタンを🖰。

4 2線角度の1本目の線を🖰🖰。

Point 1本目の線と2本目の線は、左回りで指定すること。

5 2本目の線を🖰。

6 寸法線の記入位置を🖰。

Point 角度の単位は、「寸法設定」ダイアログ（☞ p.406）の「角度単位」欄で、「度（°）」または「度分秒」を指定する。

寸法／測定

252 | 角度寸法値を 180°回転する

関連キーワード 180°回転／角度寸法／数値入力ダイアログ／寸法値の回転／文字の回転

関連コマンド [作図] - 「文字」

文字が逆さに記入された角度寸法値を 180°回転するには、「文字」コマンドの移動・変更で角度を 180°変更する。

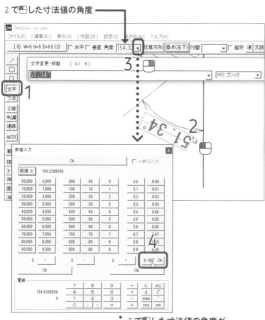

2 で🖱️した寸法値の角度

3 で🖱️した寸法値の角度が
180°回転した角度になる

中中を基点として、2 の寸法値が
180°回転する

1 「文字」コマンド（メニューバー [作図] - 「文字」）を選択する。

2 回転対象の寸法値を🖱️（文字変更）。

Point 角度寸法、円周寸法は寸法図形でないため、「文字」コマンドで扱える。

3 コントロールバー「角度」ボックスの🔽を🖱️。

4 「数値入力」ダイアログの「±180° Ok」ボタンを🖱️。

Point 「±180° Ok」ボタンを🖱️すると、コントロールバーの「角度」ボックスの数値が±180 された数値になる。「文字」コマンドに限らず、他のコマンドでも同様に利用できる。

5 コントロールバー基点ボタンを🖱️し、「文字基点設定」ダイアログで文字の基点を「中中」に変更する。

6 Enter キーを押す。

寸法／測定

309

253 | 寸法値を移動する

関連キーワード 移動／寸法図形／寸法値の移動

関連コマンド ［作図］－「寸法」

寸法図形（☞ p.409）の寸法値は「文字」コマンドでは扱えない。寸法図形の寸法値、寸法図形でない寸法値（文字要素）ともに「寸法」コマンドの「寸法値」で移動する。

寸法値の移動方向が寸法値の横方向に固定される

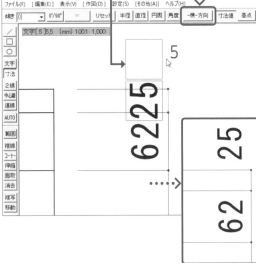

1 「寸法」コマンド（メニューバー［作図］－「寸法」）を選択する。

2 コントロールバー「寸法値」ボタンを🖱。

3 移動する寸法値を🖱。

Point 寸法値の指示は、寸法値の下側（寸法線の側）を🖱すること。寸法図形の場合は、その寸法線を🖱してもよい。

4 コントロールバー「任意方向」ボタンを🖱し、「－横－方向」にする。

Point 4のボタンは、寸法値の移動方向固定を指定する。🖱するごとに「－横－方向」（横方向に固定）⇒「｜縦｜方向」（縦方向に固定）⇒「＋横縦方向」（横と縦の移動距離の長い方向に固定）⇒「任意方向」（固定なし）に切り替わる。ここでの横方向、縦方向は、画面に対する横と縦ではなく、寸法値に対しての横と縦である。

5 移動先を🖱。

254 | 寸法値を書き換える

関連キーワード 寸法図形／寸法値の変更

関連コマンド [作図] −「寸法」

寸法図形（🗺 p.409）の寸法値は「文字」コマンドでは扱えない。寸法図形の寸法値、寸法図形でない寸法値（文字要素）ともに「寸法」コマンドの「寸法値」で書き換える。

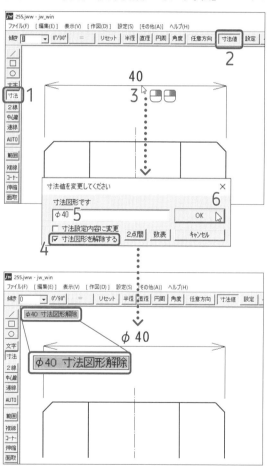

1 「寸法」コマンド（メニューバー [作図] −「寸法」）を選択する。

2 コントロールバー「寸法値」ボタンを🖱。

3 変更対象の寸法値を🖱🖱。

4 「寸法値を変更してください」ダイアログの「寸法図形を解除する」にチェックを付ける。

Point 3で🖱🖱した寸法値が寸法図形（🗺 p.409）の場合、必ずこのチェックを付ける。チェックを付けずに変更すると、移動操作時などに元の寸法値に戻る。🖱🖱した寸法値が寸法図形でない場合、「寸法図形を解除する」はグレーアウトされ、チェックは不要。

5 「寸法値」ボックスの数値を書き換える。

Point 日本語を入力する場合は 半角/全角 キーを押して日本語入力にする。

6 「OK」ボタンを🖱。

Point 寸法値の変更により、寸法図形は解除され、文字要素（寸法値）と線要素（寸法線）に分解される。

寸法／測定

311

255 | 寸法公差を記入する

関連キーワード グループ化／寸法公差／バージョン 8.22

関連コマンド [その他] －「線記号変形」

「寸法」コマンドには寸法公差を記入する機能はない。寸法記入後、「線記号変形」コマンドを利用して追加記入する。追加記入対象の寸法が寸法図形の場合は、事前に寸法図形を解除（☞ p.318）しておく。

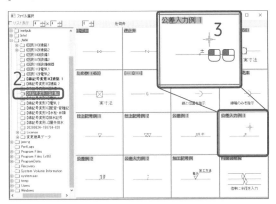

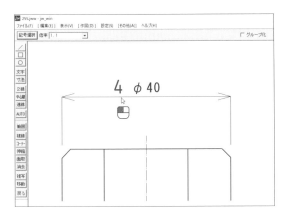

1 「記変」コマンド（メニューバー [その他] －「線記号変形」）を選択する。

Point 「線記号変形」コマンドは、基本、作図済みの線を指定し、選択した線記号に変形する。

2 「ファイル選択」ダイアログのフォルダーツリーで「JWW」フォルダー下の「【線記号変形 D】設備 2」を🖱。

3 右側に表示される記号一覧から「公差入力例 1」を🖱🖱。

Point 下図のように、＋と－に別々の数値を記入するには、3 で線記号「公差入力例 2」を選択する。

$$\phi\ 40^{+0.01}_{-0.02}$$

4 指示直線として、公差を記入する寸法線を寸法値よりも左側で🖱。

Point 4 で指示する寸法線が寸法図形の場合、寸法図形です と表示され、公差を記入できない。寸法図形を解除（☞ p.318）したうえで、1 〜 4 の操作を行うこと。

マウスポインタに文字の外形枠が仮表示される

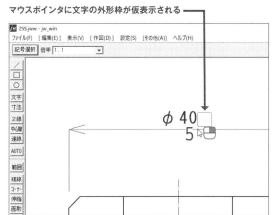

Point 4で寸法線を🖱️した位置よりもマウスポインタを右に移動すると寸法線の上側に、左に移動すると寸法線の下側に、文字の外形枠が表示される。

5 文字の記入位置として記入済みの寸法値の右下を🖱️。

Point 文字列の左下と右下は、🖱️で読み取りできる。

記入位置が確定し、「±」が入力された
「文字入力」ボックスが開く　　　　**このフォントで**
　　　　　　　　　　　　　　　　　　公差が記入される

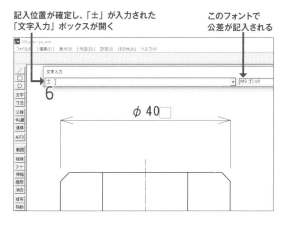

6 「フォント」ボックスのフォントを確認し、「文字入力」ボックスの「±」の後ろを🖱️して入力ポインタを移動する。

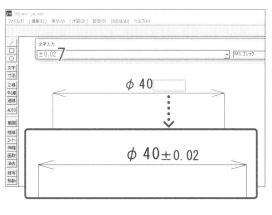

7 「文字入力」ボックスの「±」の後ろに公差（図は「0.02」）を入力し、Enterキーを押す。

Point 記入済みの寸法値（図は「φ40」）と追加記入した公差（図は「±0.02」）は別々の文字列である。移動などの編集を行うときには注意する。バージョン8.22以降では、コントロールバー「グループ化」にチェックを付けて4～7を行うことで、4の寸法線と追加した公差をひとまとまりの要素として扱える。

256 | 引出線付きの文字を記入する

関連キーワード　グループ化／引出線付きの文字／矢印作図／バージョン 8.22

関連コマンド　[作図]－「線」／[その他]－「線記号変形」

「寸法」コマンドには、引出線付きの文字・寸法を記入する機能はないが、「線記号変形」コマンドに用意された線記号を利用して記入できる。

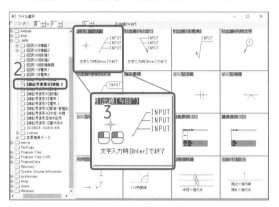

1　「記変」コマンド（メニューバー[その他]－「線記号変形」）を選択する。

Point　「線記号変形」コマンドは、基本、作図済みの線を指定し、選択した線記号に変形する。

2　「ファイル選択」ダイアログのフォルダーツリーで「JWW」フォルダー下の「【線記号変形 B】建築 2」を🖲。

3　右側に表示される記号一覧から「引出線（≒60°）」を🖲🖲。

Point　「引出線（≒60°）」では 1〜3 段までの引出線と文字を書込線色・線種で記入する。バージョン 8.22 以降では、コントロールバー「グループ化」にチェックを付けて 4〜8 を行うことで、4〜8 で記入した引出線と文字をひとまとまりの要素として扱える。

4　引出位置を🖲（または🖲 Read）。

5　1 段目の文字の位置を🖲。

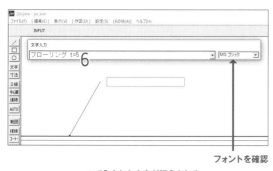

フォントを確認

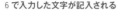

6 で入力した文字が記入される

6 「文字入力」ボックスに1段目の記入文字を入力し、Enterキーを押して確定する。

Point 文字は「フォント」ボックスのフォントで記入される。

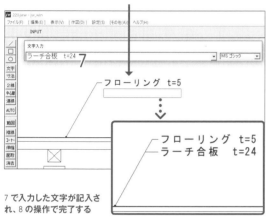

7 で入力した文字が記入され、8 の操作で完了する

7 「文字入力」ボックスに2段目の記入文字を入力し、Enterキーを押して確定する。

8 「文字入力」ボックスに何も入力せずにEnterキーを押す。

Point 「文字入力」ボックスに3段目の文字を入力してEnterキーを押すと3段目の文字が記入される。3段目の文字を記入しない場合は、8 のように何も入力せずにEnterキーを押す

寸法／測定

Hint **引出線端部の矢印**

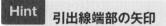

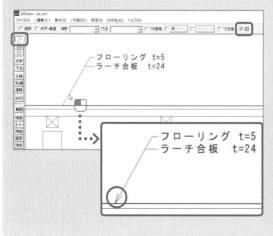

「線記号変形」コマンドの「引出線（≒60°）」では、引出線端部に実点が記入される。端部を矢印にするには、記入後に「消去」コマンドで実点を消したうえで、「／」コマンドのコントロールバー「＜」にチェックを付けて、引出線の端部近くで⊕する。

ここで作図される矢印の長さと角度は、「寸法設定」ダイアログの矢印設定（☞ p.406）に準ずる。

257 記入済みの寸法値の単位を一括で変更する

関連キーワード 寸法図形の値変更／寸法値の単位一括変更／単位

関連コマンド ［編集］－「範囲選択」／［設定］－「寸法設定」

図面上の寸法値が寸法図形であれば、「属性変更」の「寸法値の値更新」で、その単位や表示形式を一括変更できる。

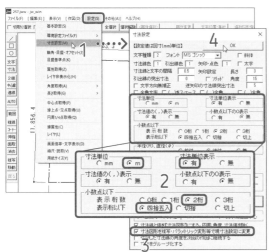

1 メニューバー［設定］－「寸法設定」を選択する。

Point 1の操作の代わりに「寸法」コマンドのコントロールバー「設定」ボタンを🖰でもよい。

2 「寸法設定」ダイアログで変更後の単位など（図は「寸法単位」を「m」、「寸法単位表示」を「有」、「小数点以下」の「表示桁数」を「2桁」、「表示桁以下」を「四捨五入」）を指定する。

3 「寸法図形を複写・パラメトリック変形等で現寸法設定に変更」にチェックを付ける。

4 「OK」ボタンを🖰。

5 「範囲」コマンド（メニューバー［編集］－「範囲選択」）を選択する。

6 範囲選択の始点を🖰。

7 変更対象の寸法図形を選択範囲枠で囲み、終点を🖰（文字を除く）。

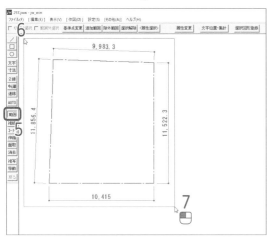

Point 終点を🖰して選択できない寸法値は、寸法図形ではない。変更対象の寸法値が寸法図形でない場合は、寸法図形にしたうえで行う（☞ p.320）。

寸法・測定

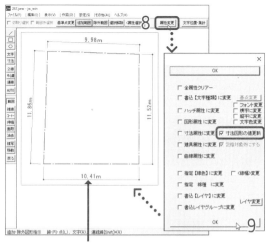

選択した寸法図形の寸法値が、現在の「寸法設定」
ダイアログでの設定内容に書き換えられる

8 コントロールバー「属性変更」ボタンを🖱。

9 属性変更のダイアログで「寸法図形の値更新」にチェックを付け、「OK」ボタンを🖱。

Point 上記の手順で変更できる寸法値は、寸法図形の寸法値に限る。

Hint 「寸法図形の値更新」で一括変更できる設定

「寸法図形の値更新」では、寸法単位の他にも図の設定項目を一括変更できる。

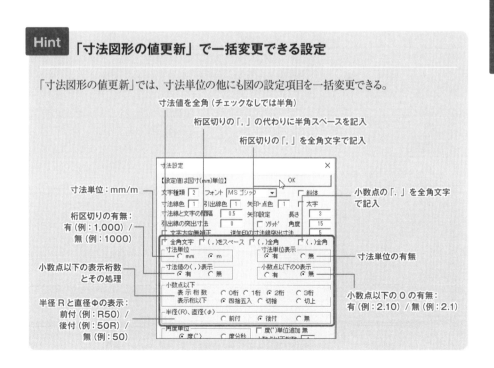

寸法値を全角（チェックなしでは半角）

桁区切りの「，」の代わりに半角スペースを記入

桁区切りの「，」を全角文字で記入

寸法単位：mm/m

桁区切りの有無：
有（例：1,000）／
無（例：1000）

小数点以下の表示桁数
とその処理

半径Ｒと直径Φの表示：
前付（例：R50）／
後付（例：50R）／
無（例：50）

小数点の「．」を全角文字
で記入

寸法単位の有無

小数点以下の０の有無：
有（例：2.10）／無（例：2.1）

258 | 寸法図形を解除する

関連キーワード 寸法図形解除

関連コマンド [その他]－「寸法図形解除」

寸法図形（☞ p.409）の寸法線と寸法値は1セットになっているため、寸法値を残して寸法線を消去することはできない。寸法線と寸法値のいずれかだけを消去するには、寸法図形を解除する。

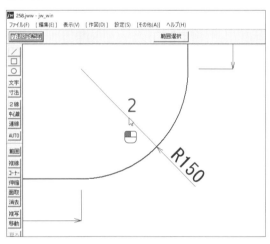

1 「寸解」コマンド（メニューバー[その他]－「寸法図形解除」）を選択する。
2 解除対象の寸法線（または寸法値）を🖰。

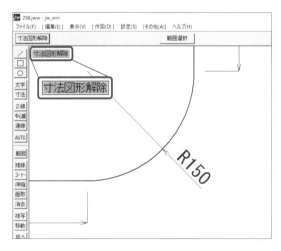

Point 作図ウィンドウ左上に **寸法図形解除** と表示される。寸法図形が解除され、線要素（寸法線）と文字要素（寸法値）に分解される。

259 | 寸法図形を一括で解除する

関連キーワード 寸法図形解除

関連コマンド [その他] -「寸法図形解除」

バージョン 8.22e 以前では、寸法図形 (☞ p.409) の寸法線は線色変更できない。寸法線の線色を変更するには、「寸解」コマンドの「範囲選択」で寸法図形を一括解除する。

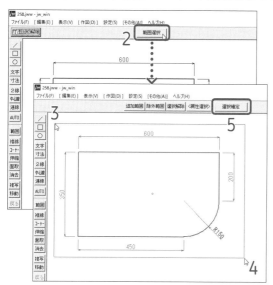

1 「寸解」コマンド（メニューバー [その他] -「寸法図形解除」）を選択する。

2 コントロールバー「範囲選択」ボタンを🖱。

3 範囲選択の始点を🖱。

4 選択範囲枠に解除対象の寸法図形が入るように囲み、終点を🖱。

Point この段階で寸法図形以外の要素が選択されても問題ない。

5 コントロールバー「選択確定」ボタンを🖱。

選択した寸法図形が解除され、作図ウィンドウ左上に解除した寸法図形の数が表示される

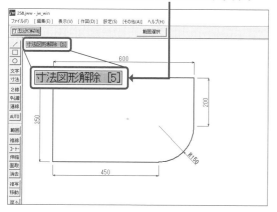

260 | 記入済みの寸法を
一括で寸法図形にする

関連キーワード 寸法図形化

関連コマンド [その他]-「寸法図形化」

「寸法図形化」コマンドで、記入済みの寸法値（文字要素）と寸法線（線要素）を1セットの寸法図形にする。コントロールバーの「範囲選択」では、範囲選択した寸法を一括で寸法図形にできる。

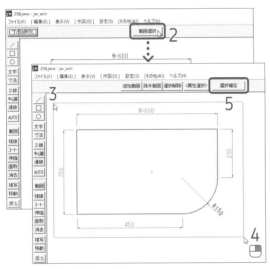

1 「寸化」コマンド（メニューバー［その他]-「寸法図形化」）を選択する。

2 コントロールバー「範囲選択」ボタンを🖱。

3 範囲選択の始点を🖱。

4 選択範囲枠に寸法図形化対象の寸法が入るように囲み、終点を🖱（文字を含む）。

Point この段階で寸法以外の要素が選択されても問題ない。

5 コントロールバー「選択確定」ボタンを🖱。

Point 寸法線と寸法値の位置が一定距離以上離れている場合（図の円弧の半径寸法）や、寸法線の長さと寸法値の値が異なる場合（図の「W=600」）は、寸法図形化されない。これらの寸法図形化されない要素は、個別に寸法図形化する（☞次ページ）。

寸法図形化された数が表示される

寸法図形化された寸法線と寸法値が選択色で表示される

寸法図形化されなかった要素は元の色に戻る

261 | 記入済みの寸法線と寸法値を寸法図形にする

関連キーワード　寸法図形化

関連コマンド　[その他]－「寸法図形化」

「寸法図形化」コマンドで、記入済みの寸法線（線要素）と寸法値（文字要素）を指定することで1セットの寸法図形にできる。

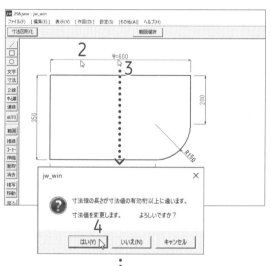

1 「寸化」コマンド（メニューバー[その他]－「寸法図形化」）を選択する。

2 寸法線を🖱。

3 1セットにする寸法値を🖱。

Point 3の寸法値と2の寸法線の実寸法が同じ場合は、作図ウィンドウ左上に 寸法図形化 と表示され、3の寸法値と2の寸法線が寸法図形になる。寸法値が2の線の実寸法と異なる場合は、図のダイアログが開く。

4 寸法図形にするので、「はい」ボタンを🖱。

Point 2と3が1セットの寸法図形になり、3の寸法値が2の線の実寸法にかき換わる。また、寸法値の横方向のずれが寸法線の中央から1/6以下の距離の場合は、寸法図形化することで寸法値もその中央に移動する。それ以上の距離の場合は、移動せずに寸法図形化される。

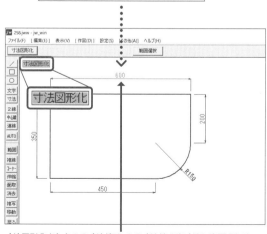

寸法図形化された3の寸法値は、2の寸法線の実寸法に変更される

寸法／測定

321

262 | 距離を mm/m 単位で測定する

関連キーワード 測定単位／累計距離測定

関連コマンド [その他]－「測定」

図面上の2点間の距離は、「測定」コマンドの「距離測定」で測定する。測定した結果は、ステータスバーに表示される。

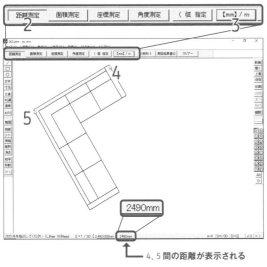

4、5間の距離が表示される

【5,680.000mm】 3190mm

4～6間の累計距離 ──→　　　←── 5、6間の距離

1 「測定」コマンド（メニューバー［その他］－「測定」）を選択する。

2 コントロールバー「距離測定」が選択されていることを確認する。

3 コントロールバー「mm/【m】」ボタンを🖰して「【mm】/m」（測定単位 mm）にする。

> **Point** 測定単位はコントロールバー「mm/【m】」ボタンを🖰することで、「mm/【m】」（m 単位）⇔「【mm】/m」（mm 単位）を切り替える。

4 測定の始点を🖰。

5 測定の次の点を🖰。

6 測定の次の点を🖰。

> **Point** 別の個所を測定する場合は、コントロールバー「クリアー」ボタンを🖰し、現在の測定結果を消去したうえで測定する。またコントロールバー「小数桁」ボタンを🖰することで、ステータスバーに表示される測定結果の数値の小数点以下の桁数を 0、1～4 桁、F（有効桁数）に切り替えできる。

寸法／測定

322

263

2本の線の間隔を測定する

関連キーワード 間隔取得／間隔測定

関連コマンド [設定]－「長さ取得」－「間隔取得」／[その他]－「測定」

「測定」コマンドには間隔を測定する機能は用意されていないが、「測定」コマンドの「距離測定」を選択した状態で「間隔取得」を行うことで、2本の線の間隔を測定できる。

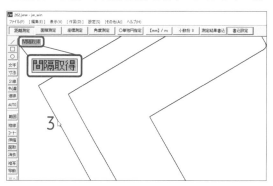

1 「測定」コマンド（メニューバー［その他］－「測定」）を選択する。

2 「間隔」コマンド（メニューバー［設定］－「長さ取得」－「間隔取得」）を選択する。

3 基準線として一方の線を🖱。

2で🖱した線からマウスポインタまで仮線が表示される

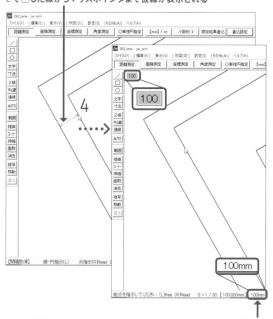

作図ウィンドウ左上とステータスバーに 3、4 の間隔が表示される

4 もう一方の線を🖱。

Point 「間隔取得」では、2本の線（または線と点）の間隔を測定し、選択コマンドのコントロールバーの長さ指定の「数値入力」ボックスに自動入力する。「測定」コマンドのコントロールバーには長さ指定の「数値入力」ボックスはないため、測定した間隔をステータスバーに表示する。コントロールバー「測定結果書込」ボタンを🖱（☞ p.329）で、取得した間隔を図面上に記入できる。

寸法・測定

264 | 円・弧の円周の距離を測定する

円・弧の円周の距離は、「測定」コマンドの「距離測定」で測定する。

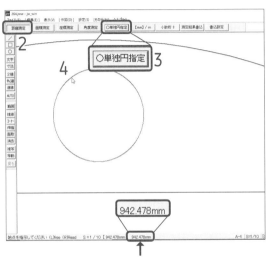

ステータスバーに 4 の円の円周距離が表示される

■ 円の円周距離

1 「測定」コマンド（メニューバー［その他］-「測定」）を選択し、コントロールバーの測定単位を確認・指定する。

2 コントロールバー「距離測定」が選択されていることを確認する。

3 コントロールバー「○単独円指定」ボタンを🖳。

4 測定対象の円を🖳。

■ 円弧の円周距離

1 「測定」コマンド（メニューバー［その他］-「測定」）を選択し、コントロールバーの測定単位を確認・指定して、「距離測定」が選択されていることを確認する。

2 測定の始点として円弧の端点を🖳。

3 コントロールバー「(弧　指定」ボタンを🖳。

4 測定対象の円弧を🖳。

5 円弧のもう一方の端点を🖳。

Point 続けて他の個所を測定する場合は、コントロールバー「クリアー」ボタンを🖳する。

ステータスバーに 4 で選択した曲線の長さが表示される

寸法／測定

265 | 曲線の距離を測定する

関連キーワード 曲線距離測定

関連コマンド [その他]−「測定」

「測定」コマンドの「距離測定」では、測定対象要素を範囲選択することで、それらの累計長を測定できる。曲線の距離は、この方法で測定する。

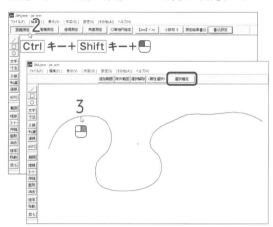

1 「測定」コマンド(メニューバー [その他]−「測定」)を選択し、コントロールバーの測定単位と小数桁を確認・指定する。

2 コントロールバー「距離測定」ボタンを、Ctrl キーと Shift キーを押したまま🖰。

3 長さを測定する曲線を🖰(連続線選択)。

4 測定対象が選択色になったことを確認し、コントロールバー「選択確定」ボタンを🖰。

Point ステータスバーに 3 で選択した曲線の長さが表示される(Jw_cad における曲線は短い線分の集まり)。コントロールバーでは「測定結果書込」が選択(凹表示)され、ステータスバーに「文字の位置を指示して下さい」と操作メッセージが表示される。記入位置を指示すると、図面上に測定結果を記入できる。記入される数値の文字種や単位表示などは、測定前にコントロールバー「書込設定」(☞ p.329)で指定する。

5 測定結果の記入位置を🖰。

「測定結果書込」が選択された状態になる

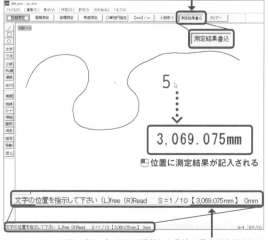

🖰 位置に測定結果が記入される

ステータスバーに 3 で選択した曲線の長さが表示される

266 | 複数の線・円・弧の累計距離を測定する

関連キーワード 累計距離測定

関連コマンド ［その他］－「測定」

「測定」コマンドの「距離測定」では、測定対象要素を範囲選択することで、それらの累計距離を測定できる。

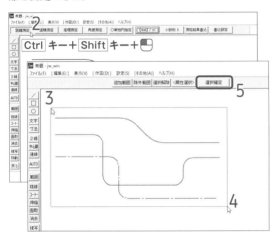

1 「測定」コマンド（メニューバー［その他］－「測定」）を選択し、コントロールバーの測定単位と小数桁を確認・指定する。

2 コントロールバー「距離測定」ボタンを、Ctrl キーと Shift キーを押したまま🖱。

3 範囲選択の始点を🖱。

4 測定対象を選択範囲枠で囲み、終点を🖱。

Point この段階でコントロールバー「＜属性選択＞」で条件を指定すると、特定の線色や線種の線（曲線含む）・円・弧の累計距離を測定できる。

5 測定対象が選択色になったことを確認し、コントロールバー「選択確定」ボタンを🖱。

Point ステータスバーに選択した要素の累計距離が表示される。コントロールバーでは「測定結果書込」が選択（凹表示）され、記入位置を指示すると、図面上に測定結果を記入できる。記入される数値の文字種や単位表示などは、測定前にコントロールバー「書込設定」（☞ p.329）で指定する。

6 測定結果の記入位置を🖱。

「測定結果書込」が選択された状態になる

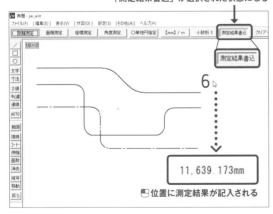

🖱位置に測定結果が記入される

寸法／測定

267 | 円・弧の半径を測定する

関連キーワード 円・弧の半径測定

関連コマンド [設定]－「属性取得」

「測定」コマンドには、円・弧の半径を測定する機能は用意されていない。図面上の円・弧の半径は、属性取得で確認する。

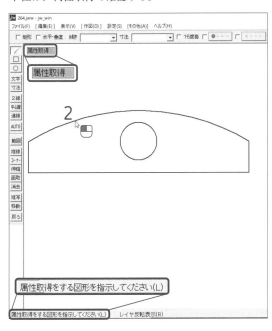

1 キーボードの Tab キーを3回押し、作図ウィンドウ左上に 属性取得 が表示されたことを確認する。

? Tab キーを押すと 図形がありません と表示される ☞ p.391

Point 1の操作の代わりに「属取」コマンド（メニューバー［設定］－「属性取得」）を3回選択してもよい。

2 半径の測定対象の円・弧を🖱。

作図ウィンドウ左上に、「円弧 r ＝」に続けて、2で🖱した円・弧の半径などが表示される

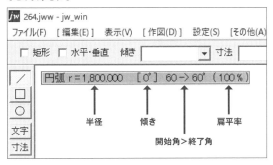

寸法／測定

268 | 図形の面積を測定する

面積は、「測定」コマンドの「面積測定」を選択し、面積測定範囲（外形）の頂点を順次 🖱 していくことで測定する。ここでは弧を含む範囲の面積を測定する例で説明する。

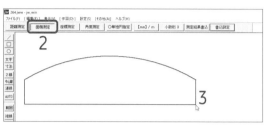

1 「測定」コマンド（メニューバー [その他]－「測定」）を選択し、コントロールバーの測定単位と小数桁（図は mm、2桁）を指定する。

2 コントロールバー「面積測定」ボタンを 🖱。

Point Shift キーを押したまま「面積測定」ボタンを 🖱 すると、面積測定と同時に外周の距離測定も行える。

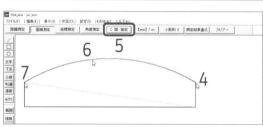

3 測定の開始点を 🖱。

4 次の点（弧の始点）を 🖱。

5 コントロールバー「(弧　指定」ボタンを 🖱。

6 弧を 🖱。

7 弧の終点を 🖱。

8 次の点を 🖱。

Point コントロールバー「測定結果書込」ボタンで、測定結果の数値を図面上に記入できる（🖙 次ページ）。

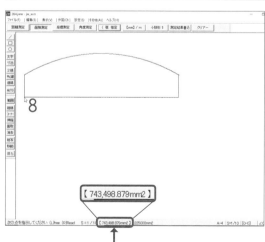

【 743,498.879mm2 】

ステータスバーの【　】内に 3 ～ 8 で囲まれた範囲内の面積が表示される

269 | 測定結果を記入する

関連キーワード 測定結果記入

関連コマンド ［その他］－「測定」

「測定」コマンドで測定完了後、コントロールバー「測定結果書込」ボタンを🖱し、記入位置を
指示することで測定結果が記入される。

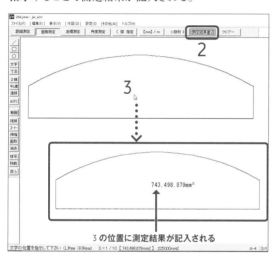

3 の位置に測定結果が記入される

1 「測定」コマンド（メニューバー［その他］－「測定」）で測定を行う（図は前ページ 8 の面積測定を終えた状態）。

2 コントロールバー「測定結果書込」ボタンを🖱。

3 測定結果を記入する位置を🖱。

寸法／測定

Hint 測定結果の書込設定

上記 3 で記入される測定結果の文字サイズや切り捨てなどの指定は、測定前にコントロールバー
「書込設定」ボタンを🖱して行う。設定内容は以下のとおりで、各ボタンを🖱して切り替える。

| 文字 2 | 小数桁 0 有 | カンマ 有 | 四捨五入 | 単位表示 有 | OK |
| ① | ② | ③ | ④ | ⑤ | ⑥ |

① 文字種類 1 ～ 10 に切り替え

② 小数点以下の桁が「0」の場合の「0」表示 「有」⇔「無」切り替え

③ 3 桁区切りの「, 」の「有」⇔「無」切り替え

④ 表示小数桁以下の処理 「四捨五入」⇒「切り捨て」⇒「切り上げ」切り替え

⑤ 数値の単位記入の「有」⇔「無」切り替え

⑥ 設定を確定し、「測定」コマンドのコントロールバーに戻る

270 | 2本の線の角度を測定する

関連キーワード 角度測定

関連コマンド ［その他］－「測定」

角度は、「測定」コマンドの「角度測定」を選択して測定する。

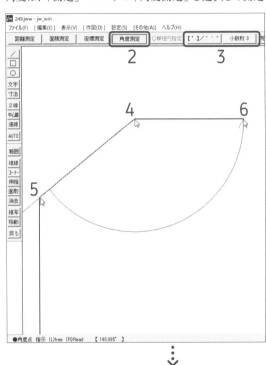

1 「測定」コマンド（メニューバー［その他］－「測定」）を選択する。

2 コントロールバー「角度測定」ボタンを🖰。

3 コントロールバー「【°】／°′″」ボタンで角度単位（図は「°」）を、「小数桁」ボタンで小数以下の桁数（図は「小数桁3」）を指定する。

Point 「【°】／°′″」ボタンを🖰することで、単位「度」と「°／【°′″】」（単位：度分秒）を切り替える。

4 原点を🖰。

5 2点間角度基準点（測定する始めの点）を🖰。

6 角度点（測定する終わりの点）を🖰。

ステータスバーの【　】内に4を原点とした5、6間の角度が表示される

271 | 相対座標を測定する

関連キーワード 相対座標測定

関連コマンド [その他]－「測定」

「測定」コマンドの「座標測定」では、指示した原点からの相対座標を測定できる。

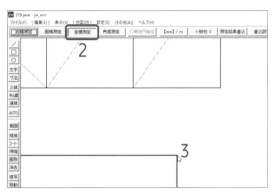

1 「測定」コマンド（メニューバー [その他]－「測定」）を選択し、コントロールバーの測定単位と小数桁（図は mm、3 桁）を指定する。

2 コントロールバー「座標測定」ボタンを🖱。

3 原点を🖱。

4 測定する座標点を🖱。

Point 座標値は原点を (0,0) として、X 軸右、Y 軸上を＋（プラス）値、X 軸左、Y 軸下を－（マイナス）値で表す。3 で指示した原点は、コントロールバー「クリアー」ボタンを🖱するまで有効である。次の座標点を🖱することで、3 を原点とした座標を続けて測定できる。

【 100.000mm , 150.000mm 】

X 座標   Y 座標

272 | 作図済みの要素のレイヤを確認する

関連キーワード　**書込レイヤ／表示のみレイヤも属性取得／プロテクトレイヤ／レイヤの確認**

関連コマンド　**[設定]－「基本設定」「属性取得」**

作図済みの線・円・弧・点や文字などの要素がどのレイヤに作図されているかを確認するには、「属性取得」を利用する。

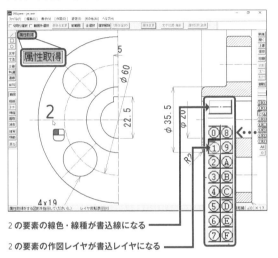

2の要素の線色・線種が書込線になる

2の要素の作図レイヤが書込レイヤになる

1 「属取」コマンド（メニューバー［設定］－「属性取得」）を選択する。

Point 「属性取得」は、次に●する要素と同じレイヤを書込レイヤにし、同じ線色・線種を書込線にする。

2 確認対象の要素を●。

Point 1、2の操作の代わりに2の要素を● ↓ AM6時 属性取得 してもよい。2でブロックを●すると「選択されたブロックを編集します」ダイアログが開く（☞ p.411）。2でプロテクトレイヤ（☞ p.336）の要素を●すると プロテクトレイヤのデータです と表示され、属性取得されない。また、グレー表示の要素を●して 図形がありません と表示された場合は、下記 Hint 参照。

Hint　表示のみレイヤの要素も属性取得

初期設定では、属性取得できるのは書込レイヤと編集可能レイヤの要素のみである。表示のみレイヤの要素を属性取得するには、以下の設定をする。

1 「基設」コマンド（メニューバー［設定］－「基本設定」）を選択する。

2 「一般(1)」タブの「表示のみレイヤも属性取得」にチェックを付ける。

3 「OK」ボタンを●。

273 指定した要素のレイヤを非表示にする

関連キーワード 非表示レイヤ／プロテクトレイヤ／レイヤ非表示化

関連コマンド ［設定］－「レイヤ非表示化」

「レイヤ非表示化」コマンドで図面上の要素を🖱することで、その要素が作図されているレイヤを非表示にできる。

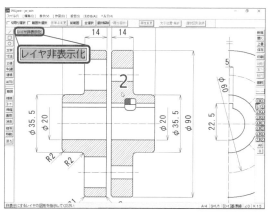

1 メニューバー［設定］－「レイヤ非表示化」を選択する。

Point 1の操作の代わりに Tab キーを2回押してもよい。

2 非表示対象の要素を🖱。

Point 2で書込レイヤの要素を🖱した場合は、書込レイヤです と表示され、非表示レイヤにできない。プロテクトレイヤ（☞ p.336）の要素を🖱した場合も、プロテクトレイヤのデータです と表示され、非表示レイヤにできない。

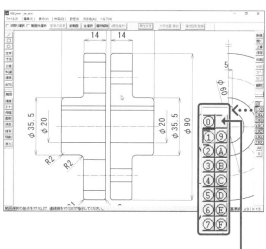

2で🖱した要素が作図されているレイヤが非表示レイヤになり、要素が作図ウィンドウから消える

274 レイヤ分けを一覧で確認する

関連キーワード 拡大／ズーム／レイヤ一覧／レイヤ分け

レイヤバーの書込レイヤボタンを🖱することで、「レイヤ一覧」ウィンドウが開き、図面のレイヤ分けが一覧できる。

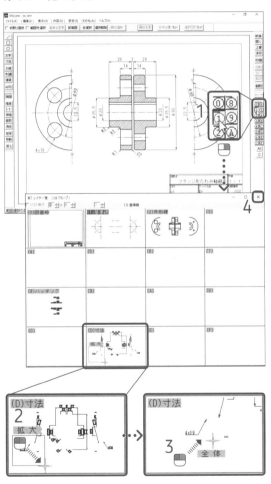

1 レイヤバーの書込レイヤボタンを🖱。

Point レイヤバーで書込レイヤボタンを🖱することで、各レイヤの要素を一覧表示する「レイヤ一覧」ウィンドウが開く。「レイヤ一覧」ウィンドウでは、レイヤバーと同様の指示で書込レイヤや他のレイヤの状態変更が行える。クリックは、各レイヤ枠内のレイヤ番号（およびレイヤ名）以外の位置で行うこと。

🖱：書込レイヤに変更

🖱：書込レイヤ以外の状態を非表示
⇒表示のみ⇒編集可能に変更

❓ 一部の要素が「レイヤ一覧」ウィンドウに表示されない 🖙 p.392

2 レイヤ枠内で🖱＼拡大（🖙 p.68）し、拡大範囲を指定する。

Point 「レイヤ一覧」ウィンドウの各レイヤ枠内で🖱＼拡大や🖱╱全体などの両ボタンドラッグによるズーム操作が行える。

3 レイヤ枠内で🖱╱全体し、全体表示にする。

4 ウィンドウ右上の⊠を🖱して、「レイヤ一覧」ウィンドウを閉じる。

レイヤ／属性取得

275 | レイヤ名を設定・変更する

関連キーワード レイヤ一覧／レイヤ名

レイヤ名の設定や変更は「レイヤ一覧」ウィンドウで行える。

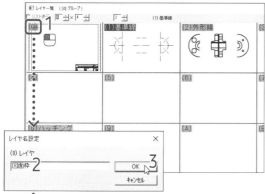

1 レイヤバーの書込レイヤボタンを
🖰（☞前ページ）して開いた「レ
イヤ一覧」ウィンドウで、レイヤ
番号（およびレイヤ名）部分を🖰。

2 「レイヤ名設定」ダイアログの「レ
イヤ名」ボックスにレイヤ名（図は
「図面枠」）を入力または変更する。

3 「OK」ボタンを🖰。

4 ウィンドウの右上の⊠を🖰して、
「レイヤ一覧」ウィンドウを閉じる。

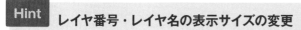

Hint レイヤ番号・レイヤ名の表示サイズの変更

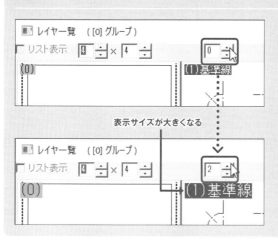

「文字サイズ」ボックスの-や-を
🖰して数値を変更（-3～3）するこ
とで、レイヤ番号・レイヤ名の文字
の表示サイズを調整できる。

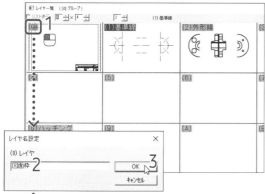

レイヤ／属性取得

276 | プロテクトレイヤを 解除・設定する

関連キーワード プロテクトレイヤ／レイヤバー

レイヤ番号に×や／が付いたレイヤを「プロテクトレイヤ」と呼ぶ。プロテクトレイヤを書込レイヤにすることや、プロテクトレイヤの要素を編集することはできない。また、×が付いたプロテクトレイヤは、その表示状態を変更することもできない。

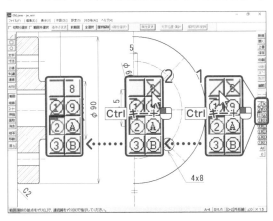

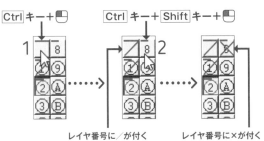

レイヤ番号に／が付く　　レイヤ番号に×が付く

■ プロテクトレイヤの解除

1 レイヤバーの「／」が付いたレイヤ番号ボタンを、Ctrlキーを押したまま🖱。

2 レイヤバーの「×」が付いたレイヤ番号ボタンを、Ctrlキーを押したまま🖱。

Point ×、／のいずれのプロテクトレイヤも、Ctrlキーを押したままレイヤ番号を🖱することで解除される。

■ プロテクトレイヤの設定

1 レイヤバーの番号ボタンを、Ctrlキーを押したまま🖱。

Point Ctrlキーを押したままレイヤ番号を🖱すると、番号に／が付いたプロテクトレイヤになる。

2 レイヤバーの番号ボタンを、CtrlキーとShiftキーの両方を押したまま🖱。

Point CtrlキーとShiftキーの両方を押したままレイヤ番号を🖱すると、番号に×が付いたプロテクトレイヤ（レイヤ状態の変更も不可）になる。

レイヤ／属性取得

277 表示のみレイヤの点や線を 読み取らない設定にする

関連キーワード 表示のみレイヤ／読取設定

関連コマンド [設定]−「縮尺・読取」

表示のみレイヤの要素は編集対象にはならないが、「複線」コマンドなどの基準線として指示することや、点を🖲で読み取ることは可能である。「縮尺・読取　設定」ダイアログの指定により、表示のみレイヤの要素を基準線とすることや、点を読み取ることを不可にできる。

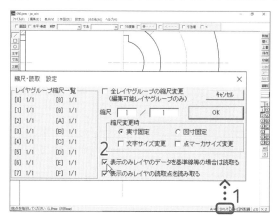

1 ステータスバー「縮尺」ボタン（メニューバー［設定］−「縮尺・読取」）を選択する。

2 「縮尺・読取　設定」ダイアログの「表示のみレイヤのデータを基準線等の場合は読取る」を🖲し、チェックを外す。

Point 2のチェックを外すと、「複線」コマンドなどの基準線として表示のみレイヤの線・円・弧を🖲しても図形がありませんと表示され、指示できない。

3 「表示のみレイヤの読取点を読み取る」を🖲し、チェックを外す。

Point 3のチェックを外すと、表示のみレイヤの点（端点・交点・接点含む）を🖲しても点がありませんと表示され、読み取りできない。

4 「OK」ボタンを🖲。

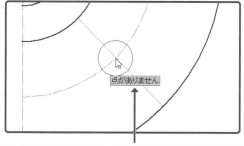

3の指定により、表示のみレイヤの点を🖲しても読み取りできない

レイヤ／属性取得

337

278 | 書込レイヤ以外の レイヤの状態を一括変更する

関連キーワード レイヤグループバー／レイヤ状態一括変更／レイヤバー

レイヤバーの「All」ボタンを🖱することで、書込レイヤ以外のレイヤ状態を一括変更できる。

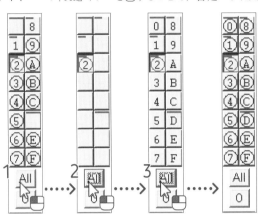

1 レイヤバーの「All」ボタンを🖱。

Point レイヤバーの「All」ボタンを🖱すると、書込レイヤ以外のレイヤが非表示レイヤになり、🖱のたびに「表示のみ」⇒「編集可能」に一括変更する。ただし、×の付いたプロテクトレイヤ（☞ p.336）の状態は変更されない。また、「All」ボタンを🖱した場合は、編集可能レイヤに一括変更する。

2 レイヤバーの「All」ボタンを🖱。

3 レイヤバーの「All」ボタンを🖱。

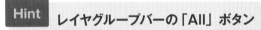

Hint レイヤグループバーの「All」ボタン

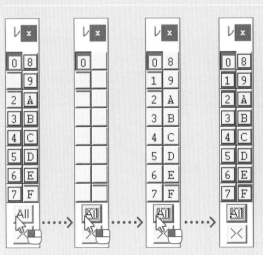

レイヤグループバー（☞ p.414）の「All」ボタンもレイヤバーの「All」ボタンと同じ働きをする。
「All」ボタンを🖱するたび、書込レイヤグループ以外のレイヤグループの状態を「非表示」⇒「表示のみ」⇒「編集可能」に一括変更する。「All」ボタンを🖱した場合は、「編集可能」に一括変更する。

279 全レイヤグループの全レイヤを編集可能にする

関連キーワード 全レイヤ非表示／全レイヤ編集／レイヤ状態一括変更／レイヤ設定

関連コマンド [設定]－「レイヤ」

「レイヤ設定」ダイアログの「全レイヤ編集」ボタンを🖱することで、すべてのレイヤグループのすべてのレイヤを編集可能レイヤにできる。

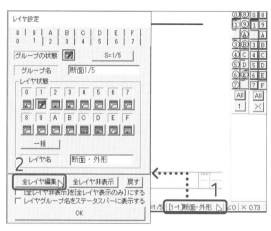

1 ステータスバー「書込レイヤ」ボタン（メニューバー [設定]－「レイヤ」）を🖱。

2 「レイヤ設定」ダイアログの「全レイヤ編集」ボタンを🖱。

Point 2の操作ですべてのレイヤグループのレイヤが編集可能になるが、×の付いたプロテクトレイヤ（☞ p.336）の状態は変更されない。また、再度「レイヤ設定」ダイアログを開き、「戻す」ボタンを🖱すると、2の操作前のレイヤ状態に戻る。

Hint すべてのレイヤを非表示・表示のみ

「レイヤ設定」ダイアログの「全レイヤ非表示」ボタンを🖱すると、書込レイヤ以外のすべてのレイヤが非表示になる。ただし、×の付いたプロテクトレイヤの状態は変更されない。

「［全レイヤ非表示］を［全レイヤ表示のみ］にする」にチェックを付けて「全レイヤ非表示」ボタンを🖱すると、書込レイヤ以外のすべてのレイヤが表示のみの状態になる。ただし、×の付いたプロテクトレイヤの状態は変更されない。

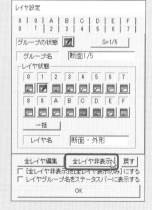

レイヤ／属性取得

280 | レイヤグループ分けを 一覧で確認する

関連キーワード レイヤグループ一覧／レイヤグループ名／レイヤグループ分け

レイヤグループバーの書込レイヤグループボタンを🖰することで、「レイヤグループ一覧」ウィンドウが開き、図面のレイヤグループ分けが一覧できる。

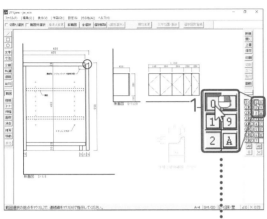

濃いグレー：書込レイヤグループ

[ ] 付き番号：編集可能レイヤグループ

[ ] なし番号：表示のみレイヤグループ

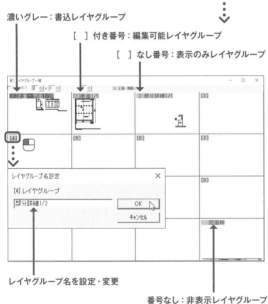

レイヤグループ名を設定・変更

番号なし：非表示レイヤグループ

1 レイヤグループバーの書込レイヤグループボタンを🖰。

Point レイヤグループバーが表示されていない場合は、レイヤバー下部の「書込レイヤグループ番号」ボタン（☞ p.414）を🖰することでレイヤグループバーを表示する。

Point 「レイヤグループ一覧」ウィンドウでは、レイヤグループバーと同様の指示で書込レイヤグループや他のレイヤグループの状態変更が行える。クリック指示は、各レイヤグループ枠内の「番号：レイヤグループ名」以外の位置で行うこと。

🖰：書込レイヤグループに変更

🖰：書込レイヤグループ以外の状態を非表示⇒表示のみ⇒編集可能に変更

また、「レイヤ一覧」ウィンドウ（☞ p.334/335）と同様に、🖰＼拡大や🖰 ↗全体などの両ボタンドラッグによるズーム操作やレイヤグループ名の設定・変更が行える。「レイヤグループ一覧」ウィンドウを閉じるには、ウィンドウの右上⊠を🖰する。

レイヤ／属性取得

340

281 | 各レイヤグループの縮尺を確認する

関連キーワード 書込レイヤグループの縮尺／縮尺／レイヤグループ

関連コマンド [設定] ー「縮尺・読取」

ステータスバー右の「縮尺」ボタンには、書込レイヤグループの縮尺が表示される。すべてのレイヤグループの縮尺は、「縮尺・読取　設定」ダイアログで確認できる。

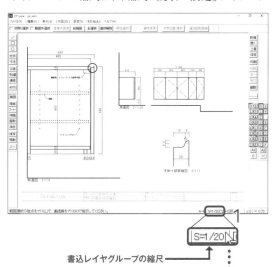

1 ステータスバーの「縮尺」ボタン（メニューバー [設定] ー「縮尺・読取」）を🖱。

書込レイヤグループの縮尺

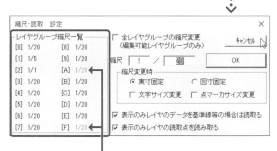

**縮尺変更が反映されない表示のみレイヤグループと
非表示レイヤグループの縮尺はグレーアウト**

Point 「縮尺・読取　設定」ダイアログの左「レイヤグループ縮尺一覧」で、各レイヤグループの縮尺が一覧できる。

レイヤ／属性取得

282 | 書込レイヤグループ名を表示する

関連キーワード　書込レイヤグループ／レイヤグループ名

関連コマンド　[設定]－「レイヤ」

ステータスバー「書込レイヤ」ボタンには、書込レイヤの番号とレイヤ名が表示されている。「レイヤ設定」ダイアログでの指定により、併せて書込レイヤグループ名も表示できる。

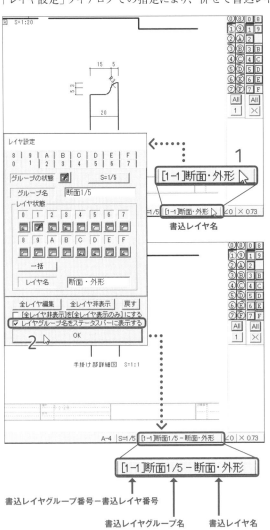

書込レイヤ名

手掛け部詳細図　S=1:1

[1-1]断面1/5 - 断面・外形

書込レイヤグループ番号－書込レイヤ番号

書込レイヤグループ名　　書込レイヤ名

1 ステータスバー「書込レイヤ」ボタン（メニューバー [設定] －「レイヤ」）を🖱。

2 「レイヤ設定」ダイアログの「レイヤグループ名をステータスバーに表示する」にチェックを付け、「OK」ボタンを🖱。

Point 2の指定により、ステータスバーの「書込レイヤ」ボタンのレイヤ名の前に、書込レイヤグループ名が表示される。

レイヤ／属性取得

283 | 作図済みの要素のレイヤを 変更する

関連キーワード 書込レイヤに変更／レイヤ変更

関連コマンド [編集]－「範囲選択」

「範囲」コマンドで選択した要素の作図レイヤを、書込レイヤに変更できる。ここでは図面枠を除く図面全体を「0」レイヤに変更する例で説明する。

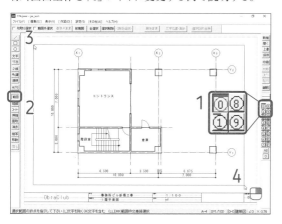

1 レイヤバーで変更先のレイヤ（図は「0」レイヤ）を🖱し、書込レイヤにする。

2 「範囲」コマンド（メニューバー [編集]－「範囲選択」）を選択する。

3 範囲選択の始点を🖱。

4 表示される選択範囲枠で、レイヤ変更する対象を囲み、終点を🖱（文字含む）。

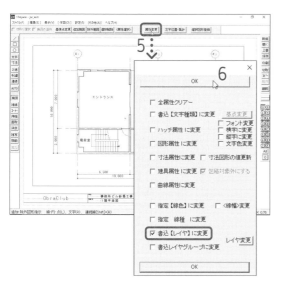

5 コントロールバー「属性変更」ボタンを🖱。

6 属性変更のダイアログで「書込【レイヤ】に変更」にチェックを付け、「OK」ボタンを🖱。

Point 変更結果は「レイヤ一覧」ウィンドウ（☞ p.334）で確認できる。

レイヤ／属性取得

343

284 | 特定の線色・線種の要素のみ レイヤを変更する

関連キーワード 書込レイヤに変更／指定線種選択／指定線色選択／レイヤ変更

関連コマンド [編集]−「範囲選択」

「範囲」コマンドで「属性選択」を利用することで、指定線色・線種の要素のみを選択して書込
レイヤに変更できる。ここでは「線色6」かつ「一点鎖2」の要素のみを「1」レイヤに変更する
例で説明する。

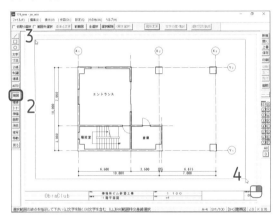

1 レイヤ変更対象要素を属性取得
（☞ p.332）する。

2 「範囲」コマンド（メニューバー[編
集]−「範囲選択」）を選択する。

3 範囲選択の始点を🖱。

4 表示される選択範囲枠で、図面全
体を囲み、終点を🖱。

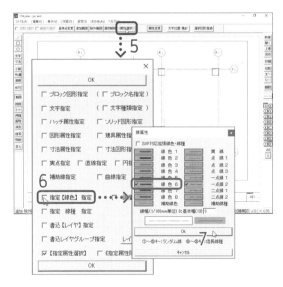

5 コントロールバー「＜属性選択＞」
ボタンを🖱。

6 属性選択のダイアログで「指定【線
色】指定」を🖱。

7 「線属性」ダイアログで、1で属
性取得した線色が選択されてい
ることを確認し、「Ok」ボタンを
🖱。

Point 1の属性取得をしていない場合
は、「線属性」ダイアログでレイヤ変更
対象の線色を選択して「Ok」ボタンを
🖱。

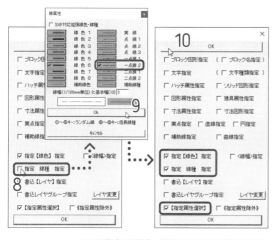

7、9 で指定した線色・線種の要素のみが選択される

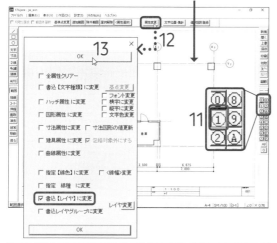

11 で指定した書込レイヤに変更される

8 属性選択のダイアログの「指定線種　指定」を🖱。

9 「線属性」ダイアログで、1で属性取得した線種が選択されていることを確認し、「Ok」ボタンを🖱。

> **Point** 1の属性取得をしていない場合は、「線属性」ダイアログでレイヤ変更対象の線種を選択して「Ok」ボタンを🖱。

10 属性選択のダイアログで「【指定属性選択】」にチェックが付いていることを確認し、「OK」ボタンを🖱。

> **Point** 5 ～ 10 の指定により、4で選択した要素から7での指定色かつ9での指定線種の要素のみを選択する（属性選択のダイアログで指定できる属性について ☞ p.91）。

11 指定した条件の要素のみが選択されたことを確認し、変更先レイヤを🖱して書込レイヤにする。

12 コントロールバー「属性変更」ボタンを🖱。

13 属性変更のダイアログで「書込【レイヤ】に変更」にチェックを付け、「OK」ボタンを🖱。

> **Point** 変更結果は、「レイヤ一覧」ウィンドウ（☞ p.334）で確認できる。

レイヤ／属性取得

285 | 画像を挿入する

関連キーワード BMP／JPEG／画像の挿入

関連コマンド ［編集］－「画像編集」

BMP 形式の画像に限り、「画像編集」コマンドで Jw_cad 図面に挿入できる。

1 メニューバー［編集］－「画像編集」を選択する。

2 コントロールバー「画像挿入」ボタンを🖱。

3 「開く」ダイアログのフォルダーツリーで画像の収録フォルダーを指定し、画像を🖱。

4 「開く」ボタンを🖱。

Point 標準で挿入できるのは BMP 形式の画像に限る。デジタルカメラやインターネットなどで広く利用されている JPEG 形式の画像は、標準では挿入できない。JPEG 形式の画像挿入は、別のプラグインソフト「WIC Susie Plug-in」などをセットすることで可能になる（☞別書『Jw_cad8 を仕事でフル活用するための 88 の方法』p.20）。

5 画像挿入の基準点を🖱（または🖱free）。

Point 画像は図寸横幅 100mm で挿入されるため、挿入後にサイズを調整する（☞ p.348）。挿入した画像と図面ファイルは、別々のファイルである。そのため挿入元の画像ファイルを移動・削除したり、図面ファイルを別のパソコンで開いたりすると画像は表示されない。図面を保存する前に、「画像同梱」（☞次ページ）で画像と図面ファイルを 1 つのファイルにすることで対処する。

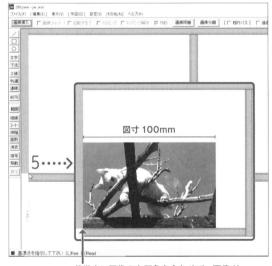

基準点に画像の左下角を合わせて、画像が横幅100mm（図寸）の大きさで挿入される

画像／ブロック

346

286 | 画像を同梱する

関連キーワード 画像同梱

関連コマンド [編集]-「画像編集」

挿入した画像は、図面ファイルとは別個のファイルである。図面ファイルとともに保存するには、保存前に「画像同梱」を行う。

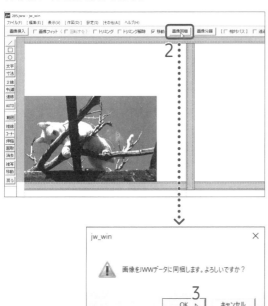

1 メニューバー[編集]-「画像編集」を選択する。

2 コントロールバー「画像同梱」ボタンを🖱。

Point 「画像同梱」で図面ファイルと一体化することで、Jw_cad 図面ファイルのファイルサイズも大きくなる。「画像同梱」を行わずに図面を保存した場合、作図ウィンドウ左上に 同梱されていない画像データがあります。Jww データを受け渡す場合、画像ファイルも一緒に受け渡す必要があります。 とメッセージが表示される。

3 同梱確認のメッセージウィンドウが開くので、「OK」ボタンを🖱。

4 同梱結果のメッセージウィンドウが開くので、「OK」ボタンを🖱。

画像／ブロック

287 | 画像サイズを変更する

関連キーワード 画像のサイズ変更

関連コマンド ［編集］－「画像編集」

画像サイズの調整は「画像編集」コマンドの「画像フィット」で、画像上の2点とそれに対応するサイズ変更後の2点を指示して変更する。このとき、画像の縦横比は変更されない。

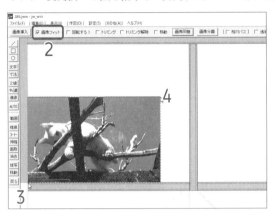

1 メニューバー［編集］－「画像編集」を選択する。
2 コントロールバー「画像フィット」にチェックを付ける。
3 フィットさせる画像の範囲の始点（図は画像左下角）を🖱。
4 フィットさせる画像の範囲の終点（図は画像の右上角）を🖱。

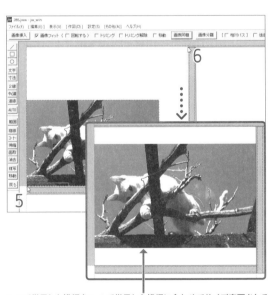

5 フィットさせる範囲の始点（図は画像の左下角）を🖱。
6 フィットさせる範囲の終点（図は枠の右上角）を🖱。

Point 画像とフィットさせる範囲の縦横比が異なる場合、画像の縦横比を保ち、画像の長い辺の方向（ここでは横）をフィットさせる範囲の長さに合わせてサイズが変更される。

3、4で指示した横幅を5、6で指示した横幅に合わせてサイズ変更される

画像／ブロック

288 | 画像をトリミングする

関連キーワード 画像のトリミング・解除

関連コマンド [編集] －「画像編集」

図面上の画像は、「画像編集」コマンドの「トリミング」で画像の表示する範囲を指示することで、必要な部分のみを表示できる。

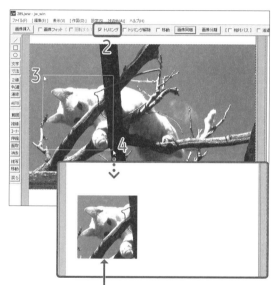

1 メニューバー[編集]－「画像編集」を選択する。

2 コントロールバー「トリミング」にチェックを付ける。

3 トリミング範囲の始点を🖱（または🖱Read）。

4 表示される範囲枠で画像の残す部分を囲み、終点を🖱（または🖱Read）。

3、4を対角とする長方形の範囲のみ表示される

Hint トリミングの解除

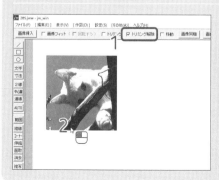

「トリミング」は、図面上の画像に対して範囲を指示して表示する指定である。画像ファイル自体は加工されないため、以下の手順でトリミングを解除することで元の画像全体の表示に戻る。

1 「画像編集」コマンドのコントロールバー「トリミング解除」にチェックを付ける。

2 トリミングを解除する画像を🖱。

画像／ブロック

289 画像を移動する

関連キーワード 移動／画像の移動

関連コマンド [編集]－「画像編集」

図面上の画像の移動は、「画像編集」コマンドの「移動」で、画像上の移動元の点と移動先の点を指示することで行う。

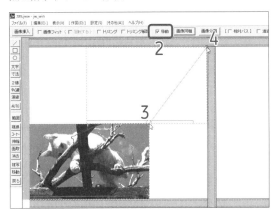

1 メニューバー[編集]－「画像編集」を選択する。
2 コントロールバー「移動」にチェックを付ける。
3 移動する画像の移動基準点（図は画像右上角）を🖱（または🖱free）。
4 移動先の点を🖱（または🖱free）。

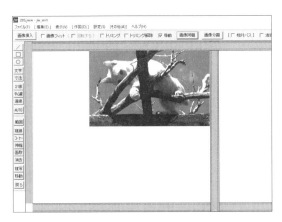

Point 3の基準点を4に合わせて移動する。複数の画像を一度に移動する場合は、「移動」コマンドで、線・文字要素などの移動と同様にして行う。

画像／ブロック

290 | 同梱画像を分離する

関連キーワード 画像同梱／画像分離

関連コマンド [編集]−「画像編集」

図面上の画像は、「画像分離」を行うことで、図面ファイルが収録されているフォルダーに「図面ファイル名〜画像分離」フォルダーを作成し、そこに BMP 画像ファイルとして分離される。

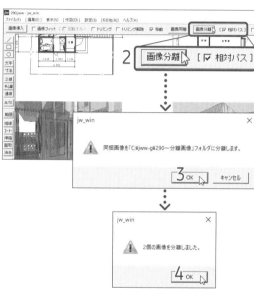

1 メニューバー[編集]−「画像編集」を選択する。

2 コントロールバー「[相対パス]」にチェックを付け、「画像分離」ボタンを🖱。

3 画像を収録するフォルダー名が記載されたメッセージウィンドウが開くので、「OK」ボタンを🖱。

4 画像の分離が完了し、メッセージウィンドウが開くので、「OK」ボタンを🖱。

> **Point** 図面を上書き保存すると、画像が分離された図面ファイルになる。図面を上書き保存せずに終了した場合、画像は図面ファイルに同梱されたままだが、いったん分離した画像ファイルはそのまま残る。

> **Point** 分離した画像ファイルは、図面ファイルが収録されているフォルダー内に作成された「ファイル名〜分離画像」フォルダーに、「元の画像ファイル名 .bmp」というファイル名で BMP 形式の画像ファイルとして収録される。

▼分離した画像ファイルをエクスプローラーで確認

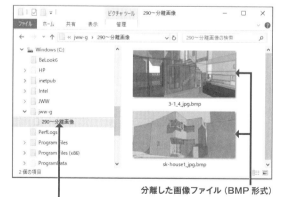

分離した画像ファイル（BMP 形式）

分離画像ファイルの収録用フォルダーが作成される

画像／ブロック

291 | ブロックの有無・数を確認する

関連キーワード 多重ブロック／ブロック数／要素数

関連コマンド [設定]－「基本設定」

開いた図面にブロックがあるか否か、およびブロックの数は、「基本設定」コマンドで開く「jw_win」ダイアログ「一般（1）」タブの「ブロック,ソリッド」ボックスで確認できる。

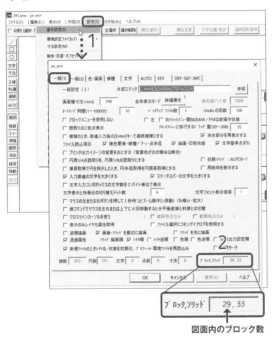

図面内のブロック数

1 「基設」コマンド（メニューバー[設定]－「基本設定」）を選択する。

2 「jw_win」ダイアログの「一般（1）」タブの最下行「ブロック,ソリッド」ボックスの数値を確認する。

Point 「ブロック,ソリッド」ボックスの「,」（カンマ）の前の数字が開いている図面内のブロック数である。「,」の前の数字が「0」の場合、開いた図面内にブロックはない。また、多重構造のブロックでは、最上層のブロックの数だけが計算される。

Hint 多重構造のブロック

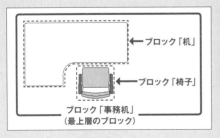

図の例のように複数のブロックをさらにブロック化して、ひとまとまりの要素として扱うことができる。このようなブロックを「多重構造のブロック」と呼ぶ。ブロック数のカウントやブロック解除を行ったとき、対象になるのは最上層のブロックのみである。

292 | ブロック名・ブロックの構造を ツリー表示で確認する

関連キーワード　多重ブロック／ブロックツリー／ブロック名

関連コマンド　[表示]−「ブロックツリー」

「ブロックツリー」では、図面上にあるすべてのブロックとそのブロック名がフォルダーアイコンでツリー表示される。

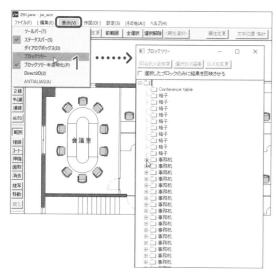

1　メニューバー [表示]−「ブロックツリー」を選択する。

Point　プルダウンメニューの「ブロックツリー半透明化」にチェックが付いていると、「ブロックツリー」ダイアログが透過表示される。「ブロックツリー」ダイアログで、ブロックはフォルダーアイコンで表示される。フォルダーアイコンの先頭に田マークがあるブロックは多重構造になっており、その内（下）部に、さらにブロックがある。

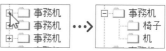

2　「ブロックツリー」のブロック名を🖱。

Point　ブロックツリー上で🖱したブロックが作図ウィンドウで選択色になる。

3　ブロックの確認を完了したら、「ブロックツリー」ダイアログ右上の⊠を🖱し、ダイアログを閉じる。

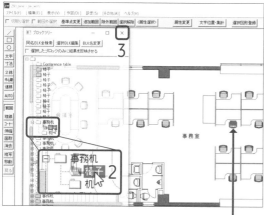

2で🖱したブロックが図面上で選択色になる

293 | ブロック名ごとに ブロックの数を集計する

関連キーワード 多重ブロック／ブロック集計／ブロック数／ブロック名

関連コマンド ［編集］−「範囲選択」

図面内のブロックの数をブロック名ごとに集計し、その結果を図面上に記入できる。

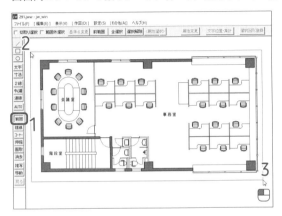

1 「範囲」コマンド（メニューバー［編集］−「範囲選択」）を選択する。

2 範囲選択の始点を🖱。

3 選択範囲枠で図面全体を囲み、終点を🖱（文字を除く）。

Point 次に指定する「文字位置・集計」は、文字要素とブロックを対象とする。ここでは、ブロックだけを集計するため、範囲選択の終点を🖱（文字を除く）して、対象に文字要素を含めないようにする。

文字要素は選択されない

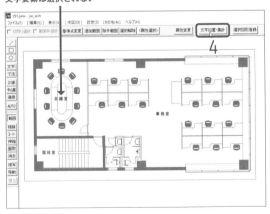

4 コントロールバー「文字位置・集計」ボタンを🖱。

ブロックのみが選択色になる

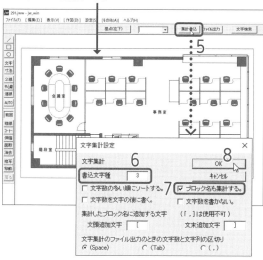

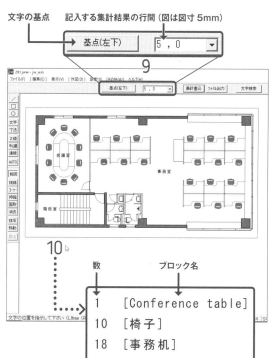

文字の基点　記入する集計結果の行間（図は図寸5mm）

数　　　　　　　ブロック名

1　　[Conference table]
10　　[椅子]
18　　[事務机]

10の位置に1行目の基点（左下）を合わせ、
集計結果が6で指定した文字種で記入される

5　コントロールバー「集計書込」ボタンを🖱。

6　「文字集計設定」ダイアログの「書込文字種」ボックスで文字種（図は「3」）を指定する。

7　「ブロック名も集計する」にチェックを付ける。

Point 6では集計結果を記入する文字種を指定する。7のチェックを付けない場合、選択した文字要素の数を、その記入内容ごとに集計する。

8　「OK」ボタンを🖱。

9　コントロールバーで文字の基点と「行間」ボックスの行間を確認して、適宜変更する。

10　集計結果の記入位置（1行目の文字の基点位置）を🖱。

Point 集計されるのは、最上層のブロックのブロック名のみである。図の場合、多重構造のブロック「事務机」内にあるブロック「机」と「椅子」の数は集計されない。これらも集計するには、集計前にブロック「事務机」を解除して、ブロック「机」と「椅子」に分解する必要がある。

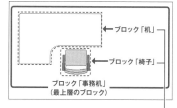

集計されない

294 | ブロックの集計結果を ファイル出力する

関連キーワード ブロック集計／ブロック数

関連コマンド [編集]-「範囲選択」

ブロックの集計結果を Excel などの他のアプリケーションに渡す場合は、「ファイル出力」を指定してテキストファイルとして保存する。

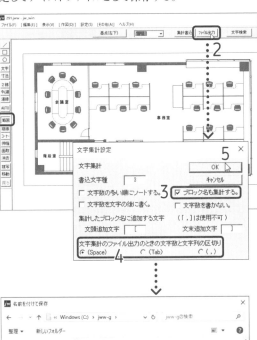

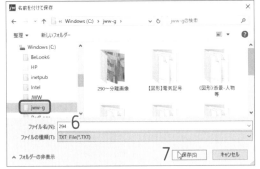

1 「範囲」コマンド（メニューバー [編集] -「範囲選択」）を選択し、p.354 の 2 ~ 4 の操作を行う。

2 コントロールバー「ファイル出力」ボタンを🖱。

3 「文字集計設定」ダイアログの「ブロック名も集計する」にチェックを付ける。

Point 3 のチェックを付けない場合、選択した文字要素の数を、その記入内容ごとに集計する。

4 必要に応じて「文字集計のファイル出力のときの文字数と文字列の区切り」欄の指定を変更する。

5 「OK」ボタンを🖱。

6 「名前を付けて保存」ダイアログで、保存場所を指定し、「ファイル名」を入力する。

7 「保存」ボタンを🖱。

Point 6 で指定した場所にテキストファイル（図は「294.txt」）が作成される。そのテキストファイルを目的のアプリケーションで利用する。Excel 表で利用するための詳しい手順については、別書『Jw_cad で神速に図面をかくための 100 のテクニック』 p.240 で解説している。

画像／ブロック

295 | 特定の名前のブロックのみ選択する

関連キーワード 指定ブロック選択／ブロック名／ブロック名指定による選択

関連コマンド ［編集］－「範囲選択」

「属性選択」でブロック名を指定することにより、その名前のブロックのみを選択できる。

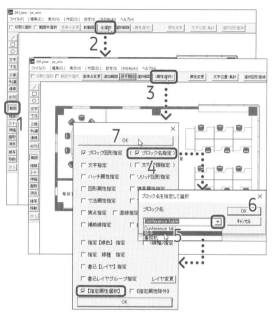

1 「範囲」コマンド（メニューバー［編集］－「範囲選択」）を選択する。

2 コントロールバー「全選択」ボタンを🖱。

3 コントロールバー「〈属性選択〉」ボタンを🖱。

4 属性選択のダイアログの「（ブロック名指定）」を🖱。

5 「ブロック名を指定して選択」ダイアログで、「ブロック名」ボックスの▾を🖱し、リストから選択したいブロック名を🖱。

Point リストには図面内のブロック名が表示される。

6 「OK」ボタンを🖱。

7 属性選択のダイアログで、「【指定属性選択】」にチェックが付いていることを確認し、「OK」ボタンを🖱。

Point 5の指定で選択できるのは、最上層のブロックのみである。多重構造のブロック内部のブロックは選択されない。

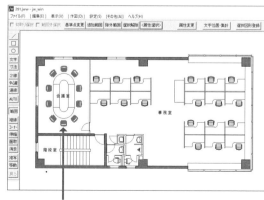

2 で選択した要素の中から、5 で指定したブロック名のブロックのみが選択される

画像／ブロック

296 | ブロック名を変更する

関連キーワード クロックメニュー（属性取得）／ブロック名変更

関連コマンド ［編集］－「ブロック編集」／［設定］－「属性取得」

ブロックを属性取得したときに開く「選択されたブロックを編集します」ダイアログで、ブロック名を変更できる。

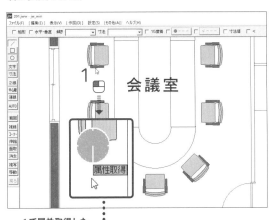

1で属性取得した
ブロックの名前

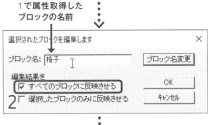

1 変更対象のブロックを🖱↓ AM6時 属性取得 。

Point 1の操作の代わりに、「属取」コマンド（メニューバー［設定］－「属性取得」）を選択して1のブロックを🖱してもよい。

2 「選択されたブロックを編集します」ダイアログで、1のブロックと同じブロックの名前をすべて変更する場合は、「すべてのブロックに反映させる」にチェックを付ける。

Point 選択したブロックのみ名前を変更する場合は、「選択したブロックのみに反映させる」にチェックを付ける。

3 「ブロック名」ボックスのブロック名を変更する。

4 「ブロック名変更」ボタンを🖱。

Point 2で「すべてのブロックに反映させる」にチェックを付けた場合、すべての同じブロックの名前が3で指定した名前に変更される。結果はブロックツリー（☞ p.353）で確認できる。

画像／ブロック

297 ブロックを解除する

関連キーワード ブロック解除

関連コマンド ［編集］－「範囲選択」「ブロック解除」

多重構造のブロックの内部のブロックを集計したい場合や、ブロックを線・円・弧・点・文字などの基本要素に分解したい場合は、対象とするブロックを選択し、「ブロック解除」を指示する。

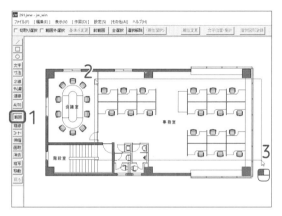

1 「範囲」コマンド（メニューバー［編集］－「範囲選択」）を選択する。

2 範囲選択の始点を🖱。

3 選択範囲枠に解除するブロックが入るように囲み、終点を🖱（文字を除く）。

Point 2、3の操作の代わりに、ブロックを🖱で選択することもできる。また、図面内のすべてのブロックを解除するには、2、3の操作の代わりに、「範囲」コマンドのコントロールバー「全選択」ボタンを🖱し、すべての要素を選択する。

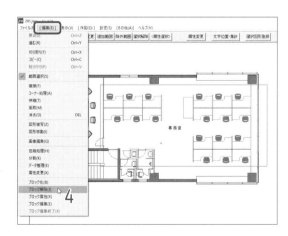

4 「BL解」コマンド（メニューバー［編集］－「ブロック解除」）を選択する。

Point 1回のブロック解除操作で解除されるのは、最上層のブロックだけである。最下層まですべてのブロックを解除するには、「jw_win」ダイアログ「一般 (1)」タブのブロック数（☞ p.352）が「0」になるまで、1～4の操作を繰り返す。

画像／ブロック

298 | ブロックを編集する

関連キーワード　クロックメニュー（属性取得）／ブロック編集

関連コマンド　［編集］－「ブロック編集」／［設定］－「属性取得」

ブロックを解除しなくても、「ブロック編集」コマンドでブロック内の要素の線色・線種変更や編集が行え、図面上の同じ名前のブロックすべてにそれらの変更を反映できる。

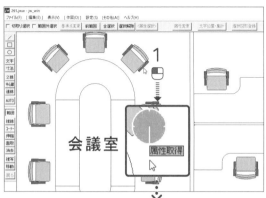

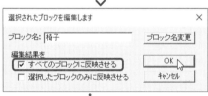

編集対象のブロックがブロック作成時の角度で
表示され、それ以外はグレーで表示される

1　編集対象のブロックを🖱↓ AM 6時［属性取得］。

Point 1の操作の代わりに「属取」コマンド（メニューバー［設定］－「属性取得」）を選択して1のブロックを🖱してもよい。

2　「選択されたブロックを編集します」ダイアログで、「すべてのブロックに反映させる」にチェックを付け、「OK」ボタンを🖱。

Point 1のブロックのみを編集し、他の同じ名前のブロックに編集結果を反映させない場合は、「選択したブロックのみに反映させる」にチェックを付ける。その場合、編集したブロックのブロック名が自動的に変更される。

3　ブロックの編集ウィンドウに切り替わるので、必要な変更・編集操作を行う。

Point ブロックの編集ウィンドウでは1のブロックがブロック作成時の角度で表示され、編集対象外の要素はグレー表示される。ブロック編集で使用できないコマンドもグレーアウトする。

4　タイトルバーの区を🖱して、ブロック編集を終了する。

画像／ブロック

299 | ブロックを作成する

関連キーワード　クロックメニュー（円周 1/4 点）／ブロック作成

関連コマンド　[編集]−「範囲選択」「ブロック化」

対象となる要素を選択してから「ブロック化」で基準点を指定し、ブロック名を付けることで、ブロックを作成できる。

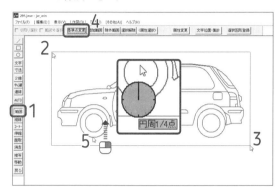

1 「範囲」コマンド（メニューバー[編集]−「範囲選択」）を選択する。

2 範囲選択の始点を🖱。

3 選択範囲枠でブロックにする要素を囲み、終点を🖱。

4 コントロールバー「基準点変更」ボタンを🖱。

5 ブロックの基準点にする点を🖱（図は円の下から🖱↑AMO 時　円周 1/4 点）。

6 「BL 化」コマンド（メニューバー[編集]−「ブロック化」）を選択する。

7 「ブロック名」ボックスにブロック名（図は「car-s」）を入力する。

8 「OK」ボタンを🖱。

Point　ブロック化したときの書込レイヤにブロック情報が作成され、ブロックの各要素もそのレイヤにまとめられる。ただし、各要素のブロック化前のレイヤ情報は保持されており、ブロック編集時には、ブロック化前のレイヤになる。また、7 で「元データのレイヤを優先する」にチェックを付けた場合、ブロック化後も各要素のレイヤは元のままである。そのブロックのレイヤを変更することはできない。

画像／ブロック

361

300 | 図面を印刷する

関連キーワード　印刷範囲変更／印刷枠／バージョン 8.20

関連コマンド　［ファイル］－「印刷」

「印刷」コマンドで印刷する用紙のサイズ、用紙の向きを指定し、印刷枠内に図面が入っていることを確認して印刷する。

2 で確認したプリンターの用紙サイズ、用紙
の向きで、赤い印刷枠が表示される

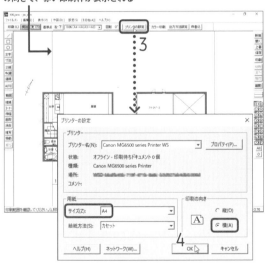

1　「印刷」コマンド（メニューバー
　　［ファイル］－「印刷」）を選択する。

2　「印刷」ダイアログの「プリンター
　　名」が印刷するプリンターになっ
　　ていることを確認し、「OK」ボタ
　　ンを🖱。

Point　バージョン 8.20 以降では、2 で
「プリンターの設定」ダイアログが開く
ので、そこで 4 で行う用紙サイズと印
刷の向きの指定をしてもよい。

Point　印刷枠は、2 で確認したプリン
ターの印刷可能な範囲を示す。指定
用紙サイズより一回り小さく、プリン
ター機種によっても大きさは異なる。

3　用紙サイズと印刷の向きを確認、
　　変更するため、コントロールバー
　　「プリンタの設定」ボタンを🖱。

4　「プリンターの設定」ダイアログ
　　で用紙サイズと印刷の向きを選択
　　し、「OK」ボタンを🖱。

362

印刷枠が4で指定した用紙サイズと向きになる

5 印刷枠に図面全体が入っていることを確認し、コントロールバーの「印刷」ボタンを🖰。

Point 印刷完了後も「印刷」コマンドは選択されたままである。再度コントロールバー「印刷」ボタンを🖰で、もう1枚図面を印刷できる。「印刷」コマンドを終了するには「／」コマンドを選択する。

Point バージョン8.20以降では、4で指定した用紙サイズと印刷の向きも図面ファイルに保存される。

Hint 印刷枠の移動

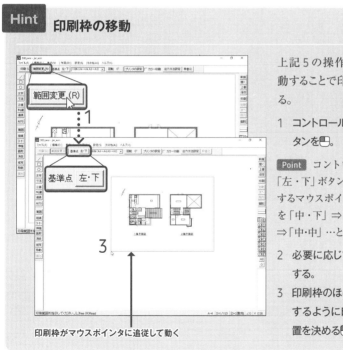

印刷枠がマウスポインタに追従して動く

上記5の操作前に、印刷枠を移動することで印刷範囲を変更できる。

1 コントロールバー「範囲変更」ボタンを🖰。

Point コントロールバーの基準点「左・下」ボタンを🖰で、印刷枠に対するマウスポインタの位置（基準点）を「中・下」⇒「右・下」⇒「左・中」⇒「中・中」…と9カ所に変更できる。

2 必要に応じて、画面を縮小表示する。

3 印刷枠のほぼ中央に図面が位置するように印刷枠を移動し、位置を決める🖰。

301 | 印刷される線の太さを mm単位で指定する

関連キーワード 線色／線幅

関連コマンド 　[設定]－「基本設定」

Jw_cadでは、線色1〜8の8色の線色を使い分けることで線の太さの違いを表現する。線色1〜8の線色ごとの印刷線幅（線の太さ）は「基本設定」の「色・画面」タブで指定する。

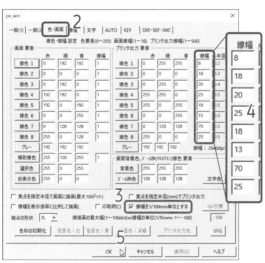

1 「基設」コマンド（メニューバー [設定]－「基本設定」）を選択する。

2 「jw_win」ダイアログの「色・画面」タブを🖱。

3 「線幅を1/100mm単位とする」にチェックを付ける。

Point 線幅をmm単位で指定するため、3のチェックを付ける。「線色1」〜「線色8」の「線幅」ボックスには「印刷する線の幅×100」の数値を入力する（0.1mmで印刷するには10を入力）。

4 「プリンタ出力要素」欄の「線色1」〜「線色8」の「線幅」ボックスを🖱し、「印刷する線の幅mm×100の数値」に変更する。

5 「OK」ボタンを🖱。

Point 印刷線幅の設定は、図面ファイルに保存される。SXF対応拡張線色（☞ p.399）や個別線幅（☞ p.404）の線幅は、「色・画面」タブでは変更できない。

302 | 印刷される実点のサイズを mm単位で指定する

関連キーワード 実点サイズ／線色

関連コマンド ［設定］－「基本設定」

寸法端部の点が印刷されない、または小さくて見えにくいのは、寸法線の印刷幅に対して端部の実点の印刷サイズが小さいことが原因である。実点の印刷サイズ（半径）を mm 単位で指定することで調整する。

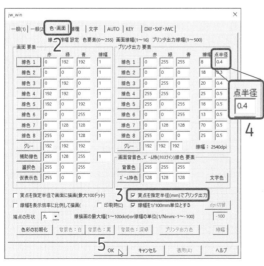

1 「基設」コマンド（メニューバー [設定] －「基本設定」）を選択する。

2 「jw_win」ダイアログの「色・画面」タブを🖰。

3 「実点を指定半径（mm）でプリンタ出力」にチェックを付ける。

Point 3 のチェックを付けることで、「線色 1」～「線色 8」の「点半径」ボックスが入力可能になる。この「点半径」ボックスに、線色ごとの点の印刷半径を図寸 mm 単位で指定する。入力できる数値は「0.1 ～ 10 (mm)」で、点は「点半径ボックスの点半径 (mm) × 2 ＋点の線色の太さ (mm)」の大きさで印刷される。

4 印刷サイズを指定する点の線色の「点半径」ボックスを🖰し、点半径を変更する。

5 「OK」ボタンを🖰。

Point これらの点半径の設定は、図面ファイルに保存される。

303 | 印刷される点線・鎖線の間隔を調整する

関連キーワード　鎖線ピッチ／線種／点線ピッチ

関連コマンド　[設定]-「基本設定」

短い点線・鎖線が実線のように印刷される、あるいは印刷された点線・鎖線の間隔が広すぎる（狭すぎる）場合は、点線・鎖線の印刷ピッチを変更することで調整する。

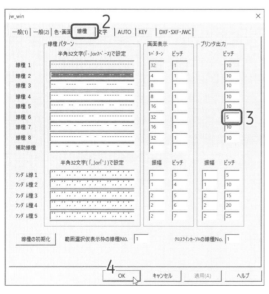

1　「基設」コマンド（メニューバー［設定］-「基本設定」）を選択する。

2　「jw_win」ダイアログの「線種」タブを🖱。

3　「プリンタ出力」欄で、ピッチを変更する線種の「ピッチ」ボックスを🖱し、現在の数値を消去して新しい数値を入力する。

Point　「線種」タブの「線種1」～「線種8」は、「線属性」ダイアログの「実線」～「二点鎖2」を示す。「ピッチ」ボックスに入力できる数値は、「1」～「160」。図面上の線が短いため実線に見える場合は現在の数値よりも小さい数値を入力する。数値が小さいほどピッチは細かく（間隔は狭く）なる。

4　「OK」ボタンを🖱。

Point　この設定は、図面ファイルに保存される。変更できるのは、標準線種「線種2」～「線種8」と、ランダム線1～5（☞ p.412）の印刷ピッチのみで、SXF対応拡張線種（☞ p.399）のピッチは変更できない。

304 | 図面をカラー印刷する

関連キーワード　カラー印刷

関連コマンド　[ファイル]－「印刷」

「印刷」コマンドのコントロールバー「カラー印刷」にチェックを付けることで、図面をカラー印刷できる。

「カラー印刷」にチェックを付けないと、
作図ウィンドウの図面は印刷色の黒で表示される

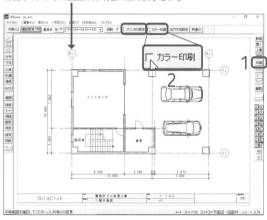

1 「印刷」コマンド（メニューバー [ファイル]－「印刷」）を選択し、必要に応じて、用紙サイズ、向きを指定する（☞ p.362 2～4）。

2 コントロールバー「カラー印刷」にチェックを付ける。

「カラー印刷」にチェックを付けると、
作図ウィンドウの図面はカラー印刷色で表示される

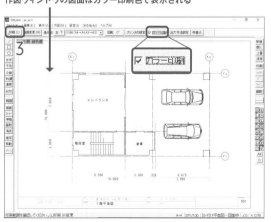

Point　コントロールバー「カラー印刷」にチェックを付けないと、図面の各線・文字は黒で印刷される。「カラー印刷」にチェックを付けると、「基本設定」の「色・画面」タブで指定した印刷色（☞ p.368）で印刷される。

3 コントロールバー「印刷」ボタンを🖱。

367

305 | カラー印刷色を指定する

関連キーワード カラー印刷色／色彩の初期化

関連コマンド [設定]－「基本設定」

カラー印刷色は、線色1～8の線色ごとに「基本設定」の「色・画面」タブで指定する。ここでは「線色1」を赤で、その他はすべて黒で印刷する例で説明する。

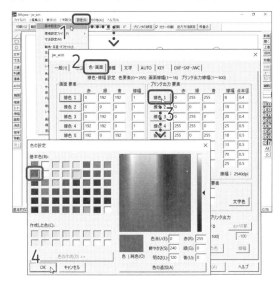

1 「基設」コマンド（メニューバー [設定]－「基本設定」）を選択する。

2 「jw_win」ダイアログの「色・画面」タブを🖱。

Point 「色・画面」タブの右側「プリンタ出力要素」欄の各線色の「赤」「緑」「青」ボックスの数値がカラー印刷色を示す。線色ごとのカラー印刷色は、線色ボタンを🖱して開く「色の設定」パレットで指定できる。

3 「線色1」ボタンを🖱。

4 「色の設定」パレットで「赤」を🖱で選択し、「OK」ボタンを🖱。

Point 線色1で作図されている線・円・弧・実点と、色No.1に設定されている文字の印刷色が「赤」に設定される。

5 「線色3」ボタンを🖱。

6 「色の設定」パレットで「黒」を🖱で選択し、「OK」ボタンを🖱。

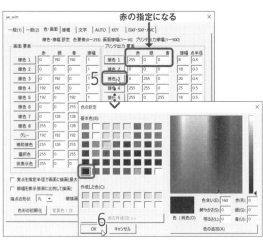

黒の指定（0 0 0）になる

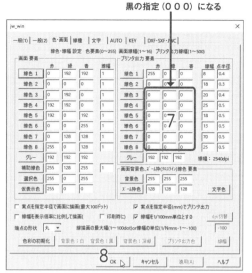

7　同様に、残りの線色（「線色4」～「線色8」）の印刷色も「黒」に指定する。

Point　「線色」ボタンを🖱し、「色の設定」パレットで「黒」を選択する代わりに、各線色の「赤」「緑」「青」ボックスの数値を「0」に変更することでも、印刷色を「黒」に指定できる。また、「グレー」の印刷色は、表示のみレイヤ（☞ p.413）のカラー印刷色である。

8　「jw_win」ダイアログの「OK」ボタンを🖱。

Point　印刷色の設定は図面ファイルに保存される。この設定で変更できるのは標準線色「線色1」～「線色8」のみで、SXF対応拡張線色（☞ p.399）のカラー印刷色は変更できない。

Hint ## カラー印刷色の初期化

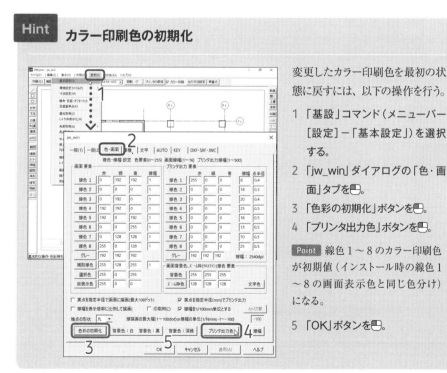

変更したカラー印刷色を最初の状態に戻すには、以下の操作を行う。

1　「基設」コマンド（メニューバー[設定]－「基本設定」）を選択する。

2　「jw_win」ダイアログの「色・画面」タブを🖱。

3　「色彩の初期化」ボタンを🖱。

4　「プリンタ出力色」ボタンを🖱。

Point　線色1～8のカラー印刷色が初期値（インストール時の線色1～8の画面表示色と同じ色分け）になる。

5　「OK」ボタンを🖱。

369

306 | 図面を縮小・拡大印刷する

関連キーワード 印刷尺度／縮小・拡大印刷

関連コマンド [ファイル]－「印刷」

印刷時に印刷倍率を指定することで、図面を縮小・拡大印刷できる。ここでは A3 用紙に作図した図面を A4 用紙に縮小印刷する例で説明する。

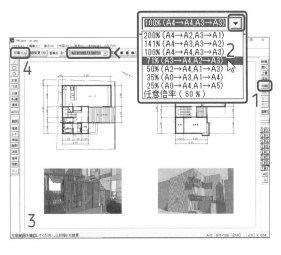

1 「印刷」コマンド（メニューバー [ファイル]－「印刷」）を選択し、用紙のサイズと向き（図は A3・横）を指定する（☞ p.362 2 ～ 4）。

2 コントロールバー「印刷倍率」ボックスの⏷を🖱し、リストから「71%（A3 → A4, A2 → A3）」を選択する。

3 指定した印刷倍率に準じて印刷枠の大きさが変化するので、必要に応じて印刷枠の位置を調整する（☞ p.363 Hint ）。

4 コントロールバー「印刷」ボタンを🖱。

Hint S=1/30 の図面を S=1/50 で印刷

S=1/30 の図面を S=1/50 になるように印刷するには、60%（30 ÷ 50）に縮小する。上記 2 で表示されるリストに「60%」はないため、リストから「任意倍率」を選択し、「印刷倍率入力」ボックスに倍率（%）「60」を入力する。

307 | 印刷プレビューを確認する

関連キーワード 印刷プレビュー

関連コマンド [ファイル]－「印刷」

印刷時のみ塗りつぶし指定をした図面や複数図面の連続印刷が、意図したとおりに印刷できるかをプレビューで確認できる。

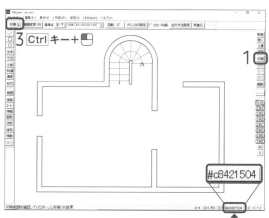

レイヤ名で印刷時のみ塗りつぶし指定（☞ p.257）

1 「印刷」コマンド（メニューバー [ファイル]－「印刷」）を選択し、用紙のサイズと向きを指定する（☞ p.362 2〜4）。

2 コントロールバーで「印刷倍率」や「カラー印刷」など必要な指定をする。

3 Ctrlキーを押したままコントロールバー「印刷」ボタンを🖱。

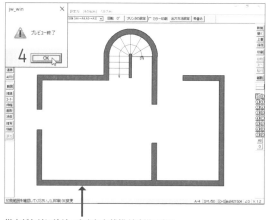

指定どおりに塗りつぶされた状態が確認できる

4 表示される印刷プレビューを確認したら、「プレビュー終了」と表示されたメッセージウィンドウの「OK」ボタンを🖱してプレビューを終了する。

Point 印刷プレビューではズームは行えないので、確認したい部分を拡大表示したうえで印刷プレビューを行うこと。連続印刷を指示（☞ p.372）した場合は、4で「プレビューを続行しますか?」と表示されたメッセージウィンドウが開き、「OK」ボタンを🖱すると、次の図面のプレビューが表示される。

308 | 図面を連続印刷する

関連キーワード 連続印刷

関連コマンド ［ファイル］－「印刷」

開いている図面ファイルに加え、選択した複数の図面ファイルを連続して印刷できる。

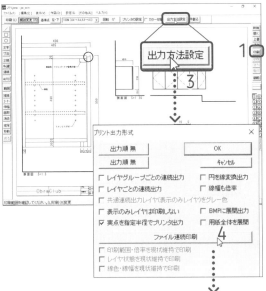

1 「印刷」コマンド（メニューバー ［ファイル］－「印刷」）を選択し、用紙サイズと向きを指定する（☞ p.362 2～4）。

2 必要に応じて、コントロールバー 「印刷倍率」ボックスの指定、「カラー印刷」の指定をする。

Point 「カラー印刷」のチェックの有無と用紙のサイズ・向きは、ここで指定したもので固定されるため、モノクロとカラーが混在した印刷や異なるサイズの用紙への連続印刷はできない。

3 コントロールバー「出力方法設定」ボタンを🖰。

4 「プリント出力形式」ダイアログの 「ファイル連続印刷」ボタンを🖰。

5 「ファイル選択」ダイアログのフォルダーツリーで連続印刷する図面の収録場所を🖰。

6 連続印刷する1つ目の図面ファイルを🖰で選択する。

Point ファイル名を🖰🖰することで、図面内容を確認するための「ファイル参照」ウィンドウが開く（☞ p.52）。

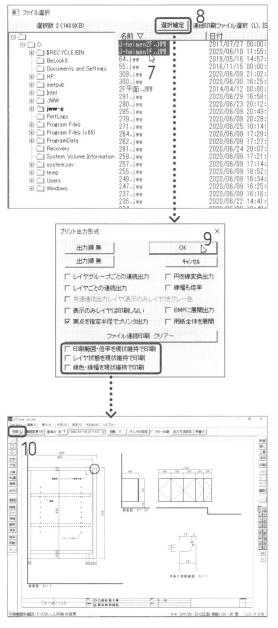

7 [Ctrl] キーを押したまま連続印刷する図面ファイルを🖰して追加選択する。

[Point] [Ctrl] キーを押したまま🖰することで、追加選択できる。選択したファイルを取り消すには、再度、[Ctrl] キーを押したまま🖰する。

8 連続印刷する図面ファイルをすべて選択したら、「選択確定」ボタンを🖰。

9 「プリント出力形式」ダイアログの設定（図の枠囲み部分）を確認し、「OK」ボタンを🖰。

[Point] 各図面は、保存時のレイヤ状態で図面ファイルごとに設定された印刷範囲・倍率および印刷線幅・線色で印刷される。「プリント出力形式」ダイアログの「印刷範囲・倍率を現状維持で印刷」にチェックを付けると、6〜8で選択した連続印刷の図面も、現在開いている図面と同じ印刷範囲・倍率で印刷される。同様に、「レイヤ状態を現状維持で印刷」にチェックを付けると各レイヤの表示状態が、「線色・線幅を現状維持で印刷」にチェックを付けると各線色の印刷色と線幅が、それぞれ開いている図面と同じ設定で印刷される。

10 コントロールバー「印刷」ボタンを🖰し、連続印刷を開始する。

[Point] 連続印刷を行う前に、プレビュー（☞ p.371）で連続印刷される図面の状態を確認できる。

309 | レイヤグループごとに連続印刷する

関連コマンド　[ファイル]-「印刷」

1つの図面ファイルにレイヤグループを分けて複数の図面を作図している場合、それらの図面をレイヤグループごとに連続印刷できる。

レイヤグループごとに印刷する 1F、2F、3F 平面図のレイヤグループは書込・編集可能にする

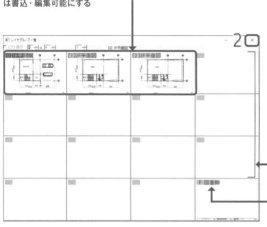

1 「レイヤグループ一覧」ウィンドウ（☞ p.340）を開き、印刷しないレイヤグループを非表示に、印刷するレイヤグループを書込・編集可能に、他のレイヤグループとともに印刷するレイヤグループを表示のみにする。

2 「レイヤグループ一覧」ウィンドウを閉じる。

印刷しないレイヤグループは
非表示にする

1F、2F、3F 平面図と合わせて印刷する図
面枠のレイヤグループは表示のみにする

[0] レイヤグループ＋ [F] レイヤグループ

[1] レイヤグループ＋ [F] レイヤグループ

[2] レイヤグループ＋ [F] レイヤグループ

Point　レイヤグループごとの連続印刷では、書込・編集可能なレイヤグループをそれぞれ1つの図面として、表示のみレイヤグループの要素と合わせて連続印刷する。要素の有無にかかわらず、印刷しないレイヤグループは非表示にしておく。1の図のレイヤグループ設定でレイヤグループごとの連続印刷を行うと、図の3枚の図面が連続印刷される。

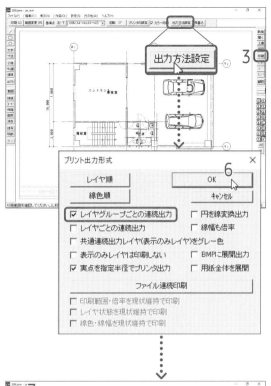

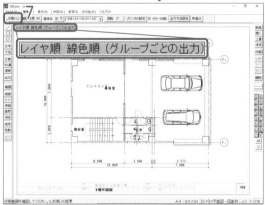

3　「印刷」コマンド（メニューバー [ファイル] −「印刷」）を選択し、用紙サイズと向きを指定する（☞ p.362 2〜4）。

4　必要に応じて、コントロールバー「印刷倍率」ボックスの指定（☞ p.370）、「カラー印刷」（☞ p.367）の指定をする。

5　コントロールバー「出力方法設定」ボタンを🖰。

6　「プリント出力形式」ダイアログで「レイヤグループごとの連続出力」にチェックを付け、「OK」ボタンを🖰。

Point 「レイヤグループごとの連続印刷」では、カラー印刷の場合も、表示のみレイヤグループ要素はグレーではなく指定色で印刷される（グレーでは印刷されない）。表示のみレイヤグループの要素をグレーで印刷する場合は、「プリント出力形式」ダイアログの「共通連続出力レイヤ（表示のみレイヤ）をグレー色」（4でコントロールバー「カラー印刷」にチェックを付けた場合に有効）にチェックを付ける。

7　コントロールバー「印刷」ボタンを🖰し、連続印刷を開始する。

Point 連続印刷を行う前に、プレビュー（☞ p.371）で連続印刷される図面の状態を確認できる。

310 | 日付やファイル名、印刷尺度などを印字する

関連キーワード 印刷尺度／埋め込み文字／日付印字／ファイル名印字

関連コマンド [ファイル] ー「印刷」／[作図] ー「文字」／[設定] ー「基本設定」

埋め込み文字と呼ばれる特殊な文字列を図面に記入することで、図面印刷時に印刷年月日やファイル名、ファイルの更新日時、印刷尺度に変換されて印刷される。

1 「文字」コマンド（メニューバー [作図] ー「文字」）を選択し、「文字入力」ボックスに「% f」を入力し、記入位置を🖱。

Point 埋め込み文字は半角文字で、1文字列として記入する。

2 「文字入力」ボックスに「=J」を入力し、記入位置を🖱。

3 「文字入力」ボックスに「% SP」を入力し、記入位置として記入済みの文字「S=」の右下を🖱。

Point 埋め込み文字（ここでは「% SP」）と他の文字（ここでは「S=」）を1行に記入する場合、埋め込み文字と他の文字を区別するため別個に記入する。

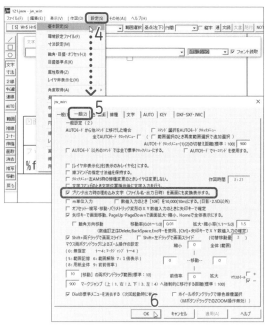

4 埋め込み文字の変換を画面上で確認するため、「基定」コマンド（メニューバー [設定] ー「基本設定」）を選択する。

5 「jw_win」ダイアログの「一般(2)」タブを🖱。

6 「プリンタ出力時の埋め込み文字（ファイル名・出力日時）を画面にも変換表示する」にチェックを付け、「OK」ボタンを🖱。

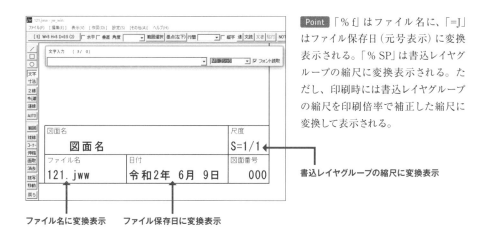

Point 「% f」はファイル名に、「=J」はファイル保存日（元号表示）に変換表示される。「% SP」は書込レイヤグループの縮尺に変換表示される。ただし、印刷時には書込レイヤグループの縮尺を印刷倍率で補正した縮尺に変換して表示される。

書込レイヤグループの縮尺に変換表示

ファイル名に変換表示　　ファイル保存日に変換表示

Hint その他の主な埋め込み文字

埋め込み文字の種類	記入文字	変換表示例
フルパスのファイル名	&F	C：¥jww-g ¥121.jww
ファイル名（拡張子無し）	&f	121
メモの1行目	% m1	
メモの2行目	% m2	
保存年月日時（西暦表記）	=F	2020/06/09　21：16：20
保存年月日（西暦表記）	=f	2020/06/09
印刷時（現在の）年月日（元号表記）	&J	令和2年7月1日
印刷年（西暦下2桁）	% y	20
印刷月	% m	07
	&m	7　※数字の前に半角スペース
印刷日	% d	01
	&d	1　※数字の前に半角スペース
書込レイヤグループの縮尺	% SS	1/10
出力倍率を補正した書込レイヤグループの縮尺	% SP	1/14.1　※印刷倍率71%の場合

311 | インストール時に本書の解説と異なるダイアログが開く

Jw_cad のインストール時に、本書の説明とは異なるメッセージやダイアログが開いた場合は以下を確認する。

■ 開いた「ユーザーアカウント制御」ウィンドウに「続行するには、管理者のユーザー名とパスワードを入力してください」と表示された場合

管理者権限のないユーザーとして Windows にログインしていると、このメッセージが表示される。管理者権限がないと Jw_cad をインストールすることはできない。
インストールを行うには、表示される管理者ユーザー名の下の「パスワード」ボックスに、その管理者のパスワードを入力し、「はい」ボタンを🖰する。

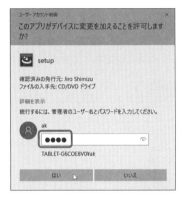

■ 「プログラムの保守」と表示されたウィンドウが開く

これからインストールしようとしているバージョンの Jw_cad がすでにインストールされていることが原因。インストールは不要なため、「キャンセル」ボタンを🖰してインストールを中断する。
「変更」や「修復」を選択して「次へ」ボタンを🖰しても問題ない。

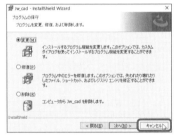

■ 「Jw_cad のインストールは、配布パッケージ（jww8**.exe）…」と表示されたウィンドウが開く

バージョン 8 以降の Jw_cad がインストールされているパソコンに、それより前のバージョンの Jw_cad をインストールしようとしていることが原因。「OK」ボタンを🖰してインストールを中止する。
前のバージョンの Jw_cad のインストールは、現在インストールされている Jw_cad をアンインストール（☞ p.31）した後に行う。

312 | 起動時にツールバーの 配置が崩れる

関連キーワード 起動／ツールバー

関連コマンド [表示] −「ツールバー」

前回の Jw_cad 終了時に Jw_cad ウィンドウを最大化していない状態で終了したことが原因。必ず Jw_cad ウィンドウを最大化したうえで、終了すること。崩れたツールバーは初期状態にして（☞ p.36）、配置し直す。

タスクバーに最小化した Jw_cad を🖱して「ウィンドウを閉じる」で終了した場合にも、次の起動時にこの現象が起きる

313 | ショートカットをダブルクリック したが起動しない

関連キーワード 起動／ショートカット

Jw_cad のショートカットを🖱🖱すると、図の「ショートカットエラー」ダイアログが表示されて起動しない。
この場合には、ショートカットアイコンを削除（ショートカットのアイコンを🖱し、表示されるメニューの「削除」を🖱）したうえで、p.30 の手順で新たにショートカットを作成する。

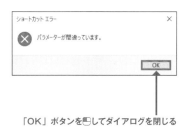

「OK」ボタンを🖱してダイアログを閉じる

314 │ 設定した目盛が表示されない

関連キーワード Direct2D ／色彩の初期化／目盛／目盛表示最小倍率

関連コマンド ［表示］−「Direct2D」／［設定］−「基本設定」「軸角・目盛・オフセット」「画面倍率・文字表示」

はじめに「軸角・目盛・オフセット　設定」ダイアログでの設定操作（☞ p.38）に間違いないかを確認する。そのうえで、以下の **1** ～ **3** を順に確認する。

■ 1　画面の表示倍率を変更

目盛間隔に対して作図ウィンドウの表示倍率が小さいと目盛が表示されない。

ステータスバーの「倍率」ボタン（メニューバー［設定］−「画面倍率・文字表示」）を🖰し、「画面倍率・文字表示　設定」ダイアログの「目盛　表示最小倍率」ボタンを🖰。画面の表示倍率が変更され、目盛が表示される。

目盛表示がオフのときはグレーアウトされて、🖰できない

末尾「・」は目盛表示オンを示す

■ 2　表示設定を確認

パソコンによっては、「Direct2D」が有効だと、特定の表示倍率での目盛が表示されないことがある。メニューバー［表示］を🖰し、プルダウンメニューの「Direct2D」にチェックが付いている場合は🖰でチェックを外して無効にする。

チェックが付いていると有効

■ 3　画面表示色を初期化

画面の背景色が目盛の点（線色2と線色1）と同じ色になっていて表示されない可能性があるため、画面表示色を初期化してみる。「基設」コマンド（メニューバー［設定］−「基本設定」）を選択し、「jw_win」ダイアログの「色・画面」タブで、「色彩の初期化」ボタンを🖰し、「背景色：白」（または「背景色：黒」）ボタンを🖰して「OK」ボタンを🖰。

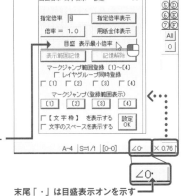

315 | 基本設定を変更したが再起動すると元に戻る

関連キーワード **JWF／起動環境設定ファイル／基本設定**

関連コマンド **[設定]－「環境設定ファイル」－「読込み」**

Jw_cadを再起動すると基本設定が変更前の状態に戻ってしまうのは、起動環境設定ファイル「jw_win.jwf」が働いているためである。起動環境設定ファイルの名前を変更して無効化することで、前回終了時の設定を保ったままJw_cadが起動するようになる。

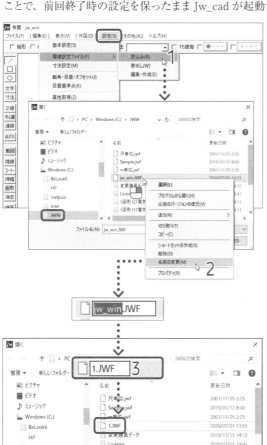

1 メニューバー[設定]－「環境設定ファイル」－「読込み」を選択する。

2 「開く」ダイアログの「ファイルの場所」が「JWW」フォルダであることを確認し、「jw_win.jwf」を🖱して表示されるメニューの「名前の変更」を🖱。

Point 「JWW」フォルダ内の「jw_win.jwf」が起動環境設定ファイル（☞ p.397「JWF」）である。ここでは「jw_win.jwf」の名前を「1.jwf」に変更することで、起動環境設定ファイルを無効にする。

3 「jw_win.jwf」が色反転されるので、「1」を入力して、「1.jwf」に変更し、Enterキーを押して確定する。

4 ここでは環境設定ファイルを読み込まないため、「開く」ダイアログの「キャンセル」ボタンを🖱。

Point 以上で起動環境設定ファイルが無効になり、以降、「基本設定」コマンドで設定した内容がJw_cadの再起動時も有効になる。

316 | 図面を開いたが 何も表示されない

関連キーワード 図面ファイル／要素数

関連コマンド ［ファイル］−「開く」／［設定］−「基本設定」

原因がいくつか考えられるので、図面を開いた Jw_cad で以下の確認を順に行う。

■ タイトルバーの表示を確認

「無題」と表示される場合は、図面ファイルが開かれていない。「開く」コマンド（メニューバー［ファイル］−「開く」）を選択して再度開く。

開いた図面のファイル名が表示される場合は、次項を確認する。

■ 図面の要素数を確認

「基設」コマンド（メニューバー［設定］−「基本設定」）を選択し、「jw_win」ダイアログの「一般（1）」タブの最下行の要素数を確認する。

要素数がすべて「0」の場合は、使用している Jw_cad が図面を保存した Jw_cad よりも古いバージョンであることが原因（バージョンの確認 ☞ p.26）。使用している Jw_cad をバージョンアップ（☞ p.28）するか、旧バージョン形式を指定して保存（☞ p.48）した図面ファイルを受け取る。

要素数が「0」以外の場合は、以下を順次確認する。
- 「Direct2D」の設定による不具合の可能性
  ⇒「Direct2D」を無効にする ☞ p.385
- 図面のレイヤが非表示になっている可能性
  ⇒ すべてのレイヤを編集可能にする ☞ p.339
- 図面要素が背景色と同じ色である可能性
  ⇒ 画面表示色を初期化 ☞ p.380
- 用紙枠外に図面が作図されている可能性
  ⇒ 画面を縮小表示し、用紙サイズ・縮尺を調整して用紙枠外の図面を見つけ、用紙枠内に移動する。

要素数

317 | 開いた図面の画像が
表示されない

関連キーワード **Direct2D／画像／図面ファイル**

関連コマンド [ファイル]−「開く」

開いた図面にあるはずの画像が表示されない場合の原因は、以下のいずれかである。

■ Direct2D が有効

パソコンによっては、Direct2D が有効になっていると画像が表示されない場合がある。メニューバー［表示］−「Direct2D」のチェックを外して無効にする（☞ p.385）。

■ 画像が同梱されていない（画像ファイルが指定場所にない）

画像の表示位置に文字列と枠が表示されるのは、図面ファイルに画像が同梱されていないことが原因。あらためて画像同梱した図面ファイルを受け取る（画像表示の仕組み☞ p.400）。

318 | 図面を開くと
画面の表示色が変わる

関連キーワード **図面ファイル／表示色**

関連コマンド [ファイル]−「開く」／[設定]−「基本設定」

画面表示色の情報は図面ファイルに保存されているため、開いた図面の画面表示色に変更される。図面を開く前に、下記の設定を行って画面の表示色等の情報を読み取らない設定にするか、図面を開いた後に「基本設定」コマンドで画面の表示色を変更（☞ p.33）する。

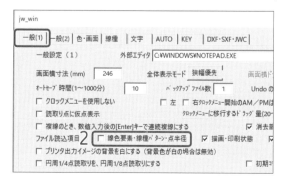

1 「基設」コマンド（メニューバー［設定］−「基本設定」）を選択する。

2 「一般（1）」タブの「ファイル読込項目」欄の「線色要素・線種パターン・点半径」のチェックを外し、「OK」ボタンを🖱。

Point 2のチェックを外すと、図面の画面表示色情報を読み取らないため、画面表示色は変更されないが、印刷線幅・印刷色の情報も読み取らない（図面を開く前の設定状態のまま）。

319 | 誤って上書き保存した

関連キーワード 上書き保存／バックアップファイル／保存

関連コマンド ［ファイル］－「上書き保存」

Jw_cad の初期設定では、上書き保存時に、上書き保存される図面ファイルをバックアップファイル（*.BAK）として残しておく。そのバックアップファイルを復旧することで、上書き前の図面を取り戻せる。

はじめに、メニューバー［ファイル］－「名前を付けて保存」を選択し、誤って上書き保存した図面を正しい名称で保存する。そのうえで、p.52「024　バックアップファイルを開いて上書きされたファイルを取り戻す」を参照して、バックアップファイルを復旧する。

320 | 「Dxf Header.dat が ありません」と表示されて DXF 形式で保存できない

関連キーワード DXF／保存

関連コマンド ［ファイル］－「DXF 形式で保存」

Jw_cad のプログラム本体「jw_win.exe」と同じ場所に「DXF_HDR.DAT」ファイルがないことが原因。「DXF_HDR.DAT」は、Jw_cad とともに同じ「JWW」フォルダーにインストールされるファイルである。インストール後に「DXF_HDR.DAT」を削除、移動したか、あるいはショートカットを作成するときにデスクトップに「jw_win.exe」を移動している可能性がある。

現在使用している Jw_cad のショートカットを削除したうえで Jw_cad を再インストールし、p.30の手順に従ってショートカットを作成する。

321 | パソコンが停止して 作図途中の図面を失った

関連キーワード 自動保存ファイル／保存

作図途中にパソコンが停止するなどのトラブルが生じ、図面を保存しないまま Jw_cad や パソコンを終了したといった場合、自動保存ファイルがあれば作図途中の図面をとり戻せる 可能性がある。p.54「025 自動保存ファイルを開いて作図途中の図面を取り戻す」を参照し、 自動保存ファイルを復旧する。

322 | 線が表示されない・ 選択色のまま元に戻らない など表示上の不具合

関連キーワード Direct2D ／表示

関連コマンド [表示]－「Direct2D」

パソコンによっては、Direct2D が有効になっていると、あるはずの線が表示されない、選択 色になったまま元の色に戻らない、仮表示が残って消えないなど表示上の不具合が生じること がある。これらは、以下の手順で「Direct2D」を無効にすることで解消する。

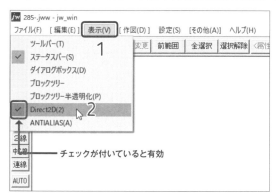

チェックが付いていると有効

1 メニューバー [表示] を🖱。

2 チェックの付いた「Direct2D」を 🖱。

Point 大容量の図面データを扱うと きに「Direct2D」を有効にすると、再 描画が速くなる。

323 | 画像やソリッドに重なる線・文字が表示・印刷されない

関連キーワード 画像／ソリッド／表示

関連コマンド ［ファイル］－「印刷」／ ［設定］－「基本設定」

以下の設定をすることで、画像・ソリッドに重なる線や文字が表示・印刷される。

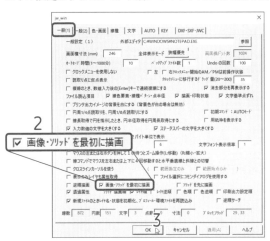

1 「基設」コマンド（メニューバー［設定］－「基本設定」）を選択する。

2 「jw_win」ダイアログの「一般(1)」タブの「画像・ソリッドを最初に描画」にチェックを付ける。

3 「OK」ボタンを🖱。

324 | 「消去」コマンドで線を右クリックすると他の要素も消去される

関連キーワード 曲線属性／グループ化／寸法図形／ブロック／バージョン 8.22

関連コマンド ［編集］－「消去」

🖱した線が、複数の要素をひとまとまりの要素として扱うブロック、寸法図形、グループ化された寸法や線記号などの一部であることが原因。複数の要素をひとまとまりの要素として扱う属性には以下の種別があり、それぞれ性質が異なる。目的とする線だけを消去するには、これらの属性を解除する。

・曲線属性（☞ p.411）の解除方法 ☞ p.234
・グループ化（☞ p. 402）の解除方法 ☞ p.234 ※ 曲線属性と同じ
・寸法図形（☞ p.409）の解除方法 ☞ p.318
・ブロック（☞ p.410）の解除方法 ☞ p.359

325 | 選択範囲枠で囲んだが選択できない

関連キーワード 選択範囲枠

関連コマンド [編集]−「範囲選択」

通常範囲選択（☞ p.84）では、選択範囲枠内に全体が入る編集可能な要素が選択される。編集可能レイヤ（☞ p.413）の要素が選択できない場合は、以下のいずれかが原因である。

選択されると画像表示命令文が選択色になる

■ 文字列や画像が選択できない

選択範囲枠内の文字要素を選択するには、選択範囲の終点を🖰（文字を含む）で指示する。

また、画像の場合はその左下を先頭に画像表示命令文が記入（☞ p.400）されており、文字要素として扱う。選択範囲枠で、画像底辺部の画像表示命令文部分を囲み、終点を🖰（文字を含む）する。

■ 選択範囲枠に全体を入れても選択できない

仮点（☞ p.405）は編集不可な要素のため選択できない。それ以外で選択範囲枠内に全体を入れても選択されない要素は、ブロック図形（☞ p.410）である。ブロック図形の場合、要素全体が選択範囲枠内に入っていても、その基準点が選択範囲枠の外にあると選択されない。そのような要素はShiftキーを押したまま🖰することで追加選択する。

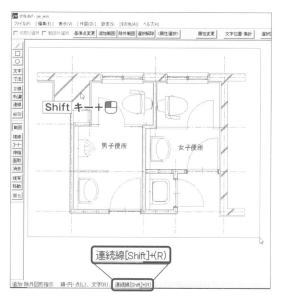

トラブル解決

326 | 一部の線が他図面に コピーされない

関連キーワード　SXF 対応拡張線種／コピー＆貼付／ユーザー定義線種

関連コマンド　[編集]－「コピー」「貼り付け」

コピー対象を範囲選択した段階では選択されていた線が、「コピー」＆「貼付」（☞ p.224）でコピー先の図面に貼り付けされないことがある。これは、実際には貼り付けされているが、貼り付け先の図面で同じ SXF 対応ユーザー定義線種が設定されておらず、表示されないためである。表示するには、コピー先の図面で、コピー元の図面と同じ SXF 対応ユーザー定義線種を設定する。

コピー元の図面でのユーザー定義線種の確認方法 ☞ p.98
コピー先の図面でのユーザー定義線種の設定方法 ☞ p.99

ユーザー定義線種

327 | 他図面にコピーすると 線や塗りつぶしがグレーになる

関連キーワード　SXF 対応拡張線色／コピー＆貼付／ユーザー定義線色

関連コマンド　[編集]－「コピー」「貼り付け」

コピー先の図面でグレーで表示される線や塗りつぶし（ソリッド）は、SXF 対応拡張線色のユーザー定義線色である。貼り付け先の図面で同じ SXF 対応ユーザー定義線色が設定されていないと、グレーで表示される。コピー元の図面と同じ色で表示するには、コピー先の図面で、コピー元の図面と同じ SXF 対応ユーザー定義線色を設定する。

コピー元の図面でのユーザー定義線色の確認方法 ☞ p.96
コピー先の図面でのユーザー定義線色の設定方法 ☞ p.97

ユーザー定義線色

328 | 画像が他図面に コピーされない

関連キーワード 画像／コピー＆貼付

関連コマンド ［編集］－「コピー」「貼り付け」

※バージョン 8.24 以降では解消

コピー対象を範囲選択した段階で選択できてた画像が、「コピー」＆「貼付」（☞ p.224）の結果、コピー先の図面では表示されないことがある。これは、コピー元の図面で、画像が同梱されたままの状態で「コピー」＆「貼付」を行ったことが原因である。コピー元の図面で、画像を分離（☞ p.351）したうえで、「コピー」＆「貼付」を行う。

トラブル解決

329 | 画像の白背景が 透過表示されない

関連キーワード Direct2D ／画像／画像背景の透過／透過属性／バージョン 8.20

関連コマンド ［設定］－「基本設定」

バージョン 8.20 以降では、背景が白（R：255、G：255、B：255）の画像の白背景部分が透過表示される（☞ p.401）。透過表示されない原因としては、以下が考えられる。

■ 「透過属性」が無効になっている
メニューバー［設定］－「基本設定」の「一般(1)」タブの「透過属性」にチェックを付ける。

■ 「Direct2D」が有効になっている
メニューバー［表示］の「Direct2D」を無効にする（☞ p.385）。

■ 画像の背景色が白
（R：255 G：255 B：255）ではない
標準で透過表示する背景色は、白（R：255、G：255、B：255）のみである。白に見えてもRGB の値が 255 以外だと、白とは見なされず透過表示されない（透過色設定 ☞ p.401）。

330 | 「円・連続線指示」で正しく塗りつぶせない

関連キーワード ソリッド

関連コマンド [作図] −「多角形」ソリッド図形

連続線の形状によっては、正しく塗りつぶすことができない。例えば、凹面の円弧部分は、図のようになる。「円外側」「弓形」（☞ p.251 [Hint] ）「円環ソリッド」（☞ p.253）などを用いて、分割して塗りつぶすか、印刷時にのみ指定レイヤの閉鎖連続線内部を塗りつぶす設定（☞ p.257）を利用する。

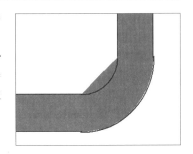

331 | 文字が重なって表示される

関連キーワード フォント／プロポーショナルフォント／文字の間隔

関連コマンド [設定] −「基本設定」

記入済みの文字の間隔を変更するにはチェックを付ける

「MS P ゴシック」「HG 丸ゴシック M - PRO」などのプロポーショナルフォントで半角の英数記号を記入した場合に、文字が重なってしまう。「基設」コマンド（メニューバー [設定] −「基本設定」）を選択し、「jw_win」ダイアログの「文字」タブで、その文字種の間隔を「0.01」にすることで解消できる。ただし、間隔を「0.01」とした場合、均等割付（☞ p.273）が有効に働かない、枠付き文字（☞ p.268）が枠からはみ出す、などの不具合が生じる。

332 | 文字入力を確定すると「？」になる

関連キーワード 特殊文字／文字入力／ユニコードの文字

関連コマンド ［作図］-「文字」

文字入力ボックスで「？」になってしまうのは、ユニコード（unicode：文字コードの業界規格）の文字である。「m³」などのユニコードの文字は、Jw_cad では利用できない。「m³」の場合は、Jw_cad の特殊文字（☞ p.272）を利用することで、Jw_cad 図面上で表現できる。

333 | Tabキーを押すと 図形がありません と表示される

関連キーワード 属性取得／直接属性取得

関連コマンド ［設定］-「基本設定」「属性取得」

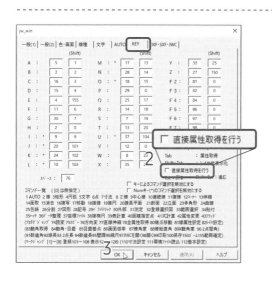

属性取得対象にマウスポインタを合わせて Tab キーを押すことで属性取得する「直接属性取得を行う」の設定が有効になっていることが原因。この設定を解除することで、解消する。

1 「基設」コマンド（メニューバー［設定］-「基本設定」）を選択する。

2 「jw_win」ダイアログの「KEY」タブの「直接属性取得を行う」を 🖱 してチェックを外す。

3 「OK」ボタンを 🖱。

334 | 一部の要素が「レイヤ一覧」ウィンドウに表示されない

関連キーワード SXF 対応拡張線種／線種／ユーザー定義線種／レイヤ一覧

「レイヤ一覧」ウィンドウに表示されない要素は、SXF 対応拡張線種の「ユーザー定義線種」の線（☞ p.399）である。「SXF 対応拡張線種」の「ユーザー定義線種」の要素を「レイヤ一覧」ウィンドウに表示することはできない。「レイヤ一覧」ウィンドウに表示するには、他の線種に変更する。

335 | 透過表示の画像が透過して印刷されない

関連キーワード 画像／画像背景の透過／透過属性／バージョン 8.20
関連コマンド ［ファイル］－「印刷」

バージョン 8.20 以降では、背景が白（R：255 G：255 B：255）の画像の白背景部分を透過表示する。しかし、印刷するプリンターが透過属性に対応していないと、透過した状態で印刷されない。その場合は、図面を PDF ファイル（☞ p.395）に保存して PDF 閲覧ソフトから印刷するか、あるいは Jw_cad で以下の設定を行ったうえで印刷する。

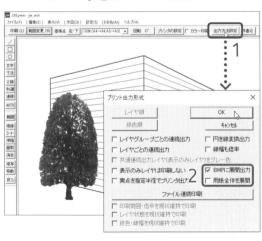

1 「印刷」コマンドのコントロールバー「出力方法設定」ボタンを🖱。

2 「プリント出力形式」ダイアログの「BMP に展開出力」にチェックを付け、「OK」ボタンを🖱。

Point 2 の指定で印刷したときに色味が変わる、継ぎ目が見えるなどの不具合が生じる場合は、「用紙全体を展開」にもチェックを付ける。

336 | 印刷時に「不正なデータが あります」と表示される

関連キーワード 印刷時のみソリッド／印刷時のみハッチング／ソリッド／ハッチング／レイヤ名

関連コマンド ［ファイル］－「印刷」

印刷時のみハッチング指定（☞ p.246）または塗りつぶ
し指定（☞ p.257）をしたレイヤに作図されている連続
線が閉じていない、または線が重複している、ハッチン
グ・塗りつぶし範囲に関係ない線がある、といった場合
にこのメッセージが表示される。「キャンセル」ボタンを
🖱して印刷を中止する。印刷プレビュー（☞ p.371）を
利用して、印刷時のみのハッチング・塗りつぶし状態を
確認したうえで、必要な修正を行う。

また、これらのハッチング・塗りつぶしが不要な場合は、
印刷時のみハッチング・塗りつぶしの命令が記入されて
いるレイヤのレイヤ名を変更（または消去）する。

「印刷」コマンドでコントロールバー「印刷」
ボタンを🖱すると、図のウィンドウが開く

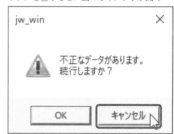

トラブル解決

337 | 「基本設定」で印刷線幅を変更 しても印刷に反映されない

関連キーワード 個別線幅／線色／線幅

関連コマンド ［ファイル］－「印刷」／［設定］－「基本設定」

メニューバー［設定］－「基本設定」の「色・画面」タブで指定する線色ごとの印刷線幅に関係な
く、作図線ごとに線幅が指定された個別線幅（☞ p.404）の線であることが原因。それらが
線色1～8の標準線色の場合は、「色・画面」タブの「線幅を1/100mm単位とする」のチェッ
クを外すことで、「色・画面」タブの設定（ドット単位の太さ指定）が反映される。あるいは、
それらの線幅を「基本幅」に変更することで対処する（☞ p.231）。

338 2.5D

関連キーワード DXF

関連コマンド ［その他］－「2.5D」

「2.5D」コマンドでは、平面図に高さを定義することや立面図の立ち上がり位置を指定することで、ワイヤーフレーム状の立体図（透視図、鳥瞰図、アイソメ）を作成する。作成された立体図を編集・印刷するには、X,Y座標を持つ2D（2次元）の線・円・弧要素として作図する必要がある。また、コントロールバー「DXF出力」ボタンを🖱すると、3DのDXFファイルとして保存できる。「2.5D」コマンドを利用した立体図の作成手順については、別書『Jw_cad 8 製図入門』p.234、『いますぐできる！フリーソフト Jw_cad 8』p.188 で解説している。

表示されている立体図を2次元の線・円・弧として作図する

立体図を3DのDXFファイルとして保存する

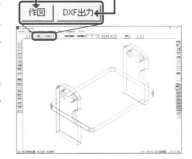

339 AUTO モード

関連キーワード AUTO モード

関連コマンド ［作図］－「AUTO モード」／［設定］－「基本設定」

Jw_cad 特有の操作機能である「AUTO モード」コマンドでは、「／」「○」「□」「複線」「消去」「コーナー」「伸縮」などのコマンドを選択せずに、クリック操作、ドラッグ操作の使い分けで、線・円・弧・矩形の作図や編集を行える。その操作方法については、「AUTO モード」コマンド選択時のステータスバーの操作メッセージ（図）を参照。

また、「AUTO モード」コマンド選択時は、「基設」コマンドの「jw_win」ダイアログ「AUTO」タブで指定（設定変更可）のクロックメニューが働く。

何もない位置で🖱⇒「／」の始点　　　　点を🖱⇒「／」の始点　　　線を🖱⇒「複線」の基準線

AUTOモード　(L)free：＋／○，線：線編集　(R)Read：＋／○，線：複線，無：□

何もない位置で🖱🖱⇒「○」の中心点　線を🖱⇒線の編集　　点を🖱🖱⇒「○」の中心点　　何もない位置で🖱⇒「□」

340 | PDF

関連キーワード **PDF**

アドビシステムズ社が開発した電子文書の標準形式。ファイルサイズがコンパクトで、元の
CAD で印刷した図面と同じ状態の図面を閲覧・印刷できることから、参照用の CAD 図面を
始めとする設計図書の受け渡しにも広く利用されている。

Jw_cad には、PDF ファイルを開く機能や、作図した図面を PDF ファイルとして保存する機能
はない。PDF ファイルを開き印刷するには、アドビシステムズ社が無償提供している「Adobe
Acrobat Reader」を使用する。Jw_cad で作図した図面を PDF ファイルとして保存するには、
Adobe Acrobat など PDF 作成ソフトが必要である。

「Adobe Acrobat Reader」を利用して PDF ファイルを閲覧・印刷する方法や、無償の PDF 作
成ソフト「CubePDF」を利用して Jw_cad 図面を PDF ファイルとして保存する方法を、別書
『Jw_cad 8 を仕事でフル活用するための 88 の方法』p.40/98 で解説している。

基礎知識

341 | DXF

関連キーワード **DXF**
関連コマンド **[ファイル]－「DXF ファイルを開く」「DXF 形式で保存」**

DXF はオートデスク社が開発したファイル形式およびその図面ファイル。同社の AutoCAD で
作図した図面を下位バージョンの AutoCAD へ渡すことを目的としたファイル形式である。大
部分の CAD で読み込み・保存が可能なことから、メーカーが提供する製品 CAD データの
形式や、異なる CAD 間で図面ファイルを受け渡しするときの形式として広く利用されている。
しかし、各 CAD における図面構成要素の違いや DXF の解釈の違いから、必ずしも元の
CAD で作図した図面を 100% 再現できるものではない。縮尺、用紙サイズ、文字サイズ、線種・
線色、レイヤなどが元の図面とは異なる、図面の一部が欠落するなど、さまざまな不具合が生
じる可能性がある。そのため、図面を確認するための印刷図面または PDF ファイル（☞上段）
を DXF ファイルとともに受け渡しすることが好ましい。

また、一般に広く利用されているのは ASCII（テキスト）形式の DXF ファイルだが、Binary
形式の DXF ファイルもある。Jw_cad では Binary 形式の DXF を開くことはできない。

342 | JWC

関連キーワード DOS 版 JW_CAD ／ JWC ／単精度・倍精度

関連コマンド [ファイル] －「JWC ファイルを開く」「JWC 形式で保存」

JWC は、Jw_cad（Windows 版）の前身である DOS 版 JW_CAD の図面ファイル形式および
その図面ファイル。メニューバー［ファイル］－「JWC ファイルを開く」で、DOS 版 JW_CAD
の図面をほぼ 100％同じ状態で開くことができる。JWC ファイルには、印刷時の線幅・印刷色
の情報や文字フォント情報はないため、印刷線幅・印刷色は JWC ファイルを開く時点の設定に、
文字のフォントはすべて MS ゴシックになる。JWW ファイルのデータ精度が倍精度（有効桁数
15 桁）なのに対し、JWC ファイルはそれよりも精度の低い単精度（有効桁数 8 桁）であるため、
Jw_cad で編集するとき、小数点以下の数値に誤差が生じることがある。

また、Jw_cad で作図した図面を JWC 形式で保存した場合、JWC 形式にない要素（画像、ソ
リッド、ブロック、寸法図形など）、線色 7・8、SXF 対応拡張線色・線種、任意サイズの文字、
文字フォント、印刷線幅などの情報は正しく保存されない。

343 | JWK

関連キーワード DOS 版 JW_CAD ／ JWK ／図形

関連コマンド [その他] －「図形」「図形登録」

JWK は、Jw_cad（Windows 版）の前身である DOS
版 JW_CAD の図形ファイル形式およびそのファイル。
Jw_cad の「図形」コマンドで、「ファイル選択」ダイアロ
グの「ファイルの種類」ボックスを「.jwk」にする（図）こ
とで、Jw_cad 図形と同様に編集中の図面に配置できる。

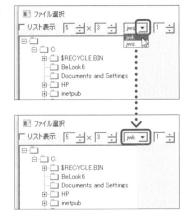

344 | JWF

関連キーワード JWF／環境設定ファイル／起動環境設定ファイル

関連コマンド ［設定］－「環境設定ファイル」

JWFは、Jw_cadの基本設定や用紙サイズ・縮尺・レイヤ名、動作設定など多岐にわたる設定
内容を記入したテキストファイル（拡張子「jwf」）で、「環境設定ファイル」と呼ぶ。メニューバー
［設定］－「環境設定ファイル」－「読込み」で環境設定ファイルを読み込むことで、動作中の
Jw_cadの各種設定を環境設定ファイルに記入された内容に一括設定できる。また、環境設定
ファイルのファイル名を「jw_win.jwf」として「JWW」フォルダーに収録すると、Jw_cadの起動
時にその環境設定ファイルが自動的に読み込まれる。この「jw_win.jwf」を「起動環境設定ファ
イル」と呼ぶ。環境設定ファイルは、メモ帳などを使って独自に作成・変更できる。「JWW」フォ
ルダーに、環境設定ファイルの内容を解説する「Sample.jwf」が収録されている。
レイヤ名とレイヤごとの書込線色・線種を一括設定する環境設定ファイルの利用・編集方法を、
別書『Jw_cadで神速に図面をかくための100のテクニック』p.192で解説している。

基礎知識

345 | JWL

関連キーワード JWL／レイヤ整理ファイル／レイヤ変更

関連コマンド ［設定］－「環境設定ファイル」

JWLは、各レイヤグループのレイヤ名、レイヤごとに集
める要素の線色・線種・属性、レイヤごとの表示状態を
記入したテキストファイル（拡張子「jwl」）で、「レイヤ整
理ファイル」と呼ぶ。「メモ帳」などのテキストエディタを
使って独自に編集・作成できる。メニューバー［設定］－
「環境設定ファイル」－「読込み」でレイヤ整理ファイル
を読み込むことで、レイヤ整理ファイルの指定に従い編
集中の図面の要素を一括でレイヤ変更できる。「JWW」
フォルダーに、レイヤ整理ファイルの内容を解説する
「Sample.jwl」が収録されている。

「環境設定ファイル」コマンドの「開く」ダイア
ログの「ファイルの種類」ボックスのリストから
「JwL(*.JWL)」を選択することで、レイヤ整
理ファイルが表示される

レイヤ整理ファイルを利用して既存図面を一括でレイヤ
変更する方法を、別書『Jw_cadで神速に図面をかくた
めの100のテクニック』p.204で解説している。

346 | SXF

関連キーワード P21 ／ SFC ／ SXF ／ SXF 対応拡張線色・線種／部分図

関連コマンド ［ファイル］－「SFC ファイルを開く」「SFC 形式で保存」

SXF は、異なる CAD 間での正確な図面ファイルの受け渡しを目的に、国土交通省主導で開発された図面ファイル形式。電子納品のための P21 形式（拡張子「p21」）と、関係者間での図面ファイルの受け渡しを行うための SFC 形式（拡張子「sfc」）がある。

SXF ファイルは、ほぼ元の図面と同じ見た目で開いて印刷できるが、100％元の図面と同じ状態になるわけではない。また、開いた SXF ファイルは、Jw_cad で作成した図面とは異なる構造を持つため、図面上の距離の測定や編集・流用にはさまざまな知識を必要とする。

SXF ファイルの編集などについての詳細を、別書『Jw_cad 8 を仕事でフル活用するための88 の方法』p.183「CHAPTER 4　Jw_cad で DXF・SXF ファイルを利用する方法」で解説している。

基礎知識

▼ Jw_cad で開いた SXF ファイル

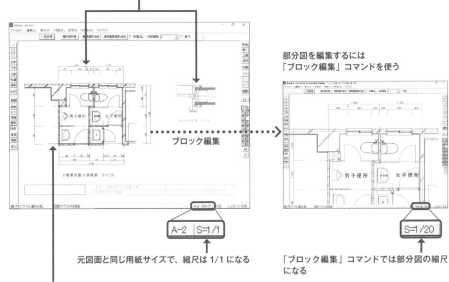

図面部分は部分図（縮尺情報を持ったブロック）になる

部分図を編集するには「ブロック編集」コマンドを使う

ブロック編集

A-2　S=1/1

S=1/20

元図面と同じ用紙サイズで、縮尺は 1/1 になる

「ブロック編集」コマンドでは部分図の縮尺になる

線色・線種は、SXF 対応拡張線色・線種（☞次ページ）になり、線ごとに元図面を反映した線幅情報を持つ

347 | SXF 対応拡張線色・線種と 標準線色・線種

関連キーワード DXF／P21／SFC／SXF 対応拡張線色・線種／個別線幅／線色・線種／標準線色・線種

関連コマンド ［設定］－「線属性」

■ 標準線色・線種

「線属性」ダイアログには、線色 8 色＋印刷されない補助線色と、線種 8 種＋印刷されない補助線種が用意されている。線色 1 ～ 8 は線の太さの区別であるとともに、カラー印刷色の区別でもある。

線の太さ（線幅）とカラー印刷色は、メニューバー［設定］－「基本設定」の「色・画面」タブで指定・変更する（☞ p.364）。ただし、「線幅」ボックスに線幅を指定して作図した要素は「基本設定」の「色・画面」タブでの指定とは関わりなく、「線幅」ボックスの指定の太さとする（個別線幅）。

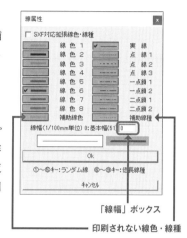

「線幅」ボックス

印刷されない線色・線種

■ SXF 対応拡張線色・線種

「線属性」ダイアログの「SXF 対応拡張線色・線種」にチェックを付けると、SXF ファイル（☞ 前ページ）の仕様に対応した SXF 対応拡張線色・線種の表示に切り替わる。DXF・SXF ファイルの線色・線種は、この SXF 対応拡張線色・線種になる。

SXF 対応拡張線色の色はカラー印刷時の線色を示すもので、線の太さを区別するものではない。線の太さは線の色に関係なく、作図時の「線幅」ボックスで指定したものとなる（個別線幅）。

ダイアログに表示されている 16 線色、15 線種のほかに、ユーザーが独自に作成できるユーザー定義線色、ユーザー定義線種が存在する。これらの定義情報は、図面ファイルごとに保存される。

「線幅」ボックス

基礎知識

348 画像表示の仕組みと画像同梱

関連キーワード 画像／画像同梱／画像表示命令文／バージョン8.20

関連コマンド ［編集］－「画像編集」

Jw_cadで図面に画像を挿入すると、挿入した画像の左下角に画像表示命令文が記入される。この画像表示命令文に従い、外部にある画像ファイルを指定サイズで表示する。

▼「画像同梱」前の画像表示命令文の例

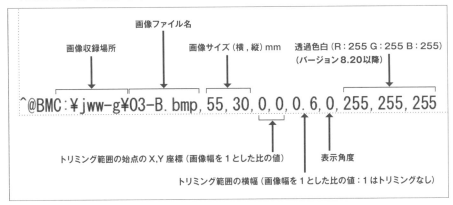

この仕組みのため、画像を挿入した図面ファイルを他のパソコンで開くと、画像表示命令文で指定した場所に指定名の画像ファイルがないため画像は表示されない。そのような不都合を解消するため、バージョン7以降のJw_cadでは「画像同梱」機能（☞ p.347）が追加された。

画像同梱した図面ファイルをJw_cadで開くと、「JWW」フォルダー内に隠しフォルダーが一時的に作成され、そのフォルダー内に同梱画像がBMPファイルとして展開される。図のように、「JWW」フォルダー下にツリー表示される数字の羅列による名前のフォルダーがその隠しフォルダーである。このフォルダーはJw_cad終了時に自動的に消える。覚えのないフォルダーだからといって、Jw_cadの起動中にこのフォルダーを削除しないように注意する。

基礎知識

400

349 | 画像の透過属性と透過色設定

関連キーワード　画像／画像背景の透過／透過属性／バージョン 8.20 ／バージョン 8.22

関連コマンド　[設定] －「基本設定」／[編集] －「画像編集」

バージョン 8.20 以降では、背景が白（R：255、G：255、B：255）の画像の白背景部分を透過表示する。透過表示の有無は、「基本設定」コマンドの「一般（1）」タブ「透過属性」のチェックの付け外しで切り替えできる（☞ p.389）。

背景色が白（R：255 G：255 B：255）の画像を挿入

tree.bmp

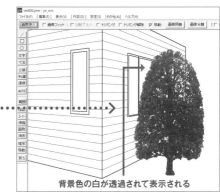

背景色の白が透過されて表示される

白以外の色部分を透過表示するには、「画像編集」コマンドのコントロールバー「透過色設定」にチェックを付け、画像の透過したい色の部分を🖱して透過色を設定する（バージョン 8.22 以降）。

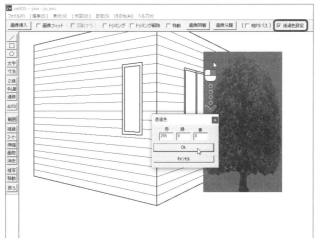

基礎知識

350 | 外部変形プログラム

関連キーワード 外部変形プログラム

関連コマンド ［その他］－「外部変形」

Jw_cad の規則に準じて作成された、図面の作成や編集
などを行う別のプログラムを「外部変形プログラム」と呼
ぶ。標準の Jw_cad には、図の 3 つの外部変形プログ
ラムが用意されている（図）。

さまざまな外部変形プログラムがインターネット上で公開
されているが、現在の Windows 環境では動作しないも
のもあるため、導入には注意が必要である。

SXF 対応拡張線色・線種を標準線色・線種に一括変更
する外部変形や、断面記号を一括作図する外部変形の
使い方を、別書『Jw_cad 8 を仕事でフル活用するため
の 88 の方法』p.180/214 で解説している。

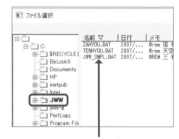

外部変形プログラム

351 | グループ化

関連キーワード グループ化／バージョン 8.22

関連コマンド ［作図］－「寸法」／［設定］－「寸法設定」／［その他］－「線記号変形」

バージョン 8.22 以降では、「寸法」コマンドと「線記号変形」コマンドにグループ化の指定が追
加された（図）。「寸法」コマンドでは「寸法設定」ダイアログでの指定（☞ p.406）で、記入し
た寸法部（寸法線、寸法値、引出線、端部矢印・実点）をひとまとまりの要素として扱える。

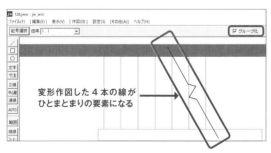

変形作図した 4 本の線が
ひとまとまりの要素になる

「線記号変形」コマンドのコントロー
ルバー「グループ化」にチェックを
付けて変形作図した記号は、ひと
まとまりの要素として扱える。

基礎知識

352 ┃ クロックメニュー

関連キーワード クロックメニュー／クロックメニュー (キャンセル)

関連コマンド [設定]－「基本設定」

Jw_cad 特有のコマンド選択方法。作図ウィンドウで🖱ドラッグ (または🖱ドラッグ) することで、時計の文字盤を模したクロックメニューが表示され、時計の時間位置によって異なるコマンド名が表示される。コマンド名が表示された時点でマウスボタンから指をはなすと、そのコマンドが選択される。クロックメニューには🖱ドラッグ／🖱ドラッグの別があり、それぞれに AM/PM の 2 面がある。AM/PM の 2 面の切り替えは、ドラッグ操作でクロックメニューを表示した状態で他方のマウスボタンをクリックするか、マウスポインタを文字盤内に移動して再び外に戻すことで行う。

クロックメニューの活用方法については、別書『Jw_cad で神速に図面をかくための 100 のテクニック』で解説している。

■ AM メニュー

最初に表示される明るい文字盤を「AMメニュー」と呼ぶ。

文字盤内にマウスポインタを移動すると キャンセル と表示される。

■ PM メニュー

切り替え操作で表示される暗い文字盤を「PMメニュー」と呼ぶ。

🖱↓で AM メニューを表示

キャンセル が表示された時点で指をマウスボタンからはなすと、クロックメニューがキャンセルされる

マウスボタンを押したまま文字盤の外にマウスポインタを移動すると、PM メニューに切り替わる

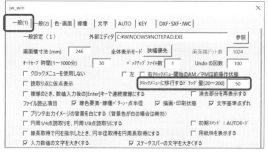

クロックメニューが表示されるまでのドラッグ距離は、「基本設定」コマンドの「一般 (1)」タブの「クロックメニューに移行するドラッグ量 (20 ～ 200)」ボックスの数値で調整できる

403

353 │ 個別線幅・基本幅

関連キーワード　基本幅／個別線幅／線幅

関連コマンド　［設定］−「基本設定」「線属性」

標準線色1～8は、「基本設定」コマンドの「色・画面」タブ（☞ p.364）で、線色ごとに印刷線幅を指定することが基本である。

「線属性」ダイアログの「線幅」ボックスに線幅を1/100mm単位で入力して作図すると、同じ線色で印刷線幅の異なる線を作図できる。この「線幅」ボックスで線幅を指定した線を「個別線幅の線」と呼ぶ。それに対し、個別に線幅を指定しない（「線属性」ダイアログの「線幅」ボックスは「0」）線を「基本幅の線」と呼ぶ。

なお、「線属性」ダイアログの「線幅」ボックスは、「jw_win」ダイアログの「色・画面」タブの「線幅を1/100mm単位とする」にチェックが付いている場合に表示される。

線色1～8の印刷線幅（基本幅）

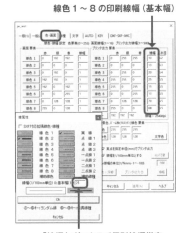

「線幅」ボックスで個別線幅指定

354 │ 軸角

関連キーワード　軸角

関連コマンド　［設定］−「軸角・目盛・オフセット」

軸角は、作図ウィンドウの水平右方向に対する傾き。通常は、作図ウィンドウの水平右方向を0°としているが、軸角設定では、指定角度を一時的に作図上の0°にできる。用紙の水平方向に対し、傾いた図を作図する場合や、既存の斜線からの角度を指定して線を作図する場合（☞ p.108）などに利用する。軸角設定時、角度指定（コントロールバー「角度」ボックスの角度）は軸角を基準としたものになり、選択範囲枠、包絡範囲枠、クロスラインカーソルも軸角に平行に表示される。

選択範囲枠も軸角に平行に表示される

355 | 実寸・図寸

関連キーワード 実寸／図寸

Jw_cad における作図は実寸法（実寸）で行う。ただし、文字のサイズや寸法各部の長さなどは、印刷される大きさ（原寸mm）で指定する。この指定方法を「実寸」に対して「図寸（図面寸法）」と呼ぶ。縮尺に準じて印刷される大きさが変化する実寸に対し、図寸は縮尺に関わりなく同じ大きさで印刷される。

▼ S=1/1 と S=1/5 の図面における、1辺150mm（実寸）の正方形と高さ10mm（図寸）の文字

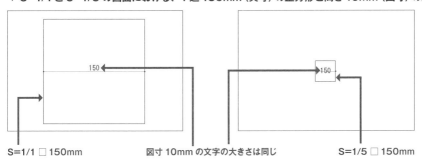

S=1/1 □ 150mm　　　図寸10mmの文字の大きさは同じ　　　S=1/5 □ 150mm

356 | 実点・仮点

関連キーワード 仮点／実点
関連コマンド ［作図］－「点」

▼「点」コマンド

チェックを付けると仮点が作図される

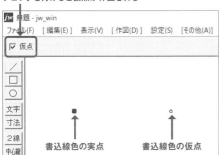

書込線色の実点　　　書込線色の仮点

「点」コマンド（☞ p.80）や「分割」コマンド（☞ p.160）、「距離指定点」コマンド（☞ p.165）などで、コントロールバー「仮点」にチェックを付けないと書込線色の実点が、チェックを付けると仮点が作図される。実点は印刷される点で、その印刷サイズは「基設」コマンドの「色・画面」タブで指定する（☞ p.365）。

仮点は印刷されない点で、消去や移動などの編集操作の対象にもならない。

基礎知識

357 | 寸法の各部名称と設定

関連キーワード 寸法設定／寸法の各部名称／寸法補助線／フォント／バージョン 8.22

関連コマンド [設定]－「寸法設定」

▼寸法各部名称

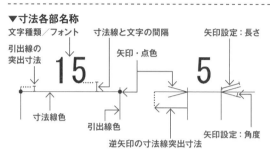

文字種類／フォント　寸法線と文字の間隔　　矢印設定：長さ

引出線の突出寸法

矢印・点色

寸法線色

引出線色

逆矢印の寸法線突出寸法

矢印設定：角度

▼「寸法設定」ダイアログ

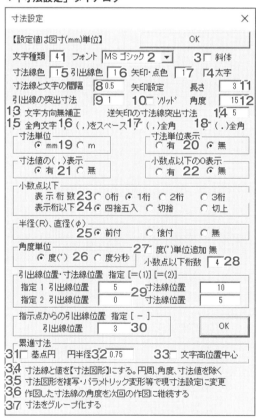

「寸法」コマンドで記入する寸法値サイズや寸法線、寸法補助線（Jw_cadでは引出線と呼ぶ）、端部矢印・実点の線色などは「寸法設定」ダイアログで指定する。

1　文字種類　寸法値の文字種類「1」～「10」

2　フォント　寸法値のフォント

3　斜体　寸法値に斜体指定

4　太字　寸法値に太字指定

5　寸法線色　寸法線の線色「1」～「8」

6　引出線色　引出線の線色「1」～「8」

7　矢印・点色　端部の矢印・実点の線色「1」～「8」

8　寸法線と文字の間隔　寸法線と寸法値の離れ（図寸 mm）

9　引出線の突出寸法　引出線の寸法線からの突出寸法（図寸 mm）

【10 ～ 12 矢印設定】

10　ソリッド　端部矢印を塗りつぶし

11　長さ　端部矢印の長さ（図寸 mm）

12　角度　端部矢印の角度（度単位）

13　文字方向無補正　寸法の始点⇒終点に対し、常に左側に寸法値を記入する指定。

14　逆矢印の寸法線突出寸法　逆矢印の寸法線の引出線からの突出寸法（図寸 mm）

【15 ～ 18】

チェックを付けない場合、寸法値、桁区切りの「，」、小数点「．」は、半角文字で記入される

15 全角文字　寸法値を全角文字で記入

16 (,) をスペース　桁区切り「,」の代わりに半角スペースを記入。

17 (,) 全角　桁区切り「,」を全角文字で記入。

18 (.) 全角　小数点「.」を全角文字で記入。

19 寸法単位　記入寸法値の単位を「mm」と「m」から選択。

20 寸法単位表示　寸法値の単位の記入の有無を選択。

21 寸法値の (,) 表示　桁区切りの「,」記入の有無を選択。

22 小数点以下の 0 表示　小数点以下の表示桁数 (**23**) で指定された小数点以下の数値が「0」の場合に 0 の記入の有無を選択。

23 表示桁数　小数点以下の記入桁数を選択。

24 表示桁以下　小数点以下の記入桁数 (**23**) で指定された小数点以下の数値の処理を選択。

25 半径 (R)、直径 (φ)　半径、直径寸法の「R」「φ」の記入位置、記入無を選択。

26 角度単位　角度寸法の記入単位を、「度 (°)」「度分秒」から選択。

【27 ～ 28】 26 で「度 (°)」を選択した場合に指定可能

27 度 (°) 単位追加無　角度の単位「°」を記入しない。

28 小数点以下桁数　角度を単位「°」で記入するときの小数点以下の記入桁数 (0 ～ 6) を指定。

29 引出線位置・寸法線位置　指定 [= (1)] [= (2)]　引出線タイプ「= (1)」「= (2)」選択時の基準点からの引出線開始位置と寸法線位置までの間隔 (図寸 mm) (☞ p.296/297)

30 指示点からの引出線位置　指定 [－]　引出線タイプ「－」選択時の寸法始点・終点から引出線開始位置までの距離 (図寸 mm) ☞ p.293

【31 ～ 33】
累進寸法記入の設定。標準では図 A だが、**31 ～ 33** の指定で図 B のように記入

31 基点円　始点に円を作図

32 円半径　始点の円の半径 (図寸 mm)

33 文字高位置中心　引出線位置に寸法値の高さの中心が位置するように記入。

34 寸法線と値を【寸法図形】にする。円周、角度、寸法値を除く　☞ p.409 参照

35 寸法図形を複写・パラメトリック変形等で現寸法設定に変更　寸法図形を複写またはパラメトリック変形したときに、現在の「寸法設定」ダイアログでの「全角文字」から「半径 (R)、直径 (φ)」(**15 ～ 25**) までの指定内容で寸法値を記入し直す (☞ p.316)。

36 作図した寸法線の角度を次回の作図に継続する　「寸法」コマンドのコントロールバー「傾き」ボックスの数値を Jw_cad を終了するまで保持する。

37 寸法をグループ化する　記入した寸法部 (寸法線、寸法値、引出線、端部矢印または実点) をひとまとまりの要素とする (バージョン 8.22 以降)。

358 | 属性

関連キーワード 曲線属性／図形属性／寸法図形／寸法属性／属性／建具属性／ハッチ属性／ブロック

関連コマンド [編集]－「範囲選択」

線色・線種や文字種、作図されているレイヤなど要素に付随する性質を「属性」と呼ぶ。「属性取得」は、書込線色・線種と書込レイヤを、指示した要素と同じ設定にする機能である（☞ p.95/332）。線色・線種・文字種、レイヤ以外にも以下の属性があり、属性を指定して選択すること（☞ p.90）や、属性を変更すること（☞ p.229/235）もできる。

■1 ハッチ属性
「ハッチ」コマンドで作図したハッチングに付随する。

■2 図形属性
「図形」コマンドで作図した図形に付随する。

■3 寸法属性
「寸法」コマンドで記入した寸法部（寸法線、寸法値、引出線、端部実点または矢印）に付随する。

■4 建具属性
「建具平面」「建具断面」「建具立面」コマンドで作図した建具に付随する。「包絡」コマンドの編集対象にならない（☞ p.196）。

〈以下は複数の要素をひとまとまりの要素として扱う属性〉

■5 寸法図形　☞次ページ
寸法属性のうちの1セットになった寸法線と寸法値。

■6 曲線属性　☞ p.411
「曲線」コマンドで作図した曲線、「日影図」コマンドで作図した日影線、「多角形」コマンドの「曲線属性化」にチェックを付けて作図したソリッドは、それらをひとまとまりの要素として扱う曲線属性を持つ。Jw_cad の曲線は短い線分が連続したものだが、この曲線属性により連続した線分がひとまとまりの要素として扱われる。

■7 ブロック属性　☞ p.410
複数の要素をひとまとまりの要素として基準点を指定し、名前が付けられたもの。

▼属性選択のダイアログ

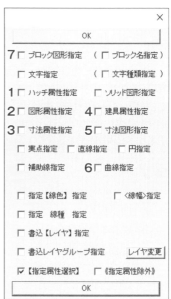

359 | 寸法図形

関連キーワード 寸法図形

関連コマンド [設定]－「寸法設定」

「寸法設定」ダイアログの「寸法線と値を【寸法図形】にする」にチェックを付けた設定(図)で記入した寸法は、寸法線(線要素)と寸法値(文字要素)が1セットとなった「寸法図形」になる。また、SXFファイル(☞p.398)の直線寸法の寸法線、引出線、端部の点(または矢印)も1セットの寸法図形になる。寸法図形には以下のような性質がある。

・寸法線と寸法値の片方だけを消去することはできない
・寸法値は「文字」コマンドでは扱えない
・寸法線の線色・線種は変更不可(ver.8.22e以降可)
・寸法値は常に寸法線の実寸法を表示する(寸法線を伸縮すると寸法値も自動的に変更される)

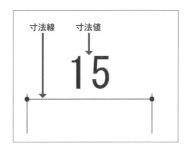

360 | 日影図・天空図

関連キーワード 天空図・天空率／日影図

関連コマンド [その他]－「日影図」「天空図」

「日影図」コマンドでは、作図した建物平面に高さを定義し、真北や測定条件を設定したうえで、日影図、等時間日影図、壁面日影図の作図と指定点日影計算を行う。

「天空図」コマンドでは、日影図で高さ定義・設定を行った図面を利用して、天空図、太陽軌跡図などの作図と天空率計算を行う。

敷地図・日影図の作図手順については別書『やさしく学ぶJw_cad 8』p.233で、壁面日影図・天空率については別書『Jw_cad 日影・天空率完全マスター』で、それぞれ解説している。

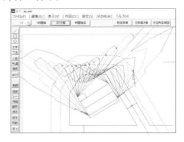

基礎知識

361 ブロック・曲線属性

関連キーワード 曲線属性／多重ブロック／ブロック／ブロック名

ブロックと曲線属性は、複数の要素をひとまとまりの要素として扱う点は同じだが、それぞれ次のような特性を持つ。

■ ブロック

ブロックは、複数の要素をひとまとまりとして基準点を指定し、名前が付けられたもの。ブロックには以下のような性質がある。

▼複数の要素をひとまとまりの要素として扱う

その一部だけを編集することはできない。

▼基準点情報を保持している

ブロック作成時の基準点で移動・複写を行える。範囲選択時、基準点が選択範囲枠外にあると、ブロック全体を選択範囲枠に入れても、そのブロックは選択されない。基準点が選択範囲枠内にあれば、ブロック全体が選択範囲枠に入っていなくても選択される。

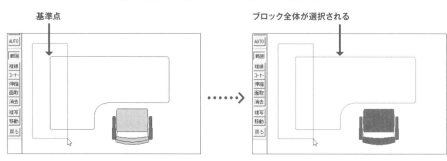

▼多重構造のブロックを扱える

ブロックをさらにブロック化した多重構造のブロックを扱える。ただし、ブロック数集計やブロック解除の対象になるのは、最上層のブロックのみである。

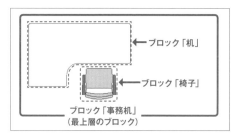

▼独自の名前が付けられている

同一の図面ファイル上に、同じ名前で内容の異なるブロックは存在できない。ブロック名により、次のことができる。

・ブロック名ごとにその数を集計できる ☞ p.354
・名前を指定することで、特定のブロックだけを選択できる ☞ p.357
・同名のブロックを一括して変更できる ☞ p.360

▼属性取得時、ブロック編集に移行するダイアログが開く

ブロックを属性取得した場合、属性取得とともに、「選択されたブロックを編集します」ダイアログが開く。「OK」ボタンを🖱で、ブロック編集に移行する。「キャンセル」ボタンを🖱で、ブロック編集をキャンセルする。

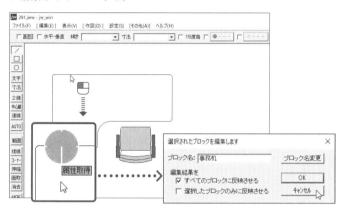

ブロック編集 ☞ p.360／ブロック解除 ☞ p.359／ブロック作成 ☞ p.361
図面上のブロックの編集、置き換えや、ブロックの集計結果を Excel に取り込む方法などを、別書『Jw_cad で神速に図面をかくための 100 のテクニック』p.240/246 で解説している。

■ **曲線属性**

曲線属性とは、連続する複数の線分をひとまとまりの要素として扱うもので、「曲線」コマンドで作図した曲線、「日影図」コマンドで作図した日影線、「多角形」コマンドの「曲線属性化」にチェックを付けて作図したソリッドなどがこの属性を持つ。そのほか、任意の要素に曲線属性を持たせることもできる（☞ p.235）。曲線属性の解除は、「範囲」コマンドの「属性変更」で行う（☞ p.234）。

曲線属性要素は、「伸縮」「コーナー」「面取」コマンドでは編集できない。直線部分に限り、「消去」コマンドの部分消しはできるが、その場合、部分消しした線の曲線属性は解除される。「パラメトリック変形」コマンドでの変形や線色・線種の変更は行える。ブロックのような基準点の情報や名前の情報は保持していない。

また、曲線属性を持つ要素をブロック化した場合、曲線属性は自動的に解除される。

362 | ランダム線・倍長線種

関連キーワード 拡張線種／線種／手書線／倍長線種／ランダム線

関連コマンド ［設定］－「基本設定」「線属性」

「線属性」ダイアログの「実線」〜「補助線種」の9つの線種を「標準線種」と呼ぶ。そのほか、同じ「線属性」ダイアログで指定できる拡張線種（ランダム線、倍長線種）がある。

ランダム線はフリーハンドでかいたような波線。「線属性」ダイアログを開いた状態で、キーボードの①〜⑤キーを押すことで、ランダム線1〜5（数字が大きいほどピッチが粗い）を書込線種に指定する。

倍長線種は鎖線、点線の線部分を長くしたもの。「線属性」ダイアログを開いた状態で、⑥キーを押すことで一点鎖線の倍長線種、⑦キーを押すことで二点鎖線の倍長線種、⑧〜⑨キーを押すことで点線の倍長線種を書込線種に指定する。

ランダム線の印刷状態は、「基本設定」コマンドの「線種」タブで、「ランダム線1」〜「ランダム種5」の「プリンタ出力」欄、「振幅」ボックスと「ピッチ」ボックスの数値を変更して調整できる。

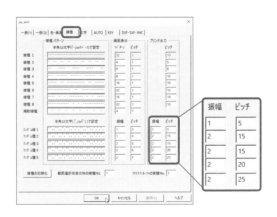

363 | レイヤ

関連キーワード 書込レイヤ／非表示レイヤ／表示のみレイヤ／編集可能レイヤ／レイヤ／レイヤバー

基準線や外形線、寸法、文字など各部分を複数の透明なシートに分けて作図し、そのシートを重ね合わせて1枚の図面にできる。その透明なシートに相当するのが「レイヤ」である。Jw_cadには、レイヤ番号0～9、A～Fまでの16枚のレイヤがあり、レイヤごとに任意の名前を付け、レイヤバーでの指示で表示⇔非表示を切り替えられる。作図要素が書き込まれるレイヤを「書込レイヤ」と呼び、レイヤバーのレイヤボタンを🖱することで書込レイヤになる。

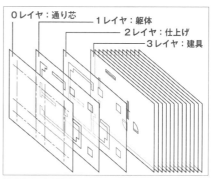

■ 書込レイヤ 〔⓪〕 赤い○付き番号で凹状態

作図する要素が書き込まれるレイヤ。

書込レイヤ以外のボタンを🖱で以下の状態に切り替え。

■ 非表示レイヤ 〔□〕 番号なし

非表示レイヤの要素は、作図ウィンドウに表示されない。また、印刷や消去・複写などの編集操作の対象にならない。

■ 表示のみレイヤ 〔1〕 番号のみ

表示のみレイヤの要素は、作図ウィンドウでグレー表示される。印刷はされるが、消去・複写などの編集操作の対象にはならない。

■ 編集可能レイヤ 〔②〕 黒い○付き番号

編集可能レイヤの要素は、書込レイヤの要素と同様に作図時の線色で表示される。消去・複写などすべての編集操作の対象になる。

また、各レイヤボタンの上のピンク色のバーは、そのレイヤに要素が作図されていることを示す。

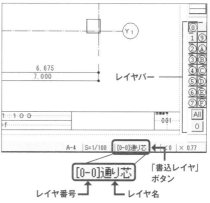

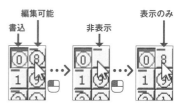

▼左半分のバー　　▼右半分のバー
文字以外の要素が存在　文字要素が存在

基礎知識

413

364 | レイヤグループ

関連キーワード 書込レイヤグループ／非表示レイヤグループ／表示のみレイヤグループ／
編集可能レイヤグループ／レイヤグループ／レイヤグループバー

「レイヤグループ」は16枚のレイヤ（☞前ページ）を束ねたもので、0～9、A～Fの16のレイヤグループがあり、レイヤグループごとに縮尺を設定できる。縮尺の異なる図を1枚の用紙に作図するには、レイヤグループを使い分ける。レイヤバーの「All」ボタン下の番号ボタンが書込レイヤグループ番号を示す。このボタンを🖱️で、レイヤグループバーの表示⇔非表示を切り替える。ステータスバーの「縮尺」ボタンは、書込レイヤグループの縮尺を示し、数値指定、測定、寸法記入などはすべて書込レイヤグループの縮尺に準じて行われる。レイヤグループバーの0～9、A～Fの16のボタンは、各レイヤグループの状態を示す。各状態の性質や状態の変更方法は、レイヤの場合（☞前ページ）と同じである。

基礎知識

■ 書込レイヤグループ

`0` 赤い□付き番号で凹状態

■ 編集可能レイヤグループ

`1` 黒い□付き番号

■ 表示のみレイヤグループ

`2` 番号のみ

■ 非表示レイヤグループ

`□` 番号なし

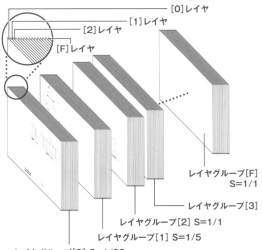

レイヤグループ[F] S=1/1
レイヤグループ[3]
レイヤグループ[2] S=1/1
レイヤグループ[1] S=1/5
レイヤグループ[0] S=1/20

[0]レイヤ
[1]レイヤ
[2]レイヤ
[F]レイヤ

▼レイヤグループを使い分けて異縮尺の図面を作図した例

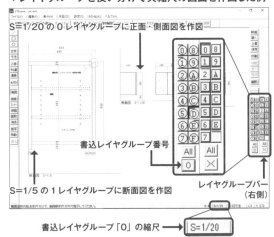

S=1/20の0レイヤグループに正面・側面図を作図

書込レイヤグループ番号

S=1/5の1レイヤグループに断面図を作図

レイヤグループバー（右側）

書込レイヤグループ「0」の縮尺 → S=1/20

レイヤグループを使い分けて1枚の用紙に縮尺の異なる図面を作図する方法については、別書『Jw_cadで神速に図面をかくための100のテクニック』p.211で解説している。

送付先 FAX 番号 ▶ 03-3403-0582　メールアドレス ▶ info@xknowledge.co.jp
インターネットからのお問合せ ▶ https://xknowledge-books.jp/contact/book

FAX 質問シート　Jw_cad 8 逆引きハンドブック

p.2 の「本書をご購入・ご利用になる前に必ずお読みください」と以下を必ずお読みになり、ご了承いただいた場合のみご質問をお送りください。

● 「本書の手順通り操作したが記載されているような結果にならない」といった本書記事に直接関係のある質問のみご回答いたします。「このようなことがしたい」「このようなときはどうすればよいか」など特定のユーザー向けの操作方法や問題解決方法については受け付けておりません。
● 本質問シートで、FAX またはメールにてお送りいただいた質問のみ受け付けております。お電話による質問はお受けできません。
● 本質問シートはコピーしてお使いください。また、必要事項に記入漏れがある場合はご回答できない場合がございます。
● メールの場合は、書名と当質問シートの項目を必ずご入力のうえ、送信してください。
● ご質問の内容によってはご回答できない場合や日数を要する場合がございます。
● パソコンや OS そのもの、ご使用の機器や環境についての操作方法・トラブルなどの質問は受け付けておりません。

ふりがな

氏　　名　　　　　　　　　　　　年齢　　　　歳　　　性別　　男　・　女

回答送付先（FAX またはメールのいずれかに○印を付け、FAX 番号またはメールアドレスをご記入ください）

FAX　・　メール

※送付先ははっきりとわかりやすくご記入ください。判読できない場合はご回答いたしかねます。
　電話による回答はいたしておりません。

ご質問の内容　　※例）203 ページの手順 7 までは操作できるが、手順 8 の結果が別紙画面のようになって解決しない。

【本書　　　　　　ページ〜　　　　　ページ 】

ご使用の Jw_cad のバージョン　　※例）Jw_cad 8.22d　（　　　　　　　　　　　　　　　　）
ご使用の OS のバージョン（以下の中から該当するものに○印を付けてください）

Windows 10　　　　8.1　　　　8　　　その他　（　　　　　　　　　　　　　　）

● 著者紹介

Obra Club（オブラクラブ）

設計業務におけるパソコンの有効利用をテーマとしたクラブ。
会員を対象に Jw_cad に関するサポートや情報提供などを行っている。
http://www.obraclub.com/
※ホームページ（上記 URL）では書籍に関する Q&A も掲載

《主な著書》
『Jw_cad のトリセツ』
『はじめて学ぶ Jw_cad 8』
『Jw_cad の「コレがしたい！」「アレができない！」をスッキリ解決する本』
『やさしく学ぶ SketchUp』
『やさしく学ぶ Jw_cad 8』
『Jw_cad 電気設備設計入門』
『Jw_cad 空調給排水設備図面入門』
『Jw_cad で神速に図面をかくための 100 のテクニック』
『Jw_cad 8 を仕事でフル活用するための 88 の方法（メソッド）』
『CAD を使って機械や木工や製品の図面をかきたい人のための Jw_cad 8 製図入門』
『建築だけじゃない！　だれでもかんたんに図がかける！　いますぐできる！　フリーソフト Jw_cad 8』
（いずれもエクスナレッジ刊）

Jw_cad 8 逆引きハンドブック

2021 年 2 月 1 日　初版第 1 刷発行
2023 年 2 月 6 日　　第 2 刷発行
著　者　　Obra Club
発行者　　澤井聖一
発行所　　株式会社エクスナレッジ
　　　　　〒 106-0032　東京都港区六本木 7-2-26
　　　　　https://www.xknowledge.co.jp/

● 問合せ先
編　集　　前ページの FAX 質問シートを参照してください。
販　売　　TEL 03-3403-1321 ／ FAX 03-3403-1829 ／ info@xknowledge.co.jp

無断転載の禁止
本誌掲載記事（本文、図表、イラスト等）を当社および著作権者の承諾なしに無断で転載（翻訳、複写、データベースへの入力、インターネットでの掲載等）することを禁じます。
©2021 Obra Club